RHAGAIR

Ledled Cymru, mae'r diddordeb yn ein hiaith hynafol a hardd ar gynnydd. Mae llawer o'n plant yn cael eu haddysgu'n rhannol neu'n gyfan gwbl trwy gyfrwng y Gymraeg ac mae mwy a mwy o oedolion yn dewis dysgu'r iaith.

Mae Trydan De Cymru yn chwarae rhan weithredol yn y gwaith o adfywio'r Gymraeg trwy ein polisi o anelu nawdd at ddysgwyr o oedolion. Dyma'r bobl a fydd yn elwa'n fawr ar y geiriadur newydd hwn. Bydd ei ddull unigryw o gynnwys geiriau yn eu ffurf dreigliedig yn rhoi help llaw i lawer o bobl ddeall yr iaith ysgrifenedig a'r iaith lafar yn well.

Mae'r geiriadur yn ffrwyth llawer o waith caled gan bobl ag ymrwymiad dwfn i'n hiaith. Rwy'n falch dros ben fod Trydan De Cymru wedi gallu bod yn gymorth i'w gyhoeddi.

FOREWORD

Throughout Wales interest in our ancient and beautiful tongue is flourishing. Many of our children are being educated partly or wholly through the medium of Welsh, and more and more adults are choosing to learn the language.

SWALEC is playing an active part in helping to revive Welsh by our policy of sponsorship aimed at helping adult learners. These are the people who will greatly benefit from this new dictionary. Its unique approach of including words in their mutuated forms will give many people a helping hand to more easily understand both the written and spoken language.

This dictionary is the result of much hard work by people who are deeply committed to our language. I am delighted that SWALEC has been able to help in its publication.

J. Wynford Evans
Cadeirydd / *Chairman*
Trydan De Cymru / SWALEC

CYFLWYNIAD

Bwriedir y geiriadur hwn yn bennaf ar gyfer y rhai sydd yn dysgu'r
Gymraeg. Yn ogystal â seilio'r dewis o eiriau ar y rhai y credwn y
byddant o'r defnydd mwyaf i ddysgwyr, ceir yma nifer o nodweddion
nad ydynt i'w cael fel arfer mewn geiriaduron:

❖ Cynhwysir ffurfiau treigliedig geiriau, er mwyn rhoi cymorth i'r
  rhai nad ydynt yn gyfarwydd iawn â'r treigliadau ac sydd, hyd
  yma, wedi chwilio yn ofer am eiriau yn y geiriaduron
  traddodiadol.

❖ Yn ogystal â'r berfenw, dangosir beth yw bôn y berfau, fel y
  gallo'r defnyddiwr ffurfio'r ffurfiau rhediadol yn fwy hyderus, e.e.
  yfed [*bôn* **yf-**].

❖ Yn achos berfau afreolaidd, cynhwysir y ffurfiau rhediadol mwyaf
  cyffredin, gan na ellir yn aml eu hadnabod o wybod y berfenw yn
  unig, e.e. ceir **af** yn ogystal â **mynd.**

❖ Cynhwysir ffurfiau cymharol yn ogystal â ffurf gysefin nifer dda o
  ansoddeiriau cyffredin. Dylai hyn fod o gymorth yn arbennig pan
  fo gwahaniaeth rhwng y ffurf gysefin a bôn y gweddill e.e. **gwlyb**,
  gwlypach, a phan geir cymariaethau afreolaidd e.e. **bach**, **llai**.

INTRODUCTION

This dictionary is aimed primarily at those learning Welsh. As well as selecting words which we believe will be of most use to learners, a number of additional features, not usually found in Welsh dictionaries, have been included:

❖ Mutated forms of words have been included as an aid to those not yet fully familiar with the mutation system and who have been searching in vain for help in the more traditional dictionaries.

❖ As well as the verb-noun, the stems of the verbs are also given in order that the user can form the conjugated forms with much more confidence, e.g. yfed [*stem* **yf-**] **yfodd:** he, she drank.

❖ In the case of irregular verbs, all the most common personal forms are included, as it is often not possible to recognize them from knowing only the verb-noun, e.g. **af** is given as well as **mynd** – **af:** I go [*from* **mynd**].

❖ Comparative as well as radical forms of a good number of adjectives are given. This should be of help particularly when there is a difference between the radical form and the stem of the other forms, e.g. **gwlyb**, **gwlypach**, and in the case of irregular comparisons e.g. **bach**, **llai**.

CYNNWYS   CONTENTS

CANLLAWIAU AR SUT I DDEFNYDDIO'R LLYFR HWN

Y mae'r wyddor Gymraeg yn cynnwys gwahanol lythrennau ac yn dilyn trefn wahanol i'r un Saesneg. Yn Adran Gymraeg-Saesneg y geiriadur hwn, yr ydym wedi dilyn llwybr canol er mwyn ceisio cynorthwyo'r rhai sy'n anghyfarwydd â threfn y Gymraeg.

Dilyn llythrennau dechreuol y drefn Gymraeg, h.y.:

**A B C CH D DD E F FF G NG H I J L
LL M N O P PH R RH S T TH U W Y**

Felly, pan chwilia rhywun am ystyr y gair **ffrwyth**, er enghraifft, fe'i ceir o dan **Ff**, ac nid ar ôl y geiriau yn dechrau â **fe-** sydd i'w gael o dan **F**.

Yng nghanol ac ar ddiwedd geiriau, sut bynnag, dilynir y drefn Saesneg, gan y credwn fod hyn yn haws i'r rhai hynny nad ydynt ond yn dechrau ymgyfarwyddo â'r Gymraeg. Felly, daw **anfon** o flaen **angel**, **coffi** o flaen **cofio**, **gwell** o flaen **gwely** ac yn y blaen.

Gan y gall y treigliadau fod yn faen tramgwydd sylweddol i lawer un wrth ddechrau dysgu Cymraeg cynhwyswyd ffurfiau treigledig geiriau yn ogystal â'r rhai cysefin. Ceir felly nid yn unig **peswch,** ond hefyd **beswch**, **mheswch** a **pheswch** lle y cyfeirir yn ôl at y ffurf wreiddiol. Ceir ffurfiau yn dechrau â llafariad hefyd o dan **h**, e.e. **addysg** a **haddysg**, **iechyd** a **hiechyd**. Yn achos ffurf luosog enwau, deuant ar ôl y ffurf unigol yn achos y ffurfiau cysefin, e.e.: **ci, cŵn:** dog(s) *m*. Fe'u rhestrir ar wahân wedi eu treiglo, sut bynnag: **chi, chŵn, gi, gŵn, nghi, nghŵn** (oll yn cyfeirio'r darllenydd yn ôl at **ci**).

Yn ogystal â'r berfenw – yr unig ffurf o'r ferf a geir fel arfer mewn geiriaduron – rhoddir yma hefyd fôn y ferf, sef yr hyn yr ychwanegir y terfyniadau personol ato. Er enghraifft: **clywed:** to hear [*stem* **clyw-**] **clywodd:** he, she heard.

Dyma'r terfyniadau mwyaf cyffredin:

	Presennol	Amherffaith	Gorffennol	
1 *un*	-af	-wn	-es/ais	**fi, i**
2 *un*	-i	-it	-est/aist	**ti, di**
3 *un*	-ith/iff	- ai	-odd	**ef, o**
1 *llu*	-wn	-en/m	-on/(as)om	**ni**
2 *llu*	-wch	-ech	-och/asoch	**chi**
3 *llu*	-an(t)	-en(t)	-on/(as)an(t)	**nhw, hwy**

Pan fo'r bôn yn hysbys, nid oes raid ond ychwanegu'r terfyniad i greu ffurf bersonol o'r ferf, e.e. **clyw-** > **clywaf, clywai, clywais.**

Y ffurfiau a nodir gyntaf uchod yw'r rhai a ddefnyddir fel arfer ar lafar.

Yn achos y berfau afreolaidd, megis **bod, gwybod, adnabod, mynd, dod, cael,** rhoddwyd cofnod unigol i bob ffurf bersonol y deuir ar ei thraws yn gyffredin. *(Gweler hefyd dudalen 231 – 234)*

GUIDELINES
ON HOW TO USE THIS BOOK

The Welsh alphabet contains different letters and follows a different order to the English one. In the Welsh – English section of this dictionary we have followed a middle path to try to help those who are unfamiliar with the Welsh system.

Initial letters follow the Welsh order, e.g.

**A B C CH D DD E F FF G NG H I J L
LL M N O P PH R RH S T TH U W Y**

Thus, when looking for the meaning of **ffrwyth,** for example, it will be found under **Ff**, and not after the words beginning **fe-** which are under **F**.

However, in the middle and at the end of words the English order is followed, as we believe this is easier for those who are only beginning to become accustomed to Welsh. Thus **anfon** comes before **angel, coffi** before **cofio, gwell** before **gwely** etc.

As the mutations often prove to be a stumbling block in the initial stages of learning Welsh we have included mutated forms of words as well as the radical ones. Thus one can find not only **peswch,** but also **beswch, mheswch, pheswch** which refer the reader back to the original form. Forms beginning with a vowel are also given under **h**, e.g. **addysg** and **haddysg, iechyd** and **hiechyd**. The plural forms of nouns are placed after the singular, e.g. **ci**, **cŵn**: dog(s) *m*. However, they are listed separately when mutated: **chi, chŵn, gi, gŵn, nghi, nghŵn** (all referring the reader back to **ci**).

In addition to the verb-noun, which is the only verbal form usually given in dictionaries, we have also included the verbal stem onto which the personal endings are added. For instance: **clywed:** to hear [*stem* **clyw-**] **clywodd:** he, she heard

These are the most common endings:

	Present	**Imperfect**	**Past**	
1 *s*	-af	-wn	-es/ais	**fi, i**
2 *s*	-i	-it	-est/aist	**ti, di**
3 *s*	-ith/iff	- ai	-odd	**ef, o**
1 *pl*	-wn	-en/m	-on/(as)om	**ni**
2 *pl*	-wch	-ech	-och/asoch	**chi**
3 *pl*	-an(t)	-en(t)	-on/(as)an(t)	**nhw, hwy**

Once the stem is known, one can find a personal form of the verb by adding the ending, e.g. **clyw-** > **clywaf, clywai, clywais**.

The forms listed first in each instance above are those in most common oral usage.

In the case of irregular verbs such as **bod, gwybod, adnabod, mynd, dod, cael,** the most commonly used forms are given an individual entry. *(also see pages 231 – 234)*

YNGANIAD / PRONUNCIATION

The following can serve as a general guide to Welsh pronunciation.

CONSONANTS

b, d, h, j, l, m, n, p, s, t

are pronounced approximately as in English

c – as in the English "**c**ar" – never as in "**c**ease"

ch – a dry gargling sound in the back of the throat – as in the Scottish "lo**ch**"

dd – this, like **ch**, is a single letter in Welsh – said as the **th** in "**the**"

f – as the **v** in "**v**ase"

ff – as in "o**ff**ice"

g – always as in "**g**rand" – never as in "**g**iant"

ng – as in "ga**ng**"

ll – Place your tongue in the right position to say "**l**" and then blow hard, without voice

r – A trilled '**r**' as is often heard in the English of Scotland and Wales

rh – very similar to **r.** But you should hear the **h**

th – as the **th** in "**th**in"

There is no **k, q, v, x** or **z** in Welsh

VOWELS

a – this can be said either as in "l**a**rd" or as in "tr**a**m" never as in "g**a**me"

e – as in "th**e**n" – never as in "b**e**cause"

i – either as in "tr**ee**" or in "w**i**nk" – never as in "t**i**me"

o – as in "h**o**t" or "c**a**ll"

w – as in "z**oo**"

u – as in "s**ee**n" or "p**i**n" – never as in "c**u**p". A more rounded sound in north Wales

y – can be said as in "c**u**p" or "c**u**rtain", and as in "p**i**n" or "s**ee**n".

When vowels are combined they can be sounded as in these English words:

ai, ae, and **au** are said as in "**ai**sle"

eu, ei and **ey** as in "p**ay**"

oe, oi and **ou** as in "b**oy**"

aw – as in "br**ow**n"

wy – as in "go**ooe**y"

A circumflex (^) usually denotes that a vowel is long: **cân:** song. Occasionally it is used to distinguish words otherwise identical: **a:** and, **â:** with.

On words of more than one syllable, the stress normally falls on the penultimate syllable. When this is not the case, an acute accent (´) sometimes shows the stress: **amgáu:** to enclose.

A diaeresis (¨) is sometimes used to show that vowels are to be pronounced separately: **copïo:** to copy

TREIGLIADAU / MUTATIONS

In Welsh, some consonants at the beginning of words are changed or 'mutated' under certain circumstances. There are three types of mutations: soft, nasal and aspirate (or spirant).

These are the possible changes:

Radical		Soft		Nasal		Aspirate	
p	(plant)	**b**	(blant)	**mh**	(mhlant)	**ph**	(phlant)
t	(tad)	**d**	(dad)	**nh**	(nhad)	**th**	(thad)
c	(car)	**g**	(gar)	**ngh**	(nghar)	**ch**	(char)
b	(brawd)	**f**	(frawd)	**m**	(mrawd)		
d	(dŵr)	**dd**	(ddŵr)	**n**	(nŵr)		
g	(gwraig)	**–**	(wraig)	**ng**	(ngwraig)		
ll	(llaw)	**l**	(law)				
rh	(rhaw)	**r**	(raw)				
m	(mam)	**f**	(fam)				

As can be seen, **p, t** and **c** undergo all three mutations, **b, d** and **g** undergo soft and nasal mutation and **ll, m** and **rh** undergo soft mutation only. Note that the soft mutation of **g** entails its disappearance, and that **f** is the soft mutated letter for both **b** and **m**. A broadly similar change is the addition of a **h** to words beginning with a vowel, e.g. **afal** > **hafal**.

THE SOFT MUTATION

As well as affecting more consonants, the soft mutation also occurs under far more circumstances than the others. Some of the most common are:

A feminine singular noun after the article: **merch** > **y ferch** [except for **ll** and **rh: y llong, y rhaw**]

An adjective after a feminine noun: **merch dda** [but **dyn da**]

A noun or adjective after the particle **yn: yn ddyn, yn ferch, yn dda** [except for **ll** and **rh: yn llongwr, yn rhad**]

A noun after certain numbers: **un** (feminine only): **un ferch** [but **un dyn**]; **dau, dwy: dau ddyn, dwy ferch**

A verb after the particles **mi, fe: mi welais, fe glywodd**

A noun after the pronoun **dy**, and **ei** (masculine): **dy law, ei frawd**

The object of a personal form of the verb: **gwelais gar, prynodd Dafydd dŷ**

Directly after the words **dyma, dyna, a** (question word), **ni, na** (negative markers), and many prepositions such as **am, ar, at, gan, i, o, tros, trwy, wrth.**

THE NASAL MUTATION

The most common contexts in which this occurs are:

After the pronoun **fy: fy nhŷ, fy nannedd**

After the preposition **yn** 'in': **yn Nyfed, yn nhŷ fy modryb**

[Note that **yn** itself becomes **yng** before **ng-** and **ym** before **m-: yng Nghymru, ym mis Ebrill**]

THE ASPIRATE MUTATION

This will most commonly be met:

After the pronoun **ei** (feminine): **ei chath, ei thŷ**

The addition of a **h** before a vowel occurs after **ei** (feminine): **arian** > **ei harian, ein: ysgol** > **ein hysgol** and **eu: ofn** > **eu hofn.**

[Note also **ugain**, but **un ar hugain** etc]

BYRFODDAU / ABBREVIATIONS

[*adj*]	adjective
f	feminine
m	masculine
m f	masculine or feminine (usually dependant on locality)
[north]	associated with north Wales
[*pl*]	plural
[*pl noun*]	plural noun
[*s*]	singular
[south]	associated with south Wales

GAIR I GALL

CYMRAEG – SAESNEG

Aa

a: and [*in front of consonant*]

a: [+ *soft mutation*] particle used to introduce a question, usually dropped in speech and often when writing informally. Not translatable. **A welaist ti ef?** Did you see him?

â: as (comparison) [*in front of consonant + aspirate mutation*]; **cyn dded â'r frân:** as black as the crow

â: with [*in front of consonant + aspirate mutation*]; **torri â chyllell:** to cut with a knife

â: he, she goes [*from* **mynd**]

aber, -oedd: mouth of river; stream; where rivers meet *f*

absennol: absent

ac: and [*in front of a vowel*]

academaidd, academig: academic

acen, -ion: accent(s) *f*

achlysur, -on: occasion(s) *m*

achlysurol: occasionally

achos: because

achos, -ion: cause(s); case(s) [court] *m*

achosi: to cause [*stem* **achos-**] **achosodd:** he, she caused

achub: to save; to rescue [*stem* **achub-**] **achubodd:** he, she saved, rescued

act, -au: act(s) *f*

actio: to act [*stem* **acti-**] **actiodd:** he, she acted

actor, -ion: actor(s) *m*

actores, -au: actress(es) *f*

acw: there; **draw acw:** over there

adael: *see* **gadael**

addas: suitable

addasu: to adapt [*stem* **addas-**] **addasodd:** he, she adapted

addewid, -ion: promise(s) *m f*

addo: to promise [*stem* **addaw-**] **addawodd:** he, she promised

addoldy, addoldai: place(s) of worship *m*

addoli: to worship [*stem* **addol-**] **addolodd:** he, she worshipped

addolwr, addolwyr: worshipper(s) *m*

addurn, -iadau: decoration(s) *m*

addurno: to decorate [*stem* **addurn-**] **addurnodd:** he, she decorated

addysg: education *f*

addysgu: to educate [*stem* **addysg-**] **addysgodd:** he, she educated

adeg, -au: period(s); time(s) *f*; **ar adegau:** at times

adeilad, -au: building(s) *m*

adeiladu: to build [*stem* **adeilad-**] **adeiladodd:** he, she built

adeiladydd, adeiladwyr: builder(s) *m*

aderyn, adar: bird(s) *m*

aderyn y to, adar y to: sparrow(s) *m*

adloniant: entertainment *m*

adnabod: to know [person]; to recognize [*stem* **ad(na)-**] **adnabu:** he, she knew; recognized; **adwaen:** he, she knows; recognizes

adolygiad, -au: review(s) *m*

adolygu: to review; to revise [*stem* **adolyg-**] **adolygodd:** he, she reviewed; revised

adolygydd, adolygwyr: reviewer(s) *m*

adran, -nau: department(s); section(s) *f*

adref: homewards; **mynd adref:** to go home(wards); at home [north]

adrodd: to recite; to report [*stem* **adrodd-**] **adroddodd:** he, she reported; recited

adroddiad, -au: recitation(s); report(s) *m*

aech: you [*pl*] used to go [*from* **mynd**]

aeaf: *see* **gaeaf**

aeddfed: mature; ripe

aeddfedu: to mature; to ripen [*stem* **aeddfed-**] **aeddfedodd:** he, she matured

aelod, -au: member(s) *m*; **aelod, -au seneddol:** member(s) of parliament

aelwyd, -ydd: home(s); hearth(s) *f*

aem, aen: we used to go [*from* **mynd**]

aen(t): they used to go [*from* **mynd**]

aer: air *m*

aeth: he, she went [*from* **mynd**]

aethan(t): they went [*from* **mynd**]

aethoch: you [*pl*] went [*from* **mynd**]

aethom, aethon: we went [*from* **mynd**]

aethost: you [*s*] went [*from* **mynd**]

af: I go [*from* **mynd**]

afael: *see* **gafael**

afal, -au: apple(s) *m*

afiach: unhealthy; disgusting

afiechyd, -on: disease(s) *m*

afon, -ydd: river(s) *f*

afr: *see* **gafr**

afu: liver *m f*

ag: with [*in front of vowel*]; **talu ag arian parod:** to pay with (by) cash

ag: as (comparison) [*in front of vowel*]; **cyn wynned ag eira:** as white as snow

ager: steam; vapour *m*

agor: to open [*stem* **agor-**] **agorodd:** he, she opened; **ar agor:** open [*adv*]

agored: open

agoriad, -au: opening(s); key(s) *m*

agos: close; **cyn agosed:** as close; **agosach; nes:** closer; **agosaf; nesaf:** closest

agosatrwydd: intimacy *m*

agosáu: to approach [*stem* **agosa-**] **agosaodd:** he, she approached

agosrwydd: nearness *m*

ai?: is it?

âi: he, she used to go [*from* **mynd**]

aiff: he, she goes (colloquial) [*from* **mynd**]

ail: second [position]; **ail ar bymtheg:** seventeenth

ailadrodd: to repeat

ailadroddus: repetitive

air: *see* **gair**

ait: you [*s*] used to go [*from* **mynd**]

alarch, elyrch: swan(s) *m*

alaw, -on: tune(s) *f*

alcam: tin plate *m*

allan: out; **tu allan:** outside

allanfa, allanfeydd: exit(s) *f*;
    allanfa dân: fire exit

allforio: to export [*stem* **allfori-**]
    allforiodd: he, she exported

allu: *see* **gallu**

alluog: *see* **galluog**

allwedd, -i: key(s) [south] *m f*

alw: *see* **galw**

alwad: *see* **galwad**

alwyn: *see* **galwyn**

alwyni: *see* **galwyn**

am: about; because;
    amdanaf: about me; **amdanat:**
    about you [*s*]; **amdano:** about
    him; **amdani:** about her;
    amdanon: about us; **amdanoch:**
    about you [*pl*]; **amdanyn(t):**
    about them

amaethyddiaeth: agriculture *f*

amau: to doubt [*stem* **amheu-**]
    amheuodd: he, she doubted

ambell: some; few; occasional

ambiwlans, -ys: ambulance(s) *m*

amddiffyn: to defend
    [*stem* **amddiffynn-**]
    amddiffynnodd: he, she
    defended

amgáu: to enclose [*stem* **amgae-**]
    amgaeodd: he, she enclosed

amgueddfa, amgueddfeydd:
    museum(s) *f*

amgylch (o): around

amgylchedd: environment *m*

amheuaeth, amheuon:
    suspicion(s) *f*

amheus: suspicious

amhosibl: impossible

aml: often; frequently; **cyn amled:**
    as often; as frequently; **amlach:**
    more frequently; more often;
    amlaf: most frequently, most
    often

amlen, -ni: envelope(s) *f*

amlwg: obvious; prominent

amod, -au: condition(s); term(s) *m f*

amodol: conditional

amryw: several

amrywiaeth, -au: variety,
    varieties *m f*

amrywiol: various

amser, -au: time(s) *m*

amserlen, -ni: timetable(s) *f*

anabl: disabled

anadl: breath *f*

anadlu: to breathe [*stem* **anadl-**]
    anadlodd: he, she breathed

anaf, -iadau: injury, injuries;
    wound(s) *m*

anafu: to injure; to wound [*stem*
    anaf-] **anafodd:** he, she injured

anaml: infrequent

anfantais, anfanteision:
    disadvantage(s) *m*

anffodus: unfortunate;
    yn anffodus: unfortunately

anffyddlon: unfaithful

anfodlon: discontented

anfon: to send [*stem* **anfon-**]
    anfonodd: he, she sent

angel, angylion: angel(s) *m*

angen, anghenion: need(s) *m*

angenrheidiol: necessary

angharedig: unkind

anghenfil, -od: monster(s) *m*

anghofio: to forget [*stem* **anghofi-**]
    anghofiodd: he, she forgot

anghyfarwydd: unfamiliar

anghysbell: remote

anghytuno: to disagree [*stem* **anghytun-**] **anghytunodd:** he, she disagreed

anghywir: incorrect; wrong

angor, -au: anchor(s) *m*

anhapus: unhappy

anhrefn: disorder

anifail, anifeiliaid: animal(s) *m*

anifeilaidd: beastly

anlwc: misfortune *m*

anlwcus: unlucky

annaturiol: unnatural

anniben: untidy

annibendod: untidiness; mess *m*

anniddorol: uninteresting

annisgwyl: unexpected

annwyd, anwydau: cold(s) *m*

annwyl: dear; **Annwyl Syr/Fadam:** Dear Sir/Madam

anobeithiol: hopeless

anodd: difficult; **cyn anodded:** as difficult; **anoddach:** more difficult; **anoddaf:** most difficult

anonest: dishonest

anrheg, -ion: gift(s); present(s) *f*

ansefydlog: unsettled

ansicr: unsure

ân(t): they go [*from* **mynd**]

anthem, -au: anthem(s) *f*; **Yr Anthem Genedlaethol:** The National Anthem

ap: son of; **Dafydd ap Gwilym:** Dafydd son of Gwilym

apêl, apelion, apelau: appeal(s) *m f*

apelio: to appeal [*stem* **apeli-**] **apeliodd:** he, she appealed

apostol, -ion: apostle(s) *m*

apwyntiad, -au: appointment(s) *m*

ar: on; **ar ôl:** after; **arnaf:** on me; **arnat:** on you [*s*]; **arno:** on him; **arni:** on her; **arnon:** on us; **arnoch:** on you [*pl*]; **arnyn(t):** on them

araf: slow; **cyn arafed:** as slow; **arafach:** slower; **arafaf:** slowest

arafu: to slow [*stem* **araf-**] **arafodd:** he, she slowed

araith, areithiau: speech(es) *f*

arall, eraill: other(s); another

arbenigo: specialize [*stem* **arbenig-**] **arbenigodd:** he, she specialized

arbenigwr, arbenigwyr: specialist(s) [male] *m*

arbenigwraig, arbenigwragedd: specialist(s) [female] *f*

arbennig: special

archeb, -ion: order(s) [goods] *f*

archeb bost: postal order *f*

archebu: to order [*stem* **archeb-**] **archebodd:** he, she ordered [goods]

archfarchnad, -oedd: supermarket(s) *f*

ardal, -oedd: area(s); district(s); regions *f*

ardd: *see* gardd

arddangos: to exhibit [*stem* **arddangos-**] **arddangosodd:** he, she exhibited

arddangosfa, arddangosfeydd: exhibition(s) *f*

ardderchog: excellent; splendid

arddio: *see* garddio

arf, -au: weapon(s) *m f*

arfer â: to become accustomed to
arfer, -ion: a custom, customs *m f*
arferol: usual
arfordir, -oedd: coast(s) *m*
arglwydd, -i: lord(s) *m*;
    Tŷ'r Arglwyddi: House of Lords
arglwyddes, -au: lady, ladies *f*
argraffu: to print [*stem* argraff-]
    argraffodd: he, she printed
argraffydd: printer [machine] *m*
argraffydd, argraffwyr:
    printer(s) *m*
argyfwng, argyfyngau: emergency,
    emergencies *m*
arholiad, -au: examination(s) *m*
arholwr, arholwyr: examiner(s) *m*
arhosfa, arosfeydd: stop(s) *f*
arian: money; silver *m*;
    arian parod: cash
ariannol: financial
arlleg: *see* **garlleg**
arllwys: to pour [*stem* arllwys-]
    arllwysodd: he, she poured
arlunio: to draw; to paint
    [*stem* arluni-] **arluniodd:** he,
    she drew; painted
arlunydd, arlunwyr: painter(s);
    artist(s) *m*
arlywydd, -ion: president(s)
    [of a country] *m*
arogl, -au: smell(s); odour(s) *m*
arogli: to smell; to give off odour
    [*stem* arogl-] **aroglodd:** he, she
    smelled; gave off odour
arolwg, arolygon: survey(s) *m*
arolygwr, arolygwyr:
    supervisor(s) *m*
aros: to stay; to wait [stem arhos-]
    arhosodd: he, she stayed; waited

arth, eirth: bear(s) *m f*
arw: *see* **garw**
arwain: to lead; to conduct
    [orchestra] [*stem* arweini-]
    arweiniodd: he, she led;
    conducted
arweinydd, -ion: leader(s);
    conductor(s) *m*
arwydd, -ion: a sign(s) *m f*
arwyddo: to sign [*stem* arwydd-]
    arwyddodd: he, she signed
asbrin: aspirin *m f*
asesu: to assess [*stem* ases-]
    asesodd: he, she assessed
asgwrn, esgyrn: bone(s) *m*
asid, -au: acid(s) *m*
astudio: to study [*stem* astudi-]
    astudiodd: he, she studied
asyn, -nod: ass(es) *m*
at: to; **ataf:** to me; **atat:** to you [*s*]
    ato: to him; **ati:** to her;
    aton: to us; **atoch:** to you [*pl*];
    atyn: to them
atal: to prevent; to stop
    [*stem* atali-] **ataliodd:** he, she
    prevented
ateb, -ion: answer(s);
    reply, replies *m*
ateb: to answer; reply
    [*stem* ateb-] **atebodd:** he, she
    answered; replied
atgas: hateful
atgof, -ion: memory, memories;
    reminiscence(s) *m*
atgoffa: to remind [*stem* atgoff-]
    atgoffodd: he, she reminded
athletaidd: athletic
athletau: athletics [*pl noun*]
athrawes, -au: teacher(s) [female] *f*

athro, athrawon: teacher(s)[male]; professor(s) *m*

atlas, -au: atlas(es) *m*

atodiad, -au: supplement(s) *m*

atom, -au: atom(s) *m f*

atomig: atomic

atsain, atseiniau: echo(s) *m*

aur: gold *m*

awdur, -on: author(s) *m*

awdurdod, -au: authority, authorities *m*

awdurdodi: to authorize [*stem* **awdurdod-**] **awdurdododd:** he, she authorized

awdures, -au: authoress(es) *f*

awel, -on: breeze(s) *f*

awgrym, -iadau: suggestion(s) *m*

awgrymu: to suggest; to imply [*stem* **awgrym-**] **awgrymodd:** he, she suggested; implied

awn: we go; I used to go [*from* **mynd**]

awr, oriau: hour(s) *f*

Awst, mis Awst: August *m*

awyr: sky, skies *f*

awyren, -nau: aeroplane(s) *f*

Bb

baban, -od: baby, babies *m*

babanaidd: babyish

babell: *see* **pabell**

babi: baby *m*

baced: *see* **paced**

bacedi: *see* **paced**

bach: small; **cyn lleied:** as small; **llai:** smaller; **lleiaf:** smallest

bachgen, bechgyn: boy(s); lad(s) *m*

bachyn, -au: hook(s) *m*

bacio: *see* **pacio**

baco: *see* **tybaco**

bacwn: bacon *m*

bad, -au: boat(s) *m*; **bad achub:** lifeboat *m*

baddon, -au: bath(s) *m*

badell: *see* **padell**

badelli: *see* **padell**

bae, -au: bay(s) *m*

baeddu: to dirty [*stem* **baedd-**] **baeddodd:** he, she dirtied

baent: *see* **paent**

baffio: *see* **paffio**

baffiwr: *see* **paffiwr**

bafiliwn: *see* **pafiliwn**

bafiliynau: *see* **pafiliwn**

bafin: *see* **pafin**

bafinau: *see* **pafin**

bag, -iau: bag(s) *m*

bagaid, bageidiau: bagful(s) *m*

bai, beiau: fault(s) *m*; **ar fai:** at fault

balch: proud; glad; **cyn falched:** as proud; glad; **balchach:** prouder; gladder;

balchaf: proudest; gladdest
ballu: *see* **pallu**
balmant: *see* **palmant**
balmantau: *see* **palmant**
balu: *see* **palu**
balŵn, balwnau: balloon(s) *m f*
bambŵ: bamboo *m*
banad: *see* **cwpanaid**
banc, -iau: bank(s) [financial] *m*
bancio: to bank [*stem* **banc-**]
　banciodd: he, she banked
bancwr, bancwyr: banker(s) *m*
band, -iau: band(s) *m*
baned: *see* **cwpanaid**
baneidiau: *see* **cwpanaid**
banel: *see* **panel**
baneli: *see* **panel**
baner, -i: banner(s); flag(s) *f*
bant: away; **mynd bant:** to go away
　[south]
bantomeim: *see* **pantomeim**
bantomeimiau: *see* **pantomeim**
bantri: *see* **pantri**
bantrïoedd: *see* **pantri**
bapur: *see* **papur**
bapurau: *see* **papur**
bapuro: *see* **papuro**
bar, -rau: bar(s) *m*
bara: bread *m*
baradwys: *see* **paradwys**
baraffîn: *see* **paraffîn**
baragraff: *see* **paragraff**
baragraffau: *see* **paragraff**
barasiwt: *see* **parasiwt**
barasiwtiau: *see* **parasiwt**
baratoi: *see* **paratoi**
barbwr, barbwyr: barber(s) *m*
barc: *see* **parc**
barch: *see* **parch**

barchus: *see* **parchus**
barciau: *see* **parc**
barcio: *see* **parcio**
bardd, beirdd: bard(s); poet(s) *m*
barddoni: to write poetry
barddoniaeth: poetry *f*
bardwn: *see* **pardwn**
barf, -au: beard(s) *f*
bargeinio: to bargain
　[*stem* **bargeini-**] **bargeiniodd:**
　he, she bargained
bargen, bargeinion, bargeiniau:
　bargain(s) *f*
barhau: *see* **parhau**
baril, -au: barrel(s) *f*
barlwr: *see* **parlwr**
barlyrau: *see* **parlwr**
barn, -au: opinion(s);
　judgement(s) *f*
barnwr, barnwyr: judge(s) *m*
barod: *see* **parod**
barti: *see* **parti**
bartïon: *see* **parti**
bartner: *see* **partner**
bartneriaid: *see* **partner**
bas: bass [voice]; shallow
basg: *see* **pasg**
basged, -i: basket(s) *f*
basio: *see* **pasio**
basn, -au: basin(s) *m*
bastai: *see* **pastai**
bathodyn, -nau: badge(s) *m*
batrwm: *see* **patrwm**
batrymau: *see* **patrwm**
baw: dirt *m*
bawb: *see* **pawb**
bawd, bodiau: thumb(s);
　bawd troed, bodiau traed: big
　toe(s) *m*

bebyll: *see* **pebyll**
bechan: *see* **bychan**
bechod: *see* **pechod**
becso: to worry [*stem* **becs-**]
    becsodd: he, she worried
    [south]
becyn: *see* **pecyn**
becynnau: *see* **pecyn**
bedair: *see* **pedair**
bedal: *see* **pedal**
bedalau: *see* **pedal**
bedd, -au: grave(s) *m*
bedwar: *see* **pedwar**
bedwarawd: *see* **pedwarawd**
bedwaredd: *see* **pedwaredd**
bedwerydd: *see* **pedwerydd**
bedydd: christening; baptism *m*
bedyddio: to christen; to baptize
    [*stem* **bedyddi-**] **bedyddiodd:**
    he, she baptized
beg: *see* **peg**
begiau: *see* **peg**
beibl, -au: bible(s) *m*
beic, -iau: bike(s) *m*
beichiog: pregnant
beichiogi: to become pregnant
    [*stem* **beichi-**] **beichiogodd:**
    she became pregnant
beicio: to cycle [*stem* **beici-**]
    beiciodd: he, she cycled
beiciwr, beicwyr: cyclist(s) *m*
beidio: *see* **peidio**
beint: *see* **peint**
beintiau: *see* **peint**
beintio: *see* **peintio**
beintiwr: *see* **peintiwr**
beio: to blame [*stem* **bei-**] **beiodd:**
    he, she blamed
beiriannau: *see* **peiriant**

beiriant: *see* **peiriant**
beirniad, beirniaid: judge(s) *m*
beirniadu: to judge
    [*stem* **beirniad-**] **beirniadodd:**
    he, she judged
belen: *see* **pelen**
beli: *see* **pêl**
bell: *see* **pell**
bellach: by now
bellach: *see* **pellach**
bellaf: *see* **pell**
belled: *see* **pell**
bellter: *see* **pellter**
belydr: *see* **pelydr**
belydrau: *see* **pelydr**
ben: *see* **pen**
benaethiaid: *see* **pennaeth**
ben-blwydd: *see* **pen-blwydd**
bencadlys: *see* **pencadlys**
bencampwriaeth: *see*
    pencampwriaeth
bencampwriaethau: *see*
    pencampwriaeth
bendant: *see* **pendant**
benderfynu: *see* **penderfynu**
bendigedig: wonderful; blessed
benelin: *see* **penelin**
benelinoedd: *see* **penelin**
benfras: *see* **penfras**
benfrasau: *see* **penfras**
ben-glin: *see* **pen-glin**
ben-gliniau: *see* **pen-glin**
benillion: *see* **pennill**
beniog: *see* **peniog**
ben-lin: *see* **pen-lin**
ben-liniau: *see* **pen-lin**
bennaeth: *see* **pennaeth**
bennau: *see* **pen**
bennill: *see* **pennill**

bennod: *see* pennod
bennu: *see* pennu
benodau: *see* pennod
benodol: *see* penodol
bensaer: *see* pensaer
benseiri: *see* pensaer
bensil: *see* pensil
bensiliau: *see* pensil
bensiwn: *see* pensiwn
bensiynau: *see* pensiwn
benthyca: to borrow; to lend
    [*stem* benthyci-] benthyciodd:
    he, she borrowed; lent
benthyciad, -au: a loan, loans *f*
benthyg: to borrow; to lend [*stem*
    benthyc-] benthycodd: he, she
    borrowed; lent
bentref: *see* pentref
bentrefi: *see* pentref
bentrefwr: *see* pentrefwr
bentrefwyr: *see* pentrefwr
benwythnos: *see* penwythnos
benwythnosau: *see* penwythnos
benyw, -od: woman, women *f*
benywaidd: female; feminine
berchen: *see* perchen
berchennog: *see* perchennog
berchnogion: *see* perchennog
berf, -au: verb(s) *f*
berffaith: *see* perffaith
berfformiad: *see* perfformiad
berfformiadau: *see* perfformiad
berfformio: *see* perfformio
berfformiwr: *see* perfformiwr
berfformwyr: *see* perfformiwr
bersawr: *see* persawr
bersawrau: *see* persawr
berson: *see* person
bersonau: *see* person

bersonol: *see* personol
bersonoliaeth: *see* personoliaeth
berswadio: *see* perswadio
bert: *see* pert
bertach: *see* pert
bertaf: *see* pert
berted: *see* pert
berth: *see* perth
berthi: *see* perth
berthnasau: *see* perthynas
berthyn: *see* perthyn
berthynas: *see* perthynas
berwi: to boil [*stem* berw-]
    berwodd: he, she boiled
berygl: *see* perygl
beryglus: *see* peryglus
beswch: *see* peswch
beth: what;
    beth bynnag: whatever;
    pwy bynnag: whoever
beth: *see* peth
bethau: *see* peth
betrol: *see* petrol
biano: *see* piano
biau: *see* piau
bib: *see* pib
bibau: *see* pib
bibell: *see* pibell
bibellau: *see* pibell
bicio: *see* picio
bicnic: *see* picnic
bictiwr: *see* pictiwr
bigiad: *see* pigiad
bigiadau: *see* pigiad
bigo: *see* pigo
bigyn: *see* pigyn
bil, -iau: bill(s) [charge] *m*
bilsen: *see* pilsen
bin: *see* pin

bin, -iau: bin(s) *m*
binc: *see* **pinc**
binnau: *see* **pin**
biod: *see* **pioden**
bioden: *see* **pioden**
bioleg: biology *f*
bisged, -i: biscuit(s) *f*
bisgïen: *see* **bisged**
bistyllio: *see* **pistyllio**
bisyn: *see* **pisyn**
biti: *see* **piti**
blaen: *see* **plaen**
blaen, -au: front(s) *m*
blaendal, -iadau: deposit(s) *m*
blaenwr, blaenwyr: forward(s) *m*
blaid: *see* **plaid**
blaidd, bleiddiaid: wolf, wolves *m*
blanced, -i: blanket(s) *f*
blaned: *see* **planed**
blanedau: *see* **planed**
blannu: *see* **plannu**
blant: *see* **plentyn**
blas, -au: taste(s) *m*
blastai: *see* **plasty**
blastig: *see* **plastig**
blasty: *see* **plasty**
blasu: to taste [*stem* **blas-**]
    blasodd: he, she tasted
blasus: tasty
blât: *see* **plât**
blatfform: *see* **platfform**
blatiau: *see* **plât**
blawd: flour *m*
ble: where
bledio: *see* **pledio**
bleidiau: *see* **plaid**
blentyn: *see* **plentyn**
blentyndod: *see* **plentyndod**
blêr: untidy

blerwch: untidyness
bleser: *see* **pleser**
bleserau: *see* **pleser**
bleserus: *see* **pleserus**
blew: *see* **blewyn**
blewog: hairy
blewyn, blew: a hair, hairs *m*
blin: tiresome
blinedig: weary; tired
blino: to become tired [*stem* **blin-**]
    blinodd: he, she became tired
blismon: *see* **plismon**
blismones: *see* **plismones**
blismonesau: *see* **plismones**
blismyn: *see* **plismon**
bloc, -iau: block(s) *m*
blodfresychen, blodfresych:
    cauliflower(s) *f*
blodyn, blodau: flower(s) *m*
blows, -ys: blouse(s) *f*
blwc: *see* **plwc**
blwch, blychau: box(es) *m*
blwg: *see* **plwg**
blwydd: a year old; of age
blwyddyn, blynyddoedd,
    blynyddau: year(s) *f*
blwyf: *see* **plwyf**
blwyfi: *see* **plwyf**
blygiau: *see* **plwg**
blygu: *see* **plygu**
blymwr: *see* **plymwr**
blymwyr: *see* **plymwr**
blynedd: year
    [*used after a number*]; **pedair**
    blynedd: four years
blynyddol: annual; **Adroddiad**
    Blynyddol: Annual Report
bnawn: *see* **prynhawn**
bob: *see* **pob**

bobi: *see* **pobi**

bobl: *see* **pobl**

bobloedd: *see* **pobl**

boblogaidd: *see* **poblogaidd**

bobman: *see* **pobman**

bobydd: *see* **pobydd**

bobyddion: *see* **pobydd**

boced: *see* **poced**

bocedi: *see* **poced**

bocer: *see* **pocer**

boceri *see* **pocer**

boch, -au: cheek(s) *f*

bocs, -iau, -ys: box(es) *m*

bocsio: to box [*stem* **bocsi-**]
   bocsiodd: he, she boxed

bod: to exist; to be

bodd: pleasure; contentment *m;*
   wrth fodd: happy; contented

boddi: to drown [*stem* **bodd-**]
   boddodd: he, she drowned

bodlon: willing; satisfied;
   contented

bodloni: to satisfy [*stem* **bodlon-**]
   bodlonodd: he, she satisfied;
   was satisfied

bodoli: to exist [*stem* **bodol-**]
   bodolodd: he, she existed

boen: *see* **poen**

boenau: *see* **poen**

boeni: *see* **poeni**

boenus: *see* **poenus**

boeth: *see* **poeth**

bol, -iau: belly, bellies;
   stomach(s) *m*

bolgi, bolgwn: glutton(s) *m*

bolion: *see* **polyn**

bolyn: *see* **polyn**

bom, -iau: bomb(s) *m f*

boneddigaidd: courteous

boneddiges, -au: lady, ladies *f*

bonet, -au: bonnet(s) *f*

bonheddig: noble; courteous

bonheddwr, bonheddwyr:
   gentleman, gentlemen *m*

bont: *see* **pont**

bontydd: *see* **pont**

bopeth: *see* **popeth**

bopty: *see* **popty**

borc: *see* **porc**

bord, -ydd: table(s);
   board(s) [*south*] *f*

bore, -au: morning(s) *m*

borfa: *see* **porfa**

borffor: *see* **porffor**

borth: *see* **porth**

borthladd: *see* **porthladd**

bosibl: *see* **posibl**

bost: *see* **post**

boster: *see* **poster**

bosteri: *see* **poster**

bostio: *see* **postio**

bostman: *see* **postman**

bostmon: *see* **postmon**

bostmyn: *see* **postman**

bostmyn: *see* **postmon**

bostyn: *see* **postyn**

botaneg: botany *f*

botel: *see* **potel**

botelaid: *see* **potelaid**

boteli: *see* **potel**

botiau: *see* **potyn**

botwm, botymau: button(s) *m*

botyn: *see* **potyn**

bowdr: *see* **powdr**

bowlen: *see* **powlen**

bowlenni: *see* **powlen**

bowlio: to bowl [*stem* **bowli-**]
   bowliodd: he, she bowled

bowliwr, bowlwyr: bowler(s) *m*
braf: fine; pleasant;
    cyn brafied: as fine; pleasant;
    brafiach: finer; more pleasant;
    brafiaf: finest; most pleasant
braich, breichiau: arm(s) *f*
braidd: rather; somewhat
braidd: *see* **praidd**
braith: *see* **brith**
brân, brain: crow(s) *f*
branc: *see* **pranc**
brancio: *see* **prancio**
brandi: brandy *m*
brat, -iau: apron(s) *m*
brathiad, -au: bite(s) *m*
brathu: to bite [stem **brath-**]
    brathodd: he, she bit
braw: fright *m*
brawd, brodyr: brother(s) *m*
brawddeg, -au: sentence(s) *f*
brawf: *see* **prawf**
brêc, breciau: brake(s) *m*
brechdan, -au: sandwich(es) *f*
brecio: to brake [stem **breci-**]
    breciodd: he, she braked
brecwast, -au: breakfast(s) *m*
bregeth: *see* **pregeth**
bregethau: *see* **pregeth**
bregethu: *see* **pregethu**
bregethwr: *see* **pregethwr**
bregethwyr: *see* **pregethwr**
breiddiau: *see* **praidd**
breifat: *see* **preifat**
bren: *see* **pren**
brenhines, breninesau: queen(s) *f*
brenhinol: royal
brenin, brenhinoedd: king(s) *m*
brennau: *see* **pren**
brentis: *see* **prentis**

brentisiaid: *see* **prentis**
bres: *see* **pres**
bresennol: *see* **presennol**
bresychen, bresych: cabbage(s) *f*
brethyn, -nau: cloth(s) *m*
breuddwyd, -ion: dream(s) *m f*
breuddwydio: to dream [stem
    breuddwydi-] **breuddwydiodd:**
    he, she dreamt
bricsen, brics: brick(s) *f*
bridd: *see* **pridd**
briddoedd: *see* **pridd**
brif: *see* **prif**
brifathrawes: *see* **prifathrawes**
brifathrawon: *see* **prifathro**
brifathro: *see* **prifathro**
brifddinas: *see* **prifddinas**
brifddinasoedd: *see* **prifddinas**
briffordd: *see* **priffordd**
briffyrdd: *see* **priffordd**
brifo: to hurt; to injure
    [stem **brif-**] **brifodd:** he, she
    hurt; injured
brifysgol: *see* **prifysgol**
brifysgolion: *see* **prifysgol**
brigâd, brigadau: brigade(s) *f*
brin: *see* **prin**
brinder: *see* **prinder**
brinnach: *see* **prin**
brinnaf *see* **prin**
brinned: *see* **prin**
briod: *see* **priod**
briodas: *see* **priodas**
briodasau: *see* **priodas**
briodfab: *see* **priodfab**
briodfeibion: *see* **priodfab**
briodferch: *see* **priodferch**
briodferched: *see* **priodferch**
briodi: *see* **priodi**

bris: *see* **pris**
brisiau: *see* **pris**
brith: speckled [feminine **braith**]
brithyll, -iaid: trout(s) *m*
briwsionyn, briwsion: crumb(s) *m*
bro, bröydd: region(s) *f*
broblem: *see* **problem**
broblemau: *see* **problem**
brofiad: *see* **profiad**
brofiadau: *see* **profiad**
brofion: *see* **prawf**
broga, -od: frog(s) [south] *m*
bron: almost; nearly
bron, -nau: breast(s) *f*
bront: *see* **brwnt**
brosiect: *see* **prosiect**
brosiectau: *see* **prosiect**
brown: brown
brwdfrydedd: enthusiasm *m*
brwdfrydig: enthusiastic
brwnt: dirty [south]; cruel [north]
    [feminine **bront**]
brws, -ys: brush(es) *m*
brwsio: to brush [*stem* **brwsi-**]
    brwsiodd: he, she brushed
brwydr, -au: battle(s) *f*
brwydro: to battle [*stem* **brwydr-**]
    brwydrodd: he, she battled
bryd: intent *m*
bryd: *see* **pryd**
brydau: *see* **pryd**
brydferth: *see* **prydferth**
brydferthach: *see* **prydferth**
brydferthaf: *see* **prydferth**
brydferthed: *see* **prydferth**
brydiau: *see* **pryd**
brydlon: *see* **prydlon**
bryf: *see* **pryf**
bryf copyn: *see* **pryf copyn**

bryfed: *see* **pryf**
bryfed cop: *see* **pryf copyn**
bryn, -iau: hill(s) *m*
brynhawn: *see* **prynhawn**
brynhawniau: *see* **prynhawn**
brynu: *see* **prynu**
brys: haste *m*
brysio: to hurry [*stem* **brysi-**]
    brysiodd: he, she hurried
brysur: *see* **prysur**
bu: he, she was (colloquial forms:
    buo, buodd) [*from* **bod**]
buan: early; quickly; soon
buasai: he, she would be
    [*from* **bod**]
buasech: you [*pl*] would
    [*from* **bod**]
buasem, buasen: we would be
    [*from* **bod**]
buasen(t): they would be
    [*from* **bod**]
buasit: you [*s*] would be
    [*from* **bod**]
buaswn: I would be [*from* **bod**]
buddugoliaeth, -au: victory,
    victories *f*
budr: dirty; **cyn futred:** as dirty;
    butrach: dirtier; **butraf:** dirtiest
bues: I was (colloquial) [*from* **bod**]
bugail, bugeiliaid: shepherd(s) *m*
bugeilio: to shepherd
    [*stem* **bugeili-**] **bugeiliodd:** he,
    she shepherded
bugeiliol: pastoral
bulpud: *see* **pulpud**
bulpudau: *see* **pulpud**
bûm: I was [*from* **bod**]
bumed: *see* **pumed**
bump: *see* **pump**

bunnau: *see* **punt**
bunnoedd: *see* **punt**
bunt: *see* **punt**
buoch: you [*pl*] were [*from* **bod**]
buom, buon: we were [*from* **bod**]
buon(t): they were [*from* **bod**]
buost: you [*s*] were [*from* **bod**]
bupur: *see* **pupur**
bur: *see* **pur**
busnes, -au: business(es) *m*
busnesa: to be nosy
    [*stem* **busnes-**] **busnesodd:** he,
    she was nosy
buwch, buchod: cow(s) *f*
bwced, -i: bucket(s) *m f*
bwcedaid, bwcedeidiau:
    bucketful(s) *m f*
bwdin: *see* **pwdin**
bwdu: *see* **pwdu**
bŵer: *see* **pŵer**
bwerau: *see* **pŵer**
bwlch, bylchau: space(s); gap(s) *m*
bwled, -i: bullet(s) *f*
bwletin, -au: bulletin(s) *m*
bwll: *see* **pwll**
bwmp: *see* **pwmp**
bwnc: *see* **pwnc**
bwrdd, byrddau: table(s);board(s) *m*
bwriad, -au: intention(s) *m*
bwriadol: intentional
bwriadu: to intend [*stem* **bwriad-**]
    bwriadodd: he, she intended
bwrpas: *see* **pwrpas**
bwrpasau: *see* **pwrpas**
bwrs: *see* **pwrs**
bwrw: to hit; to strike [*stem* **bwri-**]
    bwriodd: he, she hit; struck
bwrw glaw: to rain;
    bwrw eira: to snow

bws, bysiau, bysys: bus(es) *m*
bwt: *see* **pwt**
bwthyn, bythynnod: cottage(s) *m*
bwy: *see* **pwy**
bwyd, -ydd: food(s) *m*
bwydlen, -ni: menu(s) *f*
bwydo: to feed [*stem* **bwyd-**]
    bwydodd: he, she fed
bwyllgor: *see* **pwyllgor**
bwyllgorau: *see* **pwyllgor**
bwynt: *see* **pwynt**
bwyntiau: *see* **pwynt**
bwyntio: *see* **pwyntio**
bwys: *see* **pwys** *also* **pwysig**
bwysau: *see* **pwys**
bwysicach: *see* **pwysig**
bwysicaf: *see* **pwysig**
bwysiced: *see* **pwysig**
bwysig: *see* **pwysig**
bwyslais: *see* **pwyslais**
bwysleisio: *see* **pwysleisio**
bwyso: *see* **pwyso**
bwyta: to eat [*stem* **bwyta-**]
    bwytaodd: he, she ate
bwyty, bwytai: restaurant(s) *m*
bychan: small [feminine **bechan**];
    cyn lleied: as small; **llai:**
    smaller; **lleiaf:** smallest
byd, -oedd: world(s) *m*
bydd: he, she will be;
    is wont to be; be! [*s*]; **bydd yn**
    ddistaw!: be quiet! [*from* **bod**]
byddaf: I will be; am wont to be
    [*from* **bod**]
byddai: he, she used to be
    [*from* **bod**]
byddan(t): they will be; are wont
    to be [*from* **bod**]
byddar: deaf

byddech: you [*pl*] used to be
[*from* **bod**]

byddem, bydden: we used to be
[*from* **bod**]

bydden(t): they used to be
[*from* **bod**]

byddi: you [*s*] will be;
are wont to be [*from* **bod**]

byddin, -oedd: army, armies *f*

byddit: you [*s*] used to be
[*from* **bod**]

byddwch: you [*pl*] will be; are wont
to be; be! [*pl*]; **byddwch yn
ddistaw!:** be quiet!

byddwn: we will be; are wont to be;
I used to be [*from* **bod**]

bygwth: to threaten
[*stem* **bygythi-**] **bygythiodd:** he,
she threatened

byllau: *see* **pwll**

bympiau: *see* **pwmp**

bymtheg: *see* **pymtheg**

bymthegfed: *see* **pymthegfed**

bynciau: *see* **pwnc**

byngalo, -s: bungalow(s) *m*

bynnag: *see* **beth**

byr: short; **cyn fyrred:** as short;
byrrach: shorter; **byrraf:**
shortest

bys, -edd: finger(s) *m*; **bys troed,
bysedd traed:** toe(s) *m*

byseddu: to finger [*stem* **bysedd-**]
byseddodd: he, she fingered

bysgod: *see* **pysgodyn**

bysgodyn: *see* **pysgodyn**

bysgota: *see* **pysgota**

bysgotwr: *see* **pysgotwr**

bysgotwyr: *see* **pysgotwr**

byst: *see* **postyn**

byth: ever; **am byth:** for ever

bythefnos: *see* **pythefnos**

bythefnosau: *see* **pythefnos**

bytiau: *see* **pwt**

byw: to live; live [*adj*]; alive

bywiog: lively

bywoliaeth, -au: livelihood(s) *f*

bywyd, -au: life, lives *m*

bywydeg: biology *f*

Cc

caban, -au: cabin(s) *m*
cabetsen, cabaets: cabbage(s) *f*
cacen, -nau, -ni: cake(s) *f*
cadach, -au: cloth(s) *m*;
    cadach poced: handkerchief;
    cadach llestri: dish cloth
cadair, cadeiriau: chair(s) *f*
cadarn: powerful; firm; strong;
    cyn gadarned: as powerful;
    firm; strong;
    cadarnach: more powerful;
    firmer; stronger;
    cadarnaf most powerful;
    firmest; strongest
cadeirio: to chair [meeting and
    Eisteddfod] [*stem* cadeiri-]
    cadeiriodd: he, she chaired
cadeiriol: chaired;
    Eglwys Gadeiriol: Cathedral
cadeirydd, -ion: chairperson(s) *m*
cadno, -id: fox(es) *m*
cadw: to keep [*stem* cadw-]
    cadwodd: he, she kept; Cadw
    Cymru'n Daclus: To Keep
    Wales Tidy
cae, -au: field(s) *m*;
    cae, -au chwarae: playing field(s)
caead, -au: lid(s) *m*
caech: you [*pl*] used to get; have
    [*from* cael]
cael: to get; to have
caem, caen: we used to get; have
    [*from* cael]
caen(t): they used to get; have
    [*from* cael]

caer, -au, ceyrydd: fort(s) *f*
caeth: captive; strict;
    mesurau caeth: strict
    measures [in Welsh poetry]
caethwas, caethweision: slave(s) *m*
caf: I get; have [*from* cael]
caffi, -s: cafe(s) *m*
cafodd: he, she got; had
    [*from* cael]
câi: he, she used to get; have
    [*from* cael]
caiff: he, she gets; has [*from* cael]
cais, ceisiadau: request(s);
    attempt(s); application(s); try,
    tries [rugby] *m*
cait: you [*s*] used to get; have
    [*from* cael]
Calan: first day [of month or
    season];
    Calan gaeaf: First day of winter;
    Calan Mai: First day of May;
    Dydd Calan: New Year's Day;
    Nos Galan: New Year's Eve
calch: lime *m*
caled: hard; difficult;
    cyn galeted: as hard; difficult;
    caletach: harder; more difficult;
    caletaf: hardest; most difficult
calendr, -au: calendar(s) *m*
call: wise; sensible;
    cyn galled: as wise; sensible;
    callach: wiser; more sensible;
    callaf: wisest; most sensible
calon, -nau: heart(s) *f*
cam, -au: step(s) *m*
cam: bent; wrong
camu: to step [*stem* cam-]
    camodd: he, she stepped
camera, camerâu: camera(s) *m*

camgymeriad, -au: mistake(s) *m*

camp, -au: feat(s); game(s) *f*

cân, caneuon: song(s) *f*

cangen, canghennau: branch(es) *f*

caniatâd: permission; consent *m*

caniatáu: to permit; to consent [*stem* **caniata-**] **caniataodd:** he, she permitted; consented

canllaw, -iau: guideline(s) *m*

canlyn: to follow [*stem* **canlyn-**] **canlynodd:** he, she followed

canlyniad, -au: result(s) *m*

canmol: to praise [*stem* **canmol-**] **canmolodd:** he, she praised

canol, -au: middle; centre(s) *m*

canolfan, -nau: centre(s) *m f*

canolwr, canolwyr: mediator(s); referee(s) *m*

canrif, -oedd: century, centuries *f*

cant, cannoedd: hundred(s) *m*; **can** [*in front of a noun*] **can punt:** a hundred pounds

cân(t): they get; have [*from* **cael**]

cantores, -au: singer(s) [female] *f*

canu: to sing [*stem* **can-**] **canodd:** he, she sang

canŵ, canŵod: canoe(s) *m*

canŵio: to canoe

canwr, canwyr: singer(s) [male] *m*

cap, -iau: cap(s) [headwear] *m*

capel, -i: chapel(s) *m*

capten, capteiniaid: captain(s) *m*

car, ceir: car(s) *m*

carafán, carafanau: caravan(s) *f*

carchar, -au: prison(s) *m*

carchardy, carchardai: prison(s) *m*

carcharor, -ion: prisoner(s) *m*; **carcharorion rhyfel:** prisoners of war

carden, cardiau: card(s) *f*

caredig: kind; **cyn garediced:** as kind; **caredicach:** kinder; **caredicaf:** kindest

caregog: stony

cariad: love *m*

cariad, -on: lover(s); sweetheart(s) *m f*

cario: to carry [*stem* **cari-**] **cariodd:** he, she carried

carlam, -au: gallop(s) *m*

carlamu: to gallop [*stem* **carlam-**] **carlamodd:** he, she galloped

carnifal, -au: carnival(s) *f*

carol, -au: carol(s) *f*

carped, -i: carpet(s) *m*

carrai, careiau: shoelace(s) *f*

carreg, cerrig: stone(s) *f*; **Oes y Cerrig:** Stone Age

cart, -iau, certi: cart(s) *f*

cartref,-i: home(s) *m*

cartrefol: homely

cartŵn, cartwnau: cartoon(s) *m*

caru: to love [*stem* **car-**] **carodd:** he, she loved

carw, ceirw: deer *m*

cas: he, she got; had [south] [*from* **cael**]

cas: nasty; **cyn gased:** as nasty; **casach:** nastier; **casaf:** nastiest

casáu: to hate [*stem* **casa-**] **casaodd:** he, she hated

caseg, cesig: mare(s) *f*

casét, casetiau: cassette(s) *m*

casglu: to collect [*stem* **casgl-**] **casglodd:** he, she collected

castell, cestyll: castle(s) *m*

catalog, -au: catalogue(s) *m*

catalogio: to catalogue

[*stem* **catalogi-**] **catalogiodd:** he, she catalogued

cath, -od: cat(s) *f*

cau: to shut; to close [*stem* **cae-**] **caeodd:** he, she shut; closed

cawl: soup *m*

cawn: we get; have; I used to get; have [*from* **cael**]

cawod, -au, -ydd: shower(s) *f*

cawodlyd: showery

cawr, cewri: giant(s) *m*

caws, -iau: cheese *m*

caws llyffant: toadstool *m*

cawsan(t): they got; had [*from* **cael**]

cawsoch: you [*pl*] got; had [*from* **cael**]

cawsom, cawson: we got; had [*from* **cael**]

cefais: I got; had [*from* **cael**]

cefaist: you [*s*] got; had [*from* **cael**]

ceffyl, -au: horse(s) *m*

cefn, -au: back(s) *m*

cefnder, cefnderoedd, cefndyr: cousin(s) [male] *m*

cefndir, -oedd: background(s) *m*

cefnogaeth: support *f*

cefnogi: to support [*stem* **cefnog-**] **cefnogodd:** he, she supported

ceg, -au: mouth(s) *f*

cegin, -au: kitchen(s) *f*

cei: you [*s*] get; have [*from* **cael**]

cei, -au: quay(s) *m*

ceiliog, -od: cockerel(s) *m*

ceiniog, -au: penny, pennies *f*

ceiriosen, ceirios: cherry, cherries *f*

ceisio: to try; to attempt; to seek [*stem* **ceisi-**] **ceisiodd:** he, she tried; attempted; sought

celf, -au: art(s); craft(s) *f*

celficyn, celfi: [piece of] furniture, furniture [south] *m*

celfyddyd, -au: art(s) *f*; **celfyddydau cain:** fine arts

cell, -oedd: cell(s) *f*

celwydd, -au: lie(s) *m*

celynnen, celyn: holly *f*

cemeg: chemistry *f*

cemegyn, cemegau: chemical(s) *m*

cenedl, cenhedloedd: nation(s); race(s) *f*

cenedlaethol: national

cenedlaetholwr, cenedlaetholwyr: nationalist(s) [male] *m*

cenedlaetholwraig, cenedlaetholwragedd: nationalist(s) [female] *f*

cenel, -au: kennel(s) *m*

cenhinen, cennin: leek(s) *f*; **cennin Pedr:** daffodil(s)

cenllysg: hailstones [*pl noun*]

centimetr, -au: centimetre(s) *m*

cer!: go! [*s*]

cerbyd, -au: vehicle(s); carriage(s) *m*

cerdd, -i: poem(s) *f*

cerdded: to walk [*stem* **cerdd-**] **cerddodd:** he, she walked

cerddor, -ion: musician(s) *m*

cerddorfa, cerddorfeydd: orchestra(s) *f*

cerddoriaeth: music *f*

cerdyn, cardiau: card(s); **cerdyn post:** postcard *m*

ces: I got; had (colloquial) [*from* **cael**]

cesair: hailstones [*pl noun*]; **bwrw cesair:** to hail

cest: you [s] got; had (colloquial) [*from* **cael**]

cewch: you [s] get; have [*from* **cael**]

cewyn, -nau: nappy, nappies *m*

ci, cŵn: dog(s) *m*

cic, -iau: kick(s) *m f*

cicio: to kick [*stem* **cici-**] **ciciodd:** he, she kicked

cig, -oedd: meat(s) *m*

cigydd, -ion: butcher(s) *m*

cimwch, cimychiaid: lobster(s) *m*

cinio, ciniawau: dinner(s); lunch(es) *m*

claddu: to bury [*stem* **cladd-**] **claddodd:** he, she buried

claf, cleifion: sick person(s); patient(s) *m*

claf: ill; sick

clarc, -od: clerk(s) *m*

clawdd, cloddiau: hedge(s); hedgerow(s) *m*

clawr, cloriau: cover(s) [book] *m*

clebran: to chatter [*stem* **clebr-**] **clebrodd:** he, she chattered

clerc, -od: clerk(s) *m*

cleren, clêr: fly, flies [south] *f*

clerigol: clerical

clir: clear; **cyn gliried:** as clear; **cliriach:** clearer; **cliriaf:** clearest

clirio: to clear [*stem* **cliri-**] **cliriodd:** he, she cleared

clo, -eau, -eon: lock(s) *m*

cloc, -iau: clock(s) *m*

cloch, clychau: bell(s) *f*

cloi: to lock [*stem* **clo-**] **clôdd:** he, she locked

clown, -iau: clown(s) *m*

clust, -iau: ear(s) *m f*

clustog, -au: pillow(s); cushion(s) *f*

clwb, clybiau: club(s) *m*

clwt, clytiau: rag(s); nappy, nappies *m*

clwyd, -i: gate(s); hurdle(s) *f*

clyd: cosy; snug; sheltered

clymu: to tie [*stem* **clym-**] **clymodd:** he, she tied

clywed: to hear [*stem* **clyw-**] **clywodd:** he, she heard

cnawd: flesh *m*

cneuen, cnau: nut(s) *f*

cnoc, -iau: knock(s) *m f*

cnocio: to knock [*stem* **cnoci-**] **cnociodd:** he, she knocked

cnoi: to chew; to bite [*stem* **cno-**] **cnôdd:** he, she chewed; bit

coban, -au: cloak(s); nightdress(es) *f*; **coban nos:** night-shirt

coch: red; **cyn goched:** as red; **cochach:** redder; **cochaf:** reddest

cod -au: bag(s); pouch(es) *f*

côd, -au: code(s) *m*; **Côd Post:** Post Code

codi: to rise; to raise; to get up [*stem* **cod-**] **cododd:** he, she got up; rose; raised

codiad, -au: rise(s) *m*; **codiad cyflog:** payrise

coeden, coed: tree(s) *f*

coedwig, -oedd: forest(s) *f*; wood(s) *f*

coes, -au: leg(s) *f*

cof, -ion: memory, memories; remembrance(s) *m*; **er cof am:** in memory of

coffi: coffee *m*

cofio: to remember [*stem* **cofi-**]
   cofiodd: he, she remembered
cofrestr, -au: register(s) *f*
cofrestru: to register
   [*stem* **cofrestr-**] **cofrestrodd:**
   he, she registered
cog, -au: cook(s) *m*
cog, -au cuckoo(s) *f*
coginio: to cook [*stem* **cogini-**]
   coginiodd: he, she cooked
cogydd, -ion: cook(s) [male] *m*
cogyddes, -au: cook(s) [female] *f*
coleg -au: college(s) *m*
coler, -i: collar(s) *mf*
colled -ion: loss(es) *f*
collen, cyll: hazel [tree(s)] *f*
colli: to lose; to spill [*stem* **coll-**]
   collodd: he, she lost; spilt
colofn, -au: column(s); pillar(s) *f*
colomen, -nod: pigeon(s) *f*
colur: make-up *m*
coluro: to make up [*stem* **colur-**]
   colurodd: he, she made up
comedi, comedïau: comedy,
   comedies *f*
comig: comic
concwest, -au: conquest(s) *f*
condom, -au: condom(s) *m*
congl, -au: corner(s) *f*
copa, -on: peak(s); summit(s) *m*
copi, copïau: copy, copies *m*
copïo: to copy [*stem* **copï-**]
   copïodd: he, she copied
copr: copper *m*
côr, corau: choir(s) *m*
corcyn, -nau: cork(s) *m*
cord, -iau: chord(s) *m*
cordyn, -nau: cord(s); string(s) *m*
corff, cyrff: body, bodies;

corpse(s) *m*
corgimwch, corgimychiaid:
   prawn(s) *m*
coridor, -au: corridor(s) *m*
cornel, -i, -au: corner(s) *m f*
coron, -au: crown(s) *f*
coroni: to crown [*stem* **coron-**]
   coronodd: he, she crowned
corryn, corynnod: spider(s)
   [south] *m*
cortyn, -nau: string(s); cord(s) *m*
cosb, -au: penalty, penalties;
   punishment(s) *f*
cosbi: to punish; to penalize
   [*stem* **cosb-**] **cosbodd:** he, she
   punished; penalized
cosmetig: cosmetic
cost, -au: cost(s) *f*
costio: to cost [*stem* **costi-**]
   costiodd: it cost
costus: expensive
cot, côt, cotiau: coat(s) *f*
cotwm, cotymau: cotton(s) *m*
cownter, -i: counter(s) *m*
crac, -iau: crack(s) *m*
cracio: to crack [*stem* **craci-**]
   craciodd: he, she cracked
crafu: to scratch; to itch; to scrape
   [*stem* **craf-**] **crafodd:** he, she
   scratched; itched; scraped
cragen, cregyn: shell(s) *f*
craig, creigiau: rock(s) *f*
cranc, -od: crab(s) *m*
credu: to believe [*stem* **cred-**]
   credodd: he, she believed
cref: *see* **cryf**
crefft, -au: craft(s) *f*
crefftwr, crefftwyr: craftsman,
   craftsmen *m*

crefftwraig, crefftwragedd:
   craftswoman, craftswomen *f*
crefydd, -au: religion(s) *f*
crefyddol: religious
creision: crisps [*pl noun*];
   creision ŷd: corn flakes
crempog, -au: pancake(s) *f* [north]
creulon: cruel; **cyn greuloned:** as
   cruel; **creulonach:** more cruel;
   creulonaf: cruelest
crib, -au: combs(s) *m f*
cribo: to comb [*stem* **crib-**]
   cribodd: he, she combed
criced: cricket *m*
cricedwr, cricedwyr: cricketer(s) *m*
crio: to cry [*stem* **cri-**] **criodd:** he,
   she cried
Crist: Christ *m*; **Iesu Grist:** Jesus
   Christ
Cristion, Cristnogion:
   Christian(s) *m*
cristnogol: christian [*adj*]
criw, -iau: crew(s) *m*
croen, crwyn: skin(s); hide(s) *m*
croes, -au: cross(es) *f*
croesair, croeseiriau:
   crossword(s) *m*
croesawgar: hospitable
croesawu: to welcome
   [*stem* **croesaw-**] **croesawodd:**
   he, she welcomed
croesfan, -nau: crossing(s) *f*
croesffordd, croesffyrdd:
   crossroad(s) *f*
croesi: to cross [*stem* **croes-**]
   croesodd: he, she crossed
croeso: welcome *m*
cron: *see* **crwn**
croten, crotesi: lass(es) [south] *f*

crwn: round [feminine **cron**]
crwt, cryts: boy(s); lad(s)
   [south] *m*
crwydro: to wander; to roam
   [*stem* **crwydr-**] **crwydrodd:**
   he, she wandered; roamed
crwydryn, crwydriaid: wanderer(s);
   tramp(s) *m*
crybwyll: to mention
   [*stem* **crybwyll-**] **crybwyllodd:**
   he, she mentioned
cryf: strong [feminine **cref**]; **cyn
   gryfed:** as strong; **cryfach:**
   stronger **cryfaf:** strongest
cryfhau: to strengthen
   [*stem* **cryfha-**] **cryfhaodd:**
   he, she strengthened
crynhoi: to summarise
   [*stem* **crynh-**] **crynhodd:**
   he, she summarised
crynodeb, -au: summary,
   summaries *m*
crynu: to tremble; shiver; quake
   [*stem* **cryn-**] **crynodd:** he, she
   trembled; shivered; quaked
crys, -au: shirt(s) *m*
crystyn, crystau, crystiau:
   crust(s) *m*
cuddio: to hide [*stem* **cuddi-**]
   cuddiodd: he, she hid
cul: narrow; **cyn guled:** as narrow;
   culach: narrower **culaf:**
   narrowest
cur: ache; pain *m*; **cur pen:**
   headache [north]
curiad, -au: beat(s);
   pulse(s) [heart] *m*
curo: to beat; to knock [*stem* **cur-**]
   curodd: he, she beat; knocked

cusan, -au: kiss(es) *m f*
cusanu: to kiss [*stem* **cusan-**]
   cusanodd: he, she kissed
cwbl: all; total; everything *m*
cwblhau: to finish; to complete
   [*stem* **cwblha-**] **cwblhaodd:**
   he, she finished; completed
cwch, cychod: boat(s) *m*
cweryl, -on: quarrel(s) *m*
cweryla: to quarrel [*stem* **cweryl-**]
   cwerylodd: he, she quarrelled
cwestiwn, cwestiynau:
   question(s) *m*
cwm, cymoedd: valley, valleys *m*
cwmni, cwmnïau: company,
   companies *m*
cwmpas, -au, -oedd: compass(es);
   surrounding(s) *m*;
   o gwmpas: around
cwmwl, cymylau: cloud(s) *m*
cwningen, cwningod: rabbit(s) *f*
cwnstabl, -iaid: constable(s) *m*
cwpan, -au: cup(s) *m f*
cwpanaid, cwpaneidiau:
   cupful(s) *m f*
cwpwrdd, cypyrddau:
   cupboard(s) *m*
cwrdd, cyrddau: meeting(s)
   [religious] *m*
cwrdd: to meet [*stem* **cwrdd-**]
   cwrddodd: he, she met
cwrensen, cwrens: currant(s) *f*
cwrs, cyrsiau: course(s) *m*
cwrt, cyrtiau: court(s) [sport] *m*
cwrw, cyrfau: beer(s) *m*
cwsg: sleep *m*
cwsmer, -iaid: customer(s) *m*
cwt, cytau: wound(s); cut(s) *m*
cwt, cytiau: hut(s) *m*

cwt, cytiau: tail(s) *m f*
cwympo: to fall [*stem* **cwymp-**]
   cwympodd: he, she fell
cwyn, -ion: complaint(s) *m f*
cwyno: to complain; to moan
   [*stem* **cwyn-**] **cwynodd:** he, she
   complained; moaned
cychwyn: to start; to commence
   [*stem* **cychwynn-**]
   cychwynnodd: he, she started;
   commenced
cyd: together [*prefix*]
   cydgerdded: to walk together;
   cydadrodd: to recite together
cyd-fynd: to agree; coincide
cydio: to grasp; to take hold
   [*stem* **cydi-**] **cydiodd:** he, she
   grasped; took hold
cyfaill, cyfeillion: friend(s)
   [male] *m*
cyfan: all; total; whole; entire *m*
cyfandir, -oedd: continent(s) *m*
cyfansoddiad, -au: composition(s);
   constitution(s) *m*
cyfanswm, cyfansymiau:
   total(s) *m*
cyfarch: to greet [*stem* **cyfarch-**]
   cyfarchodd: he, she greeted
cyfarchiad, cyfarchion:
   greeting(s) *m*
cyfarfod: to meet [*stem* **cyfarf-**]
   cyfarfu: he, she met
cyfarfod, -ydd: meeting(s) *m*
cyfartal: equal
cyfarth: to bark [*stem* **cyfarth-**]
   cyfarthodd: he, she barked
cyfarwydd: familiar
cyfarwyddo: to direct; familiarize
   [*stem* **cy farwydd-**]

cyfarwyddodd: he, she directed; familiarized

cyfarwyddwr, cyfarwyddwyr: director(s) *m*; **Cyfarwyddwr Addysg:** Director of Education

cyfarwyddwraig, cyfarwyddwragedd: director(s) [female] *f*

cyfarwyddyd, cyfarwyddiadau: guidance(s); instruction(s); direction(s) *m*

cyfeilles, -au: friend(s) [female] *f*

cyfeillgar: friendly

cyfeillgarwch: friendship; friendliness *m*

cyfeiriad, -au: direction(s); address(es) *m*

cyfeirio: to direct; to refer; to address [letter] [*stem* **cyfeiri-**] **cyfeiriodd:** he, she directed; referred; addressed

cyfenw, -au: surname(s) *m*

cyffordd, cyffyrdd: junction(s) *f*

cyfforddus: comfortable

cyffredin: common; **Tŷ'r Cyffredin:** House of Commons

cyffredinol: general

cyffrous: exciting

cyffwrdd: to touch [*stem* **cyffyrdd-**] **cyffyrddodd:** he, she touched

cyffyrddus: comfortable

cyfieithiad, -au: translation(s) *m*

cyfieithu: to translate [*stem* **cyfieith-**] **cyfieithodd:** he, she translated

cyfieithydd, cyfieithwyr: translator(s) *m*

cyflawn: complete

cyfle, -oedd: chance(s); opportunity, opportunities *m*

cyfleus: convenient

cyfleuster, -au: convenience(s) *m*

cyflog, -au: wage(s); salary, salaries *m f*

cyflogi: to employ [*stem* **cyflog-**] **cyflogodd:** he, she employed

cyflwr, cyflyrau: condition(s) *m*

cyflwyniad, -au: presentation(s); introduction(s) *m*

cyflwyno: to present; to introduce [*stem* **cyflwyn-**] **cyflwynodd:** he, she presented; introduced

cyflwynydd, cyflwynwyr: presenter(s) *m*

cyflym: fast; **cyn gyflymed:** as fast; **cyflymach:** faster **cyflymaf:** fastest

cyflymder: speed *m*

cyflymu: to go faster; to quicken; to accelerate [*stem* **cyflym-**] **cyflymodd:** he, she went faster; quickened; accelerated

cyfnewid: to swap [*stem* **cyfnewid-**] **cyfnewidiodd:** he, she swapped

cyfnither, -od: cousin(s) [female] *f*

cyfnod, -au: period(s) [time] *m*

cyfoes: contemporary

cyfoeth: wealth; riches *m*

cyfoethog: wealthy; rich; **cyn gyfoethoced:** as wealthy; as rich; **cyfoethocach:** wealthier; richer; **cyfoethocaf:** wealthiest; richest

cyfran, -nau: share(s) *f*

cyfreithiwr, cyfreithwyr: solicitor(s); lawyer(s) [male] *m*

cyfreithlon: lawful

cyfreithwraig, cyfreithwragedd:
solicitor(s); lawyer(s) [female] *f*

cyfres, -i: series *f*

cyfrif: to count [*stem* **cyfrif-**]
cyfrifodd: he, she counted

cyfrif, -on: account(s) *m*

cyfrifiad, -au: census(es) *m*

cyfrifiadur, -on: computer(s) *m*

cyfrifol: responsible

cyfrifwraig, cyfrifwragedd:
accountant(s) [female] *f*

cyfrifydd, cyfrifwyr:
accountant(s) *m*

cyfrinach, -au: secret(s) *f*

cyfrinachol: secret

cyfrol, -au: volume(s) *f*

cyfun: comprehensive; **Ysgol**
Gyfun: Comprehensive School

cyfweliad, -au: interview(s) *m*

cyhoedd (y): the public *m*

cyhoeddi: to announce; to publish
[*stem* **cyhoedd-**] **cyhoeddodd:**
he, she announced, published

cyhoeddus: public [*adj*]

cyhoeddusrwydd: publicity *m*

cyhoeddwr, cyhoeddwyr:
announcer(s);
publisher(s) [male] *m*

cyhoeddwraig, cyhoeddwragedd:
announcer(s); publisher(s)
[female] *f*

cylch, -au, -oedd: circle(s);
hoop(s); coil(s); circuit(s) *m*;
o gylch: around

cylchdaith, cylchdeithiau:
circuit(s) *m*

cylchdroi: to revolve; to rotate
[*stem* **cylchdro-**] **cylchdrôdd:**
he, she revolved; rotated

cylched, -au: zone(s) *f*

cylchgrawn, cylchgronau:
magazine(s) *m*

cyllell, cyllyll: knife, knives *f*

cyllid: finance *m*

cymaint: as large; as many;
so many

cymanfa, cymanfaoedd: assembly,
assemblies *f*; **Cymanfa Ganu:**
festival of hymn singing

cymdeithas, -au: society, societies;
association(s) *f*

cymdeithasol: social; sociable

cymdeithasu: to socialize [*stem*
cymdeithas-] **cymdeithasodd:**
he, she socialized

cymeriad, -au: character(s) *m*

cymorth: help; aid *m*;
cymorth cartref: home help;
cymorth cyntaf: first aid

Cymraeg: Welsh [language] *f*;
[pertaining to the Welsh
language]; **llyfr Cymraeg:** a
Welsh language book;
y Gymraeg: the Welsh
language

Cymraes, -au: Welshwoman,
Welshwomen *f*

Cymreictod: Welshness *m*

Cymreig: Welsh [of Wales];
Y Swyddfa Gymreig: The
Welsh Office

Cymro: Welshman *m*

Cymru: Wales [country] *f*

Cymry: Welsh people

cymryd: to take [*stem* **cymer-**]
cymerodd: he, she took

cymuned, -au: community,
communities *f*

cymwynas, -au: favour(s) *f*

cymydog, cymdogion:
neighbour(s) *m*

cymylog: cloudy

cymysgu: to mix [*stem* **cymysg-**]
cymysgodd: he, she mixed

cyn: before; as;
cyn heddiw: before today;
cyn ddued: as black

cyn-: former
[*prefix* + *soft mutation*];
cyn-faer: former mayor;
cyn-gapten: former captain

cynaeafu: to harvest
[*stem* **cynaeaf-**] **cynaeafodd:**
he, she harvested

cynffon, -nau: tail(s) *f*

cyngerdd, cyngherddau:
concert(s) *m f*

cyngor, cynghorau: council(s) *m*

cyngor, cynghorion: advice *m*

cynghori: to advise
[*stem* **cynghor-**] **cynghorodd:**
he, she advised

cynghorwr, cynghorwyr:
adviser(s) *m*

cynghorydd, cynghorwyr:
councillor(s) *m*

cynghrair, cynghreiriau: league(s);
division(s) *f*

cynhaeaf, cynaeafau: harvest(s) *m*

cynhesu: to warm [*stem* **cynhes-**]
cynhesodd: he, she warmed

cynhyrchu: to produce
[*stem* **cynhyrch-**] **cynhyrchodd:**
he, she produced

cynhyrchydd, -wyr: producer(s) *m*

cynilo: to save [money] [*stem*
cynil-] **cynilodd:** he, she saved

cynilion: savings [*pl noun*];
Cynilion Cenedlaethol:
National Savings

cynllun, -iau: plan(s) *m*

cynnal: to support; to hold
[*stem* **cynhali-**] **cynhaliodd:** he,
she supported; held

cynnar: early; **cyn gynted:** as early;
cynt: earlier; **cyntaf:** earliest

cynnes: warm; **cyn gynhesed:** as
warm; **cynhesach:** warmer;
cynhesaf: warmest

cynnig: to offer; to propose
[*stem* **cynig-**] **cynigiodd:** he,
she offered; proposed

cynnig, cynigion: offer(s) *m*

cynnil: thrify; sparing

cynnwys: content(s); **cynhwysion:**
ingredients [*pl noun*] *m*

cynnwys: to contain; to include
[*stem* **cynhwys-**] **cynhwysodd:**
he, she contained; included

cynorthwyo: to help; to assist
[*stem* **cynorthwy-**]
cynorthwyodd: he, she helped;
assisted

cynorthwy-ydd, cynorthwywyr:
assistant(s) *m*

cynradd: primary; **ysgol gynradd:**
primary school

cynrychioli: to represent
[*stem* **cynrychiol-**]
cynrychiolodd: he, she
represented

cyntaf: first

cyntedd, -au: foyer(s); porch(es) *m*

cynulleidfa, cynulleidfaoedd:
audience(s); congregations *f*

cyrliog: curly

cyrraedd: to arrive; to reach
[for an object]
[*stem* **cyrhaedd-**] **cyrhaeddodd:**
he, she arrived; arrived

cyrten, -ni: curtain(s) *m*

cysgod, -ion: shadow(s) *m*

cysgodi: to shelter [*stem* **cysgod-**]
cysgododd: he, she sheltered

cysgodol: shady; sheltered

cysgu: to sleep [*stem* **cysg-**]
cysgodd: he, she slept

cyson: regular; consistent;
constant

cystadleuaeth, cystadlaethau:
competition(s) *f*

cystadleuydd, cystadleuwyr:
competitor(s) *m*

cystadlu: to compete
[*stem* **cystadl-**] **cystadlodd:** he,
she competed

cysurus: comfortable

cysylltu: to join; to connect
[*stem* **cysyllt-**] **cysylltodd:** he,
she joined; connected

cytûn: in agreement

cytundeb, -au: agreement(s) *m*

cytuno: to agree [*stem* **cytun-**]
cytunodd: he, she agreed

cyw, -ion: chick(s) *m*

cywilydd: shame;
embarrassment *m*

cywilyddio: to be ashamed;
embarrassed [*stem* **cywilyddi-**]
cywilyddiodd: he, she was
ashamed; embarrassed

cywir: correct

cywiro: to correct [*stem* **cywir-**]
cywirodd: he, she corrected

CH ch

chabaets: *see* **cabetsen**

chaban: *see* **caban**

chabanau: *see* **caban**

chabetsen: *see* **cabetsen**

chacen: *see* **cacen**

chacennau: *see* **cacen**

chacenni: *see* **cacen**

chadach: *see* **cadach**

chadachau: *see* **cadach**

chadair: *see* **cadair**

chadarn: *see* **cadarn**

chadarnach: *see* **cadarn**

chadarnaf: *see* **cadarn**

chadarned: *see* **cadarn**

chadeiriau: *see* **cadair**

chadeirio: *see* **cadeirio**

chadeirydd: *see* **cadeirydd**

chadeiryddes: *see* **cadeiryddes**

chadeiryddesau: *see* **cadeiryddes**

chadeiryddion: *see* **cadeirydd**

chadno: *see* **cadno**

chadnoid: *see* **cadno**

chadw: *see* **cadw**

chae: *see* **cae**

chaead: *see* **caead**

chaeadau: *see* **caead**

chaeau: *see* **cae**

chaech: *see* **caech**

chael: *see* **cael**

chaem: *see* **caem**

chaent: *see* **caent**

chaer: *see* **caer**

chaerau: *see* **caer**

chaeth: *see* **caeth**

chaf: *see* **caf**

chaffi: *see* caffi
chaffis: *see* caffi
chafodd: *see* cafodd
châi: *see* câi
chaiff: *see* caiff
chais: *see* cais
chait: *see* cait
chalan: *see* calan
chaled: *see* caled
chalendr: *see* calendr
chalendrau: *see* calendr
chaletach: *see* caled
chaletaf: *see* caled
chaleted: *see* caled
chall: *see* call
challach: *see* call
challaf: *see* call
challed: *see* call
chalon: *see* calon
chalonau: *see* calon
cham: *see* cam
chamau: *see* cam
chamel: *see* camel
chamelod: *see* camel
chamera: *see* camera
chamerâu: *see* camera
chamgymeriad: *see* camgymeriad
chamgymeriadau: *see* camgymeriad
champ: *see* camp
champau: *see* camp
champfa: *see* campfa
chamu: *see* camu
chan: *see* gan
chân: *see* cân
chân: *see* cân(t)
chaneuon: *see* cân
changen: *see* cangen
changhennau: *see* cangen

chaniatâd: *see* caniatâd
chaniatáu: *see* caniatáu
chanllaw: *see* canllaw
chanllawiau: *see* canllaw
chanlyn: *see* canlyn
chanlyniad: *see* canlyniad
chanlyniadau: *see* canlyniad
chanmol: *see* canmol
channoedd: *see* cant
chanol: *see* canol
chanolau: *see* canol
chanolfan: *see* canolfan
chanolfannau: *see* canolfan
chanolwr: *see* canolwr
chanolwragedd: *see* canolwraig
chanolwraig: *see* canolwraig
chanolwyr: *see* canolwyr
chanrif: *see* canrif
chanrifoedd: *see* canrif
chant: *see* cant
chânt: *see* cân(t)
chapel: *see* capel
chapeli: *see* capel
chapteiniaid: *see* capten
chapten: *see* capten
char: *see* car
charafán: *see* carafán
charafanau: *see* carafán
charchar: *see* carchar
charcharau: *see* carchar
charchardai: *see* carchardy
charchardy: *see* carchardy
charcharor: *see* carcharor
charcharorion: *see* carcharor
charden: *see* carden
chardiau: *see* carden
chardiau: *see* cerdyn
charedicach: *see* caredig
charedicaf: *see* caredig

charediced: *see* caredig
charedig: *see* caredig
charegog: *see* caregog
chareiau: *see* carrai
chariad: *see* cariad
chariadon: *see* cariad
chario: *see* cario
charlam: *see* carlam
charlamau: *see* carlam
charlamu: *see* carlamu
charnifal: *see* carnifal
charnifalau: *see* carnifal
charol: *see* carol
charolau: *see* carol
charped: *see* carped
charpedi: *see* carped
charrai *see* carrai
charreg: *see* carreg
chart: *see* cart
chartiau: *see* cart
chartref: *see* cartref
chartrefi: *see* cartref
chartrefol: *see* cartrefol
chartŵn: *see* cartŵn
chartwnau: *see* cartŵn
charu: *see* caru
charw: *see* carw
chas: *see* cas
chas: *see* cas
chasach: *see* cas
chasaf: *see* cas
chasáu: *see* casáu
chased: *see* cas
chaseg: *see* caseg
chasét: *see* casét
chasetiau: *see* casét
chasglu: *see* casglu
chastell: *see* castell
chatalog: *see* catalog

chatalogau: *see* catalog
chatalogio: *see* catalogio
chath: *see* cath
chathod: *see* cath
chau: *see* cau
chawl: *see* cawl
chawn: *see* cawn
chawod: *see* cawod
chawodau: *see* cawod
chawodydd: *see* cawod
chawr: *see* cawr
chaws: *see* caws
chaws llyffant: *see* caws llyffant
chawsan: *see* cawsan(t)
chawsant: *see* cawsan(t)
chawsiau: *see* caws
chawsoch: *see* cawsoch
chawsom: *see* cawsom
chawson: *see* cawsom
chefais: *see* cefais
chefaist: *see* cefaist
cheffyl: *see* ceffyl
cheffylau: *see* ceffyl
chefn: *see* cefn
chefnau: *see* cefn
chefnder: *see* cefnder
chefnderoedd: *see* cefnder
chefndir: *see* cefndir
chefndiroedd: *see* cefndir
chefndyr: *see* cefnder
chefnogaeth: *see* cefnogaeth
chefnogi: *see* cefnogi
cheg: *see* ceg
chegau: *see* ceg
chegin: *see* cegin
cheginau: *see* cegin
chei: *see* cei
chei: *see* cei
cheiliog: *see* ceiliog

cheiliogod: *see* ceiliog
cheiniog: *see* ceiniog
cheiniogau: *see* ceiniog
cheir: *see* car
cheirios: *see* ceiriosen
cheiriosen: *see* ceiriosen
cheirw: *see* carw
cheisiadau: *see* cais
cheisio: *see* ceisio
chelf: *see* celf
chelfau: *see* celf
chelfi: *see* celficyn
chelficyn: *see* celficyn
chelfyddyd: *see* celfyddyd
chelfyddydau: *see* celfyddyd
chell: *see* cell
chelloedd: *see* cell
chelwydd: *see* celwydd
chelwyddau: *see* celwydd
chelyn: *see* celynnen
chelynnen: *see* celynnen
chemeg: *see* cemeg
chemegau: *see* cemegyn
chemegyn: *see* cemegyn
chenedl: *see* cenedl
chenedlaethol: *see* cenedlaethol
chenedlaetholdeb: *see*
   cenedlaetholdeb
chenedlaetholwr: *see*
   cenedlaetholwr
chenedlaetholwragedd: *see*
   cenedlaetholwraig
chenedlaetholwraig: *see*
   cenedlaetholwraig
chenedlaetholwyr: *see*
   cenedlaetholwr
chenel: *see* cenel
chenelau: *see* cenel
chenhedloedd: *see* cenedl

chenhinen: *see* cenhinen
chenllysg: *see* cenllysg
chennin: *see* cenhinen
chentimetr: *see* centimetr
chentimetrau: *see* centimetr
cher: *see* cer
cherbyd: *see* cerbyd
cherbydau: *see* cerbyd
cherdd: *see* cerdd
cherdded: *see* cerdedd
cherddi: *see* cerdd
cherddor: *see* cerddor
cherddorfa: *see* cerddorfa
cherddorfeydd: *see* cerddorfa
cherddoriaeth: *see* cerddoriaeth
cherddorion: *see* cerddor
cherdyn: *see* cerdyn
cherrig: *see* carreg
ches: *see* ces
chesair: *see* cesair
chesig: *see* caseg
chest: *see* cest
chestyll: *see* castell
chewch: *see* cewch
chewri: *see* cawr
chewyn: *see* cewyn
chewynnau: *see* cewyn
chi: you [*pl*]
chi: *see* ci
chic: *see* cic
chiciau: *see* cic
chicio: *see* cicio
chig: *see* cig
chigoedd: *see* cig
chigydd: *see* cigydd
chigyddion: *see* cigydd
chimwch: *see* cimwch
chimychiaid: *see* cimwch
chiniawau: *see* cinio

chinio: *see* cinio

chladdu: *see* claddu

chlaf: *see* claf

chlarc: *see* clarc

chlarcod: *see* clarc

chlawdd: *see* clawdd

chlawr: *see* clawr

chlebran: *see* clebran

chleifion: *see* claf

chlêr: *see* cleren

chlerc: *see* clerc

chleren: *see* cleren

chlerigol: *see* clerigol

chlir: *see* clir

chliriach: *see* clir

chliriaf: *see* clir

chliried: *see* clir

chlirio: *see* clirio

chlo: *see* clo

chloc: *see* cloc

chloch: *see* cloch

chlociau: *see* cloc

chloddiau: *see* clawdd

chloeau: *see* clo

chloeon: *see* clo

chloi: *see* cloi

chloriau: *see* cloriau

chlown: *see* clown

chlowniau: *see* clown

chlust: *see* clust

chlustiau: *see* clust

chlustog: *see* clustog

chlustogau: *see* clustog

chlwb: *see* clwb

chlwyd: *see* clwyd

chlyd: *see* clyd

chlymu: *see* clymu

chlywed: *see* clywed

chnau: *see* cneuen

chnawd: *see* cnawd

chneuen: *see* cneuen

chnoc: *see* cnoc

chnocio: *see* cnocio

chnoi: *see* cnoi

chof: *see* cof

choban: *see* coban

chobanau: *see* coban

chod: *see* cod

chôd: *see* côd

chodau: *see* cod

chodau: *see* côd

chodi: *see* codi

chodiad: *see* codiad

choed: *see* coeden

choeden: *see* coeden

choedwig: *see* coedwig

choes: *see* coes

chof: *see* cof

choffi: *see* coffi

chofio: *see* cofio

chofrestr: *see* cofrestr

chog: *see* cog

choginio: *see* coginio

choleg: *see* coleg

cholegau: *see* coleg

choler: *see* coler

choleri: *see* coler

chollen: *see* collen

cholli: *see* colli

cholofn: *see* colofn

cholofnau: *see* colofn

cholomen: *see* colomen

cholomennod: *see* colomen

cholur: *see* colur

choluro: *see* coluro

chomedi: *see* comedi

chomedïau: *see* comedi

chomig: *see* comig

choncwest: *see* concwest
choncwestau: *see* concwest
chongl: *see* congl
chonglau: *see* congl
chopa: *see* copa
chopaon: *see* copa
chopïo: *see* copïo
chopr: *see* copr
chôr: *see* côr
chorau: *see* côr
chorcyn : *see* corcyn
chorcynnau: *see* corcyn
chord: *see* cord
chordiau: *see* cord
chorff: *see* corff
chorgimwch: *see* corgimwch
chorgimychiaid: *see* corgimwch
choridor: *see* coridor
choridorau: *see* coridor
chornel: *see* cornel
chornelau: *see* cornel
chorneli: *see* cornel
choron: *see* coron
choronau: *see* coron
choroni: *see* coroni
chosb: *see* cosb
chosbau: *see* cosb
chosmetig: *see* cosmetig
chost: *see* cost
chostau: *see* cost
chostus: *see* costus
chot: *see* cot
chôt: *see* cot
chotiau: *see* cot
chotwm: *see* cotwm
chotymau: *see* cotwm
chownter: *see* cownter
chownteri: *see* cownter
chracio: *see* cracio

chrafu: *see* crafu
chragen: *see* cragen
chraig: *see* craig
chranc: *see* cranc
chrancod: *see* cranc
chredu: *see* credu
chref: *see* cryf
chrefft: *see* crefft
chrefftau: *see* crefft
chrefftwr: *see* crefftwr
chrefftwyr: *see* crefftwr
chrefydd: *see* crefydd
chrefyddau: *see* crefydd
chrefyddol: *see* crefyddol
chregyn: *see* cragen
chreigiau: *see* craig
chreision: *see* creision
chrempog: *see* crempog
chrempogau: *see* crempog
chreulon: *see* creulon
chrib: *see* crib
chribau: *see* crib
chriced: *see* criced
chricedwr: *see* cricedwr
chricedwyr: *see* cricedwr
chrio: *see* crio
Christ: *see* Crist
Christion: *see* cristion
Christnogion: *see* cristion
christnogol: *see* cristnogol
chriw: *see* criw
chriwiau: *see* criw
chroen: *see* croen
chroes: *see* croes
chroesair: *see* croesair
chroesau: *see* croes
chroesawgar: *see* croesawgar
chroesawu: *see* croesawu
chroeseiriau: *see* croesair

chroesfan: *see* croesfan
chroesfannau: *see* croesfan
chroesffordd: *see* croesffordd
chroesffyrdd: *see* croesffordd
chroesi: *see* croesi
chroeso: *see* croeso
chron: *see* crwn
chroten: *see* croten
chrotesi: *see* croten
chrwn: *see* crwn
chrwt: *see* crwt
chrwydriaid: *see* crwydryn
chrwydro: *see* crwydro
chrwydryn: *see* crwydryn
chrwyn: *see* croen
chrybwyll: *see* crybwyll
chryf: *see* cryf
chryfach: *see* cryf
chryfaf: *see* cryf
chryfed: *see* cryf
chryfhau: *see* cryfhau
chrynhoi: *see* crynhoi
chrynodeb: *see* crynodeb
chrynodebau: *see* crynodeb
chrynu: *see* crynu
chrys: *see* crys
chrysau: *see* crys
chrystau: *see* crystyn
chrystiau: *see* crystyn
chrystyn: *see* crystyn
chryts: *see* crwt
chuddio: *see* cuddio
chul: *see* cul
chulach: *see* cul
chulaf: *see* cul
chuled: *see* cul
chur: *see* cur
churiad: *see* curiad
churiadau: *see* curiad

churo: *see* curo
chusan: *see* cusan
chusanau: *see* cusan
chusanu: *see* cusanu
chwaer, chwiorydd: sister(s) *f*
chwaer-yng-nghyfraith,
    chwiorydd-yng-nghyfraith:
    sister-in-law, sisters-in-law *f*
chwaeth, -au: taste(s)
    [preference] *f*
chwaith: either; neither
chwalu: to scatter [*stem* chwal-]
    chwalodd: he, she scattered
chwarae: to play [*stem* chwarae-]
    chwaraeodd: he, she played
chwaraeon: sports [*pl noun*]
chwaraewr, chwaraewyr:
    player(s) *m*
chwarel, -i: quarry, quarries *f*
chwareus: playful
chwarter, -i: quarter(s) *m*
chwbl: *see* cwbl
chwblhau: *see* cwblhau
chwch: *see* cwch
chwe: *see* chwech
chwech: six [chwe *in front*
    of nouns]
chweched: sixth
chwedl, -au: tale(s); fable(s) *f*
Chwefror, mis Chwefror:
    February *m*
chwerthin: to laugh
    [*stem* chwardd-] chwarddodd:
    he, she laughed
chwerw: bitter
chweryl: *see* cweryl
chweryla: *see* cweryla
chwerylon: *see* cweryl
chwestiwn: *see* cwestiwn

chwestiynau: *see* **cwestiwn**
chwiban, -au: whistle(s) *m f*
chwibanu: to whistle
   [*stem* **chwiban-**]
   chwibanodd: he, she whistled
chwifio: to wave [*stem* **chwifi-**]
   chwifiodd: he, she waved
chwilio: to search [*stem* **chwili-**]
   chwiliodd: he, she searched
chwim: swift
chwip, -iau: whip(s) *f*
chwisgi: whiskey *m*
chwith: left; **llaw chwith:** left hand;
   ar y llaw chwith: on the
   left-hand side
chwithau: you [*pl*] too;
   you [*pl*] on your part
chwm: *see* **cwm**
chwmni: *see* **cwmni**
chwmnïau: *see* **cwmni**
chwmpas: *see* **cwmpas**
chwmpasau: *see* **cwmpas**
chwmpasoedd: *see* **cwmpas**
chwmwl: *see* **cwmwl**
chŵn: *see* **ci**
chwningen: *see* **cwningen**
chwningod: *see* **cwningen**
chwnstabl: *see* **cwnstabl**
chwnstabliaid: *see* **cwnstabl**
chwpan: *see* **cwpan**
chwpanaid: *see* **cwpanaid**
chwpanau: *see* **cwpan**
chwpaneidiau: *see* **cwpanaid**
chwpwrdd: *see* **cwpwrdd**
chwrdd: *see* **cwrdd**
chwrens: *see* **cwrensen**
chwrensen: *see* **cwrensen**
chwrs: *see* **cwrs**
chwrt: *see* **cwrt**

chwrw: *see* **cwrw**
chwsg: *see* **cwsg**
chwsmer: *see* **cwsmer**
chwsmeriaid: *see* **cwsmer**
chwt: *see* **cwt**
chwychwi: you [*pl*] [emphatic]
chwympo: *see* **cwympo**
chwyn: *see* **cwyn**
chwynnu: to weed [*stem* **chwynn-**]
   chwynnodd: he, she weeded
chwynnyn, chwyn: weed(s) *m*
chwyno: *see* **cwyno**
chwyrnu: to snore; to snarl
   [*stem* **chwyrn-**] **chwyrnodd:**
   he, she snored; snarled
chwys: perspiration; sweat *m*
chwysu: to perspire, to sweat
   [*stem* **chwys-**] **chwysodd:**
   he, she perspired; sweated
chwythu: to blow [*stem* **chwyth-**]
   chwythodd: he, she blew
chychod: *see* **cwch**
chychwyn: *see* **cychwyn**
chyd: *see* **cyd**
chyd-fynd: *see* **cyd-fynd**
chydio: *see* **cydio**
chyfaill: *see* **cyfaill**
chyfan: *see* **cyfan**
chyfandir: *see* **cyfandir**
chyfandiroedd: *see* **cyfandir**
chyfanswm: *see* **cyfanswm**
chyfansymiau: *see* **cyfanswm**
chyfarch: *see* **cyfarch**
chyfarchiad: *see* **cyfarchiad**
chyfarchion: *see* **cyfarchiad**
chyfarfod: *see* **cyfarfod**
chyfarfodydd: *see* **cyfarfod**
chyfartal: *see* **cyfartal**
chyfarth: *see* **cyfarth**

chyfarwydd: *see* cyfarwydd
chyfarwyddiadau: *see* cyfarwyddyd
chyfarwyddo: *see* cyfarwyddo
chyfarwyddwr: *see* cyfarwyddwr
chyfarwyddwragedd: *see* cyfarwyddwraig
chyfarwyddwraig: *see* cyfarwyddwraig
chyfarwyddwyr: *see* cyfarwyddwr
chyfarwyddyd: *see* cyfarwyddyd
chyfeillgar: *see* cyfeillgar
chyfeillgarwch: *see* cyfeillgarwch
chyfeillion: *see* cyfaill
chyfeiriad: *see* cyfeiriad
chyfeiriadau: *see* cyfeiriad
chyfeirio: *see* cyfeirio
chyfenw: *see* cyfenw
chyfenwau: *see* cyfenw
chyffordd: *see* cyffordd
chyfforddus: *see* cyfforddus
chyffredin: *see* cyffredin
chyffredinol: *see* cyffredinol
chyffrous: *see* cyffrous
chyffwrdd: *see* cyffwrdd
chyffyrdd: *see* cyffordd
chyffyrddus: *see* cyffyrddus
chyfieithiad: *see* cyfieithiad
chyfieithiadau: *see* cyfieithiad
chyfieithu: *see* cyfieithu
chyfieithwyr: *see* cyfieithydd
chyfieithydd: *see* cyfieithydd
chyflawn: *see* cyflawn
chyfle: *see* cyfle
chyfleoedd: *see* cyfle
chyfleus: *see* cyfleus
chyfleuster: *see* cyfleuster
chyfleusterau: *see* cyfleuster
chyflog: *see* cyflog
chyflogau: *see* cyflog

chyflogi: *see* cyflogi
chyflwr: *see* cyflwr
chyflwyniad: *see* cyflwyniad
chyflwyniadau: *see* cyflwyniad
chyflwyno: *see* cyflwyno
chyflwynwyr: *see* cyflwynydd
chyflwynydd: *see* cyflwynydd
chyflym: *see* cyflym
chyflymach: *see* cyflym
chyflymaf: *see* cyflym
chyflymed: *see* cyflym
chyflymu: *see* cyflymu
chyflyrau: *see* cyflwr
chyfnewid: *see* cyfnewid
chyfnither: *see* cyfnither
chyfnitherod: *see* cyfnither
chyfnod: *see* cyfnod
chyfnodau: *see* cyfnod
chyfoes: *see* cyfoes
chyfoeth: *see* cyfoeth
chyfoethog: *see* cyfoethog
chyfran: *see* cyfran
chyfrannau: *see* cyfran
chyfreithiwr: *see* cyfreithiwr
chyfreithlon: *see* cyfreithlon
chyfreithwragedd: *see* cyfreithwraig
chyfreithwraig: *see* cyfreithwraig
chyfreithwyr: *see* cyfreithiwr
chyfres: *see* cyfres
chyfresi: *see* cyfres
chyfrif: *see* cyfrif
chyfrifiad: *see* cyfrifiad
chyfrifiadur: *see* cyfrifiadur
chyfrifiaduron: *see* cyfrifiadur
chyfrifol: *see* cyfrifol
chyfrifon: *see* cyfrif
chyfrifwragedd: *see* cyfrifwraig
chyfrifwraig: *see* cyfrifwraig

chyfrifwyr: *see* cyfrifydd
chyfrifydd: *see* cyfrifydd
chyfrinach: *see* cyfrinach
chyfrinachau: *see* cyfrinach
chyfrinachol: *see* cyfrinachol
chyfrol: *see* cyfrol
chyfrolau: *see* cyfrol
chyfun: *see* cyfun
chyfweliad: *see* cyfweliad
chyfweliadau: *see* cyfweliad
chyhoedd: *see* cyhoedd
chyhoeddi: *see* cyhoeddi
chyhoeddus: *see* cyhoeddus
chyhoeddusrwydd: *see*
  cyhoeddusrwydd
chyhoeddwr: *see* cyhoeddwr
chyhoeddwragedd: *see*
  cyhoeddwraig
chyhoeddwraig: *see* cyhoeddwraig
chyhoeddwyr: *see* cyhoeddwr
chylch: *see* cylch
chylchau: *see* cylchau
chylchdroi: *see* cylchdroi
chylched: *see* cylched
chylchedau: *see* cylched
chylchgrawn: *see* cylchgrawn
chylchgronau: *see* cylchgrawn
chylchoedd: *see* cylch
chyll: *see* collen
chyllell: *see* cyllell
chyllid: *see* cyllid
chyllyll: *see* cyllell
chymaint: *see* cymaint
chymanfa: *see* cymanfa
chymanfaoedd: *see* cymanfa
chymdeithas: *see* cymdeithas
chymdeithasau: *see* cymdeithas
chymdeithasol: *see* cymdeithasol
chymdeithasu: *see* cymdeithasu

chymdogion: *see* cymydog
chymeriad: *see* cymeriad
chymeriadau: *see* cymeriad
chymoedd: *see* cwm
chymorth: *see* cymorth
Chymraeg: *see* Cymraeg
Chymraes: *see* Cymraes
Chymreig: *see* Chymreig
Chymro: *see* Cymro
Chymru: *see* Cymru
chymryd: *see* cymryd
chymuned: *see* cymuned
chymunedau: *see* cymuned
chymwynas: *see* cymwynas
chymwynasau: *see* cymwynas
chymydog: *see* cymydog
chymylau: *see* cwmwl
chymylog: *see* cymylog
chymysgu: *see* cymysgu
chyn: *see* cyn
chynaeafau: *see* cynhaeaf
chynaeafu: *see* cynaeafu
chynffon: *see* cynffon
chynffonnau: *see* cynffon
chyngerdd: *see* cyngerdd
chyngherddau: *see* cyngerdd
chynghorau: *see* cyngor
chynghori: *see* cynghori
chynghorwr: *see* cynghorwr
chynghorwyr: *see* cynghorwr
chynghorwyr: *see* cynghorydd
chynghorydd: *see* cynghorydd
chynghrair: *see* cynghrair
chynghreiriau: *see* cynghrair
chyngor: *see* cyngor
chynhaeaf: *see* cynhaeaf
chynhesu: *see* cynhesu
chynhyrchu: *see* cynhyrchu
chynhyrchwyr: *see* cynhyrchydd

chynhyrchydd: *see* cynhyrchydd
chynigion: *see* cynnig
chynilion: *see* cynilion
chynilo: *see* cynilo
chynllun: *see* cynllun
chynlluniau: *see* cynllun
chynnal: *see* cynnal
chynnar: *see* cynnar
chynnes: *see* cynnes
chynnig: *see* cynnig
chynnil: *see* cynnil
chynnwys: *see* cynnwys
chynorthwyo: *see* cynorthwyo
chynorthwywyr: *see* cynorthwy-ydd
chynorthwy-ydd: *see* cynorthwy-ydd
chynradd: *see* cynradd
chynrychioli: *see* cynrychioli
chynt: *see* cynt
chyntaf: *see* cyntaf
chynted: *see* cyntaf
chyntedd: *see* cyntedd
chynteddau: *see* cyntedd
chynulleidfa: *see* cynulleidfa
chynulleidfaoedd: *see* cynulleidfa
chypyrddau: *see* cwpwrdd
chyrddau: *see* cwrdd
chyrff: *see* corff
chyrliog: *see* cyrliog
chyrraedd: *see* cyrraedd
chyrsiau: *see* cwrs
chyrten: *see* cyrten
chyrtenni: *see* cyrten
chyrtiau: *see* cwrt
chysgod: *see* cysgod
chysgodi: *see* cysgodi
chysgodion: *see* cysgod
chysgodol: *see* cysgodol

chysgu: *see* cysgu
chyson: *see* cyson
chystadlaethau: *see* cystadleuaeth
chystadleuaeth: *see* cystadleuaeth
chystadleuwyr: *see* cystadleuydd
chystadleuydd: *see* cystadleuydd
chystadlu: *see* cystadlu
chysurus: *see* cysurus
chysylltu: *see* cysylltu
chytau: *see* cwt
chytiau: *see* cwt
chytiau: *see* cwt
chytûn: *see* cytûn
chytundeb: *see* cytundeb
chytundebau: *see* cytundeb
chyw: *see* cyw
chywilydd: *see* cywilydd
chywilyddio: *see* cywilyddio
chywion: *see* cyw
chywir: *see* cywir
chywiro: *see* cywiro

Dd

da: good; **cystal:** as good;
  gwell: better; **gorau:** best
dabl: *see* **tabl**
dablau: *see* **tabl**
dabled: *see* **tabled**
dabledi: *see* **tabled**
Dachwedd: *see* **Tachwedd**
daclo: *see* **taclo**
daclus: *see* **taclus**
daclusach: *see* **taclus**
daclusaf: *see* **taclus**
daclused: *see* **taclus**
dacluso: *see* **tacluso**
dacsi: *see* **tacsi**
dacw: there is, are
  [pointing to something];
  Dacw nhw: There they are
dad: *see* **tad**
dad-cu: *see* **tad-cu**
dad-yng-nghyfraith: *see* **tad-yng-nghyfraith**
dadau: *see* **tad**
dadau-cu: *see* **tad-cu**
dadau-yng-nghfraith: *see* **tad-yng-nghfraith**
dadl, -euon: argument(s);
  debate(s) *f*
dadlau: to argue; to debate
  [*stem* **dadl-**] **dadleuodd:**
  he, she argued; debated
dadleuol: controversial
daear, -oedd: earth(s) *f*
daeareg: geology *f*
daearyddiaeth: geography *f*
daeth: he, she came [*from* **dod**]

daethan(t): they came [*from* **dod**]
daethoch: you [*pl*] came
  [*from* **dod**]
daethom, daethon: we came
  [*from* **dod**]
daethost: you [*s*] came [*from* **dod**]
dafad, defaid: sheep, ewe(s) *f*
dafarn: *see* **tafarn**
dafarnau: *see* **tafarn**
dafarnwr: *see* **tafarnwr**
dafarnwyr: *see* **tafarnwr**
dafell: *see* **tafell**
dafellau: *see* **tafell**
daflen: *see* **taflen**
daflenni: *see* **taflenni**
daflu: *see* **taflu**
dafod: *see* **tafod**
dafodau: *see* **tafod**
dagrau: *see* **deigryn**
dai: *see* **tŷ**
daid: *see* **taid**
daioni: goodness *m*
dair: *see* **tair**
daith: *see* **taith**
dal: to hold; to catch; to continue
  [*stem* **dali-**] **daliodd:** he, she
  held; caught; continued
dal: *see* **tal**
dâl: *see* **tâl**
dalach: *see* **tal**
dalaf: *see* **tal**
daled: *see* **tal**
dalcen: *see* **talcen**
dalcennau: *see* **talcen**
dalcenni: *see* **talcen**
daldra: *see* **taldra**
dalent: *see* **talent**
dalentau: *see* **talent**
dalentog: *see* **talentog**

daliad: *see* **taliad**

daliad, -au: belief(s) *m*

dall: blind; **y deillion:** blind persons [*pl noun*]

dalu: *see* **talu**

damaid: *see* **tamaid**

dameidiau: *see* **tamaid**

damwain, damweiniau: accident(s) *f*

dan: *see* **tan**

dân: *see* **tân**

danau: *see* **tân**

danc: *see* **tanc**

danciau: *see* **tanc**

danfon: to escort [*stem* **danfon-**] **danfonodd:** he, she escorted

dangos: to show [*stem* **dangos-**] **dangosodd:** he, she showed

danio: *see* **tanio**

dannau: *see* **tant**

dannoedd: toothache *f*

dant, dannedd: tooth, teeth *m*

danysgrifiad: *see* **tanysgrifiad**

danysgrifiadau: *see* **tanysgrifiad**

danysgrifio: *see* **tanysgrifio**

dâp: *see* **tâp**

dapiau: *see* **tâp**

dapio: *see* **tapio**

daran : *see* **taran**

daranau: *see* **taran**

darganfod: to discover [*stem* **dargan-**] **darganfu:** he, she discovered

darged: *see* **targed**

dargedau: *see* **targed**

dargedi: *see* **targed**

darlithydd, darlithwyr: lecturer(s) *m*

darllediad, -au: broadcast(s) *m*

darlledu: to broadcast [*stem* **darlled-**] **darlledodd:** he, she broadcast

darllen: to read [*stem* **darllen-**] **darllenodd:** he, she read

darllengar: studious; fond of reading

darllenwr, darllenwyr: reader(s) *m*

darllenwraig, darllenwragedd: reader(s) [female] *f*

darllenydd, darllenwyr: reader(s) *m*

darlun, -iau: picture(s); image(s) *m*

darn, -au: piece(s) *m*

daro: *see* **taro**

darten, dartiau: dart(s) *f*

darten: *see* **tarten**

dartennau: *see* **tarten**

dartenni: *see* **tarten**

darw: *see* **tarw**

dasg: *see* **tasg**

dasgau: *see* **tasg**

datblygiad, -au: development(s) *m*

datblygu: to develop [*stem* **datblyg-**] **datblygodd:** he, she developed

daten: *see* **taten**

datgloi: to unlock [*stem* **datglo-**] **datglôdd:** he, she unlocked

dathliad, -au: celebration(s) *m*

dathlu: to celebrate [*stem* **dathl-**] **dathlodd:** he, she celebrated

datws: *see* **tatws**

dau: two [masculine]

daw: he, she comes [*from* **dod**]

daw: *see* **taw**

dawel: *see* **tawel**

dawelach: *see* **tawel**

dawelaf: *see* **tawel**
daweled: *see* **tawel**
dawelu: *see* **tawelu**
dawelwch: *see* **tawelwch**
dawn, doniau: talent(s) *f*
dawns, dawnsfeydd: dance(s) *f*
dawnsio: to dance [*stem* **dawnsi-**]
　dawnsiodd: he, she danced
dawnus: talented
de: right; south; **y de:** the south;
　y dde: the right
deall: to understand [*stem* **deall-**]
　deallodd: he, she understood
deallus: intelligent
debot: *see* **tebot**
debotau: *see* **tebot**
debycach: *see* **tebyg**
debycaf: *see* **tebyg**
debyced: *see* **tebyg**
debyg: *see* **tebyg**
debygol: *see* **tebygol**
decach: *see* **teg**
decaf: *see* **teg**
deced: *see* **teg**
dechneg: *see* **techneg**
dechnegau: *see* **techneg**
dechnegol: *see* **technegol**
dechnegwr: *see* **technegwr**
dechnegwragedd: *see* **technegwraig**
dechnegwraig: *see* **technegwraig**
dechnegwyr: *see* **technegwr**
dechnegwyr: *see* **technegydd**
dechnegydd: *see* **technegydd**
dechnoleg: *see* **technoleg**
dechrau: to start; to commence
　[*stem* **dechreu-**] **dechreuodd:**
　he, she started; commenced
dechreuwr, dechreuwyr:
　beginner(s) *m*

deddf, -au: law(s); statute(s) *f*
dedfryd, -au: sentence(s) [court] *f*
dedi: *see* **tedi**
deffro: to wake up [*stem* **deffro-**]
　deffrôdd: he, she awoke
defnydd, -iau: material(s);
　use(s) *m*
defnyddio: to use [*stem* **defnyddi-**]
　defnyddiodd: he, she used
defnyddiol: useful
deg: *see* **teg**
deg, -au: ten(s)
degan: *see* **tegan**
deganau: *see* **tegan**
degell: *see* **tegell**
degellau: *see* **tegell**
degfed: tenth
degol, -ion: decimal(s) *m*
degwch: *see* **tegwch**
deheuol: southern
dei: *see* **tei**
deial, -au: dial(s) *m*
deialog, -au: dialogue(s) *f*
deialu: to dial [*stem* **deial-**]
　deialodd: he, she dialled
deiar: *see* **teiar**
deiars: *see* **teiar**
deidiau: *see* **taid**
deigryn, dagrau: tear(s) *m*
deilen, dail: leaf, leaves *f*
deiliwr: *see* **teiliwr**
deilwriaid: *see* **teiliwr**
deimlad: *see* **teimlad**
deimladau: *see* **teimlad**
deimlo: *see* **teimlo**
deintydd, -ion: dentist(s) *m*
deip: *see* **teip**
deipiadur: *see* **teipiadur**
deipiaduron: *see* **teipiadur**

deipiau: *see* teip
deipio: *see* teipio
deipydd: *see* teipydd
deipyddes: *see* teipyddes
deirgwaith: *see* teirgwaith
deirw: *see* tarw
deis: *see* tei
deisen: *see* teisen
deisennau: *see* teisen
deisenni: *see* teisen
deithiau: *see* taith
deithio: *see* teithio
deithiwr: *see* teithiwr
deithwyr: *see* teithiwr
deitl: *see* teitl
deitlau: *see* teitl
del: pretty; **cyn ddeled:** as pretty;
   delach: prettier; **delaf:** prettiest
deledu: *see* teledu
deledydd: *see* teledu
deledyddion: *see* teledu
deleffon: *see* teleffon
deleffonau: *see* teleffon
delerau: *see* telerau
delfryd, -au: ideal(s) *m f*
delfrydol: ideal [*adj*]
deliffon: *see* teliffon
deliffonau: *see* teliffon
deligraff: *see* teligraff
deligraffau: *see* teligraff
deligram: *see* teligram
deligramau: *see* teligram
delio: to deal [*stem* deli-]
   deliodd: he, she dealt
delyn: *see* telyn
delynnau: *see* telyn
denau: *see* tenau
deneuach: *see* tenau
deneuaf: *see* tenau

deneued: *see* tenau
deng: ten [in front of words
   starting with **m** or **n**]
deniadol: attractive
denis: *see* tenis
denu: to attract [*stem* den-]
   denodd: he, she attracted
derbyn: to accept; to receive
   [*stem* derbyni-] **derbyniodd:**
   he, she accepted; received
derbynfa: reception *f*
derbyniol: acceptable
derbynnydd, derbynwyr:
   receiver(s); receptionist(s) *m*
derw: oak
derwen, derw: oaktree(s) *f*
des: I came (colloquial) [*from* dod]
desg, -iau: desk(s) *f*
dest: you [*s*] came (colloquial)
   [*from* dod]
destlus: neat; tidy
destun: *see* testun
destunau: *see* testun
deuddeg: twelve
deuddegfed: twelfth
deugain: forty
deugeinfed: fortieth
deulu: *see* teulu
deuluoedd: *see* teulu
deuluol: *see* teuluol
deunaw: eighteen
deunawfed: eighteenth
dew: *see* tew
dewach: *see* tew
dewaf: *see* tew
dewch: you [*pl*] come;
   come! [*pl*] [*from* dod]
dewed: *see* tew
dewis: to choose [*stem* dewis-]

dewisodd: he, she chose
dewis, -iadau: choice(s) *m*
dewr: brave
deyrnas: *see* **teyrnas**
deyrnasoedd: *see* **teyrnas**
di-: without; un-
di-ben-draw: endless
di-briod: unmarried
di-dâl: without charge; free
di-waith: unemployed
diacon, -iaid: deacon(s) *m*
diafol, -iaid: devil(s) *m*
dial: to avenge [*stem* **dial-**]
   dialodd: he, she avenged
dialedd: revenge
dianc: to escape [*stem* **dihang-**]
   dihangodd: he, she escaped
diawl, -iaid: devil(s) *m*
diben, -ion: purpose(s) *m*
dibennu: to end; to finish;
   bennu (colloquial) [south]
   [*stem* **dibenn-**] **dibennodd:**
   he, she ended; finished
dibynnu: to depend [*stem* **dibynn-**]
   dibynnodd: he, she depended
diced: *see* **ticed**
dicedau: *see* **ticed**
dicedi: *see* **ticed**
dician: *see* **tician**
dicter: anger *m*
diddan: interesting; amusing
diddanu: to interest; to amuse
   [*stem* **diddan-**] **diddanodd:** he,
   she interested; amused
diddiwedd: endless
diddordeb, -au: interest(s); hobby,
   hobbies *m*
diddori: to interest; to amuse
   [*stem* **diddor-**] **diddorodd:** he,

   she interested; amused
diddorol: interesting
dieithr: strange; unfamiliar
dieithryn, dieithriaid:
   stranger(s) *m*
dieuog: innocent
diferyn, diferion: drop(s) *m*
difetha: to destroy [*stem* **difeth-**]
   difethodd: he, she destroyed
diffodd: to extinguish; to switch off
   [*stem* **diffodd-**] **diffoddodd:** he,
   she extinguished; switched off
diffuant: sincere
diflannu: to disappear; [*stem*
   diflann-] **diflannodd:**
   he, she disappeared
diflas: miserable; boring; tedious
diflastod: boredom *m*
diflasu: to be bored; to bore
   [*stem* **diflas-**] **diflasodd:** he,
   she became bored; bored
difrif: earnest; serious
   o ddifrif: in earnest; seriously
difrifol: earnest; serious
difyr: amusing; entertaining
difyrru: to amuse; to entertain
   [*stem* **difyrr-**] **difyrrodd:** he,
   she amused; entertained
dig: angry
digalon: disheartened; depressed
digio: to offend; to be angry;
   to take offence [*stem* **digi-**]
   digiodd: he, she offended; was
   angry; took offence
digon, digonedd: plenty; enough *m*
digrif: amusing; funny
digwydd: to happen; to occur
   [*stem* **digwydd-**] **digwyddodd:**
   he, she happened

digwyddiad, -au: event(s); incident(s) *m*

dihuno: to wake up [*stem* **dihun-**] **dihunodd:** he, she woke up

dilledyn, dillad: garment(s); clothes *m*

dilyn: to follow [*stem* **dilyn-**] dilynodd: he, she followed

dim: nothing; **dim o gwbl:** nothing; not at all

dim ots: it doesn't matter

dinas, -oedd: city, cities *f*

dinesig: civic

dinesydd, dinasyddion: citizen(s) *m*

dinistrio: to destroy [*stem* **dinistri-**] **dinistriodd:** he, she destroyed

diniwed: innocent; naïve; harmless

diod, -ydd: drink(s) *f*

diofal: careless

diog: lazy

diogel: safe; secure

diogelwch: safety; security *m*

diogi: to be idle [*stem* **diog-**] **diogodd:** he, she was idle

diogyn: idler; sluggard *m*

diolch: to thank [*stem* **diolch-**] **diolchodd:** he, she thanked

diolchgar: grateful

diolchgarwch: gratitude; thanksgiving *m*

diolchiadau: thanks; vote of thanks [*pl noun*]

dipyn: *see* **tipyn**

dir: *see* **tir**

direidi: mischief *m*

direidus: mischievous

diroedd: *see* **tir**

dirprwy, -on: deputy, deputies *m*

dirwy, -on: fine(s) *f*

disglair: bright; brilliant

disgleirdeb, disgleirder: brightness; splendour *m*

disgleirio: to shine; [*stem* **disgleiri-**] **disgleiriodd:** he, she shone

disgo, -s: disco(s) *m*

disgrifiad, -au: description(s) *m*

disgrifio: to describe [*stem* **disgrifi-**] **disgrifiodd:** he, she described

disgwyl: to expect; to wait [*stem* **disgwyli-**] **disgwyliodd:** he, she expected, waited

digwyliad, -au: expectation(s) *m*

disgybl, -ion: pupil(s) *m*

disgyblaeth, -au: discipline(s) *f*

disgyn: to descend; to fall [*stem* **disgynn-**] **disgynnodd:** he, she descended; fell

distaw: silent; quiet

distawrwydd: silence *m*

ditectif, -au: detective(s) *m*

dithau: *see* **tithau**

diwb: *see* **tiwb**

diwbiau: *see* **tiwb**

diwedd: end *m*

diweddar: late; modern; **diweddarach:** later; more modern; **diweddaraf:** latest; most modern

diweithdra: unemployment *m*

diwerth: worthless

diwethaf: latest; last

diwmor: *see* **tiwmor**

diwmorau: *see* **tiwmor**

diwn: *see* **tiwn**

diwniau: *see* **tiwn**

diwrnod, -au: day(s) *m*

diwtor: *see* **tiwtor**

diwtoriaid: *see* **tiwtor**

diwyd: diligent; industrious

diwydiannol: industrial

diwydiant, diwydiannau: industry, industries *m*

diwydrwydd: diligence *m*

diwylliant, diwylliannau: culture(s) *m*

dlawd: *see* **tlawd**

dlos: *see* **tlws**

dlotach: *see* **tlawd**

dlotaf: *see* **tlawd**

dloted: *see* **tlawd**

dlws: *see* **tlws**

dlysach: *see* **tlws**

dlysaf: *see* **tlws**

dlysau: *see* **tlws**

dlysed: *see* **tlws**

do: yes [*in past tense*]

do: *see* **to**

doctor, -iaid: doctor(s) *m*

docyn: *see* **tocyn**

docynnau: *see* **tocyn**

dod: to come; **dod â:** to bring; **daeth:** he, she came

dodi: to put; to place [*stem* **dod-**] **dododd:** he, she put; placed

dodrefnyn, dodrefn: [piece of] furniture, furniture *m*

doeau: *see* **to**

doech, deuech: you [*pl*] used to come [*from* **dod**]

doem, deuem: we used to come [*from* **dod**]

doen, deuen: we used to come [*from* **dod**]

doen(t), deuen(t): they used to come [*from* **dod**]

doeon: *see* **to**

does: *see* **toes**

doeth: wise; **cyn ddoethed:** as wise; **doethach:** wiser; **doethaf:** wisest

doethion (y): the wise men; the magi [*pl noun*]

dof, deuaf: I come [*from* **dod**]

dof: tame; **cyn ddofed:** as tame; **dofach:** tamer; **dofaf:** tamest

dofn: *see* **dwfn**

dogfen, -nau, -ni: document(s) *f*

doi, deui: you [*s*] come [*from* **dod**]

doi: *see* **toi**

dôi, deuai: he, she used to come [*from* **dod**]

doiled: *see* **toiled**

doiledau: *see* **toiled**

doiledi: *see* **toiled**

dois: I came (colloquial) [*from* **dod**]

doist: you [*s*] came (colloquial) [*from* **dod**]

doit: you [*s*] used to come [*from* **dod**]

dol, -iau: doll(s) *f*

dôl, dolydd: meadow(s); dale(s) *f*

dolen, -nau, -ni: handle(s); link(s) *f*

doll: *see* **toll**

dollau: *see* **toll**

dolur, -iau: ailment(s); ache(s); pain(s); injury, injuries *m*

domato: *see* **tomato**

domatos: *see* **tomato**

don: *see* **ton**

dôn: *see* **tôn**

donau: *see* **tôn**

doniol: funny; amusing; comic; **cyn ddonioled:** as funny; as amusing; as comic; **doniolach:** funnier; more amusing; more comic; **doniolaf:** funniest; most amusing; most comic

donnau: *see* **ton**

dôn(t), deuan(t): they come [*from* **dod**]

dorheulo: *see* **torheulo**

doriad: *see* **toriad**

doriadau: *see* **toriad**

dorri: *see* **torri**

dorth: *see* **torth**

dorthau: *see* **torth**

dorts: *see* **torts**

dos: go! [*s*]; **dos allan!:** go out! [*from* **mynd**]

dosbarth, -iadau: class(es) *m*

dosbarth, -au: class(es) [society]; district(s) **Cyngor Dosbarth:** District Council

dosbarthu: to classify; to distribute [*stem* **dosbarth-**] **dosbarthodd:** he, she classified; distributed

dost: *see* **tost**

dostach: *see* **tost**

dostaf: *see* **tost**

dosted: *see* **tost**

dowch, dewch: you [*pl*] come; come! [*from* **dod**]

down, deuwn: we come; I used to come [*from* **dod**]

dra: *see* **tra**

dractor: *see* **tractor**

dractorau: *see* **tractor**

draed: *see* **troed**

draenen, drain: thorn(s) *f*

draenog, -od: hedgehog(s) *m*

draeth: *see* **traeth**

draethau: *see* **traeth**

draethawd: *see* **traethawd**

draethodau: *see* **traethawd**

drafaelu: *see* **trafaelu**

drafferth: *see* **trafferth**

drafferthion: *see* **trafferth**

draffig: *see* **traffig**

draffordd: *see* **traffordd**

draffyrdd: *see* **traffordd**

draig, dreigiau: dragon(s) *f*

dram: *see* **tram**

drama, dramâu: drama(s); play(s) *f*

dramiau: *see* **tram**

dramodydd, dramodwyr: dramatist(s) *m*

dramor: *see* **tramor**

drasiedi: *see* **trasiedi**

drasiedïau: *see* **trasiedi**

draw: yonder; **yma a thraw:** here and there

draws: *see* **traws**

drawst: *see* **trawst**

drawstiau: *see* **trawst**

dref: *see* **tref**

drefi: *see* **tref**

drefn: *see* **trefn**

drefnau: *see* **trefn**

drefnu: *see* **trefnu**

drefnus: *see* **trefnus**

drefnydd: *see* **trefnydd**

drefnyddion: *see* **trefnydd**

drefol: *see* **trefol**

dreigl(i)ad: *see* **treigl(i)ad**

dreigl(i)adau: *see* **treigl(i)ad**

dreiglo: *see* **treiglo**

drên: *see* **trên**

drenau: *see* **trên**

dresel, -i: dresser(s) *f*

dreth: *see* treth

drethi: *see* treth

dreuliau: *see* treuliau

dreulio: *see* treulio

dri: *see* tri

driawd: *see* triawd

driawdau: *see* triawd

dril, -iau: drill(s) *m*

drin: *see* trin

dringo: to climb [*stem* dring-]
   dringodd: he, she climbed

dringwr, dringwyr: climber(s) *m*

driniaeth: *see* triniaeth

drio: *see* trio

driongl: *see* triongl

drionglau: *see* triongl

drip: *see* trip

dripiau: *see* trip

drist: *see* trist

dristach: *see* trist

dristaf: *see* trist

dristáu: *see* tristáu

dristed: *see* trist

dristwch: *see* tristwch

dro: *see* tro

droad: *see* troad

droadau: *see* troad

droed: *see* troed

droedfedd: *see* troedfedd

droedfeddi: *see* troedfedd

droi: *see* troi

drom: *see* trwm

drôns: *see* trôns

dronsiau: *see* trôns

drôr, drorau, droriau: drawer(s) *m*

dros: *see* tros

drowsus: *see* trowsus

drowsusau: *see* trowsus

druan: *see* truan

drud: expensive;
   cyn ddruted: as expensive;
   drutach: more expensive;
   drutaf: most expensive

drueiniaid: *see* truan

drueni: *see* trueni

drwg, drygau: evil(s) *m*

drwg: bad; cynddrwg: as bad;
   gwaeth: worse; gwaethaf: worst

drwm, drymiau: drum(s) *m*

drwm: *see* trwm

drws, drysau: door(s) *m*

drwsio: *see* trwsio

drwy: *see* trwy

drwydded: *see* trwydded

drwyddedau: *see* trwydded

drwyn: *see* trwyn

drwynau: *see* trwyn

drych, -au: mirror(s) *m*

drydan: *see* trydan

drydanol: *see* trydanol

drydanwr: *see* trydanwr

drydanwyr: *see* trydanwr

drydedd: *see* trydedd

drydydd: *see* trydydd

dryll, -iau: gun(s) *m*

drymach: *see* trwm

drymaf: *see* trwm

drymed: *see* trwm

drysor: *see* trysor

drysorau: *see* trysor

drysorydd: *see* trysorydd

drysoryddion: *see* trysorydd

dryw, -od: wren(s) *m f*

du: *see* tu

du: black; cyn ddued: as black;
   duach: blacker; duaf: blackest

dudalen: *see* tudalen

dudalennau: *see* tudalen

dun: *see* **tun**
dunelli: *see* **tunnell**
duniau: *see* **tun**
dunnell: *see* **tunnell**
dur: steel *m*;
    Dur Prydain: British Steel
duw, -iau: god(s) *m*
duwies, -au: godess(es) *f*
duwiol: godly
dweud: to say [*stem* **dywed-**]
    dywedodd: he, she said
dwfn: deep [feminine **dofn**];
    cyn ddyfned: as deep; **dyfnach:**
    deeper; **dyfnaf:** deepest
dwl: dull; stupid
dwlc: *see* **twlc**
dwli: nonsense; **siarad dwli:** talk
    nonsense [south]
dwll: *see* **twll**
dwmpath: *see* **twmpath**
dwmpathau: *see* **twmpath**
dwnelau: *see* **twnnel**
dwnnel: *see* **twnnel**
dwp: *see* **twp**
dwpach: *see* **twp**
dwpaf: *see* **twp**
dwped: *see* **twp**
dwpsod: *see* **twpsyn**
dwpsyn: *see* **twpsyn**
dwr: *see* **twr**
dŵr, dyfroedd: water(s) *m*
dŵr: *see* **tŵr**
dwrci: *see* **twrci**
dwrcïod: *see* **twrci**
dwrn, dyrnau: fist(s) *m*
dwrnai: *see* **twrnai**
dwrneiod: *see* **twrnai**
dwrw: *see* **twrw**
dwsin, -au: dozen(s) *m*

dwster, -i: duster(s) *m*
dwt: *see* **twt**
dwtio: *see* **twtio**
dwy: two [feminine]
dwyieithog: bilingual
dwyieithrwydd: bilingualism *m*
dwyll: *see* **twyll**
dwyllo: *see* **twyllo**
dwym: *see* **twym**
dwymach: *see* **twym**
dwymaf: *see* **twym**
dwymed: *see* **twym**
dwymo: *see* **twymo**
dwymyn: *see* **twymyn**
dwyn: to steal [*stem* **dyg-**]
    dygodd: he, she stole
dwyrain: east; **Y Dwyrain Canol:**
    The Middle East; **Y Dwyrain**
    Pell: The Far East
dwyreiniol: eastern
dwywaith: twice
dy: your [*s*]
dŷ: *see* **tŷ**
dybaco: *see* **tybaco**
dybio: *see* **tybio**
dychmygu: to imagine
    [*stem* **dychmyg-**] **dychmygodd:**
    he, she imagined
dychryn: to frighten; to be
    frightened; [*stem* **dychryn-**]
    dychrynodd: he, she
    frightened; was frightened
dychrynllyd: frightening
dychwelyd: to return
    [*stem* **dychwel-**] **dychwelodd:**
    he, she returned
dychymyg: imagination *m*
dydd, -iau: day(s) *m*; **Dydd Llun,**
    Dydd Mawrth *etc*

dyddiad, -iau: date(s) *m*

dyddiadur, -on: diary, diaries *m*

dyddyn: *see* **tyddyn**

dyddynnod: *see* **tyddyn**

dyfais, dyfeisiadau: device(s) *f*

dyfalu: to guess [*stem* **dyfal-**]
    dyfalodd: he, she guessed

dyfarniad, -au: judgement(s) *m*

dyfarnwr, dyfarnwyr: referee(s)
    [sport] *m*

dyffryn, -noedd: valley(s) *m*

dyfodol: future *m*

dyfrgi, dyfrgwn: otter(s) *m*

dyfu: *see* **tyfu**

dylcau: *see* **twlc**

dylciau: *see* **twlc**

dyllau: *see* **twll**

dyma: here is, are [+ *soft mutation*]

dymer: *see* **tymer**

dymheredd: *see* **tymheredd**

dymheroedd: *see* **tymheredd**

dymhorau: *see* **tymor**

dymhorol: *see* **tymhorol**

dymor: *see* **tymor**

dymuniad, -au: wish(es) *m*

dymuno: to wish [*stem* **dymun-**]
    dymunodd: he, she wished

dymunol: pleasant

dyn, -ion: man, men *m*

dyna: there is, are [+ *soft mutation*]

dyner: *see* **tyner**

dynes: woman *f*

dynesu: to approach [*stem* **dynes-**]
    dynesodd: he, she approached

dynhau: *see* **tynhau**

dynn: *see* **tyn**

dynnu: *see* **tynnu**

dynwared: to imitate;
    to impersonate [*stem*

dynwared-] **dynwaredodd:**
    he, she imitated; impersonated

dyrau: *see* **twˆr**

dyrfa: *see* **tyrfa**

dyrfaoedd: *see* **tyrfa**

dyrnu: to thump; to thresh
    [*stem* **dyrn-**] **dyrnodd:**
    he, she thumped; threshed

dyrrau: *see* **twr**

dysgl, -au: dish(es) *f*

dysglaid, dysgleidiau: dishful(s) *f*

dysgu: to teach; to learn
    [*stem* **dysg-**] **dysgodd:** he, she
    taught; learned

dysgwr, dysgwyr: learner(s) *m*

dyst: *see* **tyst**

dystion: *see* **tyst**

dywallt: *see* **tywallt**

dyweddïo: to become engaged
    [*stem* **dyweddï-**] **dyweddïodd:**
    he, she became engaged

dywel: *see* **tywel**

dyweli: *see* **tywel**

dywod: *see* **tywod**

dywydd: *see* **tywydd**

dywyll: *see* **tywyll**

dywyllach: *see* **tywyll**

dywyllaf: *see* **tywyll**

dywylled: *see* **tywyll**

dywyllu: *see* **tywyllu**

dywynnu: *see* **tywynnu**

dywysog: *see* **tywysog**

dywysoges: *see* **tywysoges**

dywysogesau: *see* **tywysoges**

dywysogion: *see* **tywysog**

DD dd

dda: *see* da

ddadl: *see* dadl

ddadlau: *see* dadlau

ddadleuol: *see* dadleuol

ddadleuon: *see* dadl

ddaear: *see* daear

ddaeareg: *see* daeareg

ddaearoedd: *see* daear

ddaearyddiaeth: *see* daearyddiaeth

ddaeth: *see* daeth

ddaethan: *see* daethan(t)

ddaethant: *see* daethan(t)

ddaethoch: *see* daethoch

ddaethom: *see* daethom

ddaethon: *see* daethom

ddaethost: *see* daethost

ddafad: *see* dafad

ddagrau: *see* deigryn

ddail: *see* deilen

ddaioni: *see* daioni

ddal: *see* dal

ddaliadau: *see* daliad

ddall: *see* dall

ddamwain: *see* damwain

ddamweiniau: *see* damwain

ddanfon: *see* danfon

ddangos: *see* dangos

ddannedd: *see* dant

ddannoedd: *see* dannoedd

ddant: *see* dant

ddarganfod: *see* darganfod

ddarlithydd: *see* darlithydd

ddarlithwyr: *see* darlithydd

ddarllediad: *see* darllediad

ddarllediadau: *see* darllediad

ddarlledu: *see* darlledu

ddarllen: *see* darllen

ddarllengar: *see* darllengar

ddarllenwr: *see* darllenwr

ddarllenwragedd: *see* darllenwraig

ddarllenwraig: *see* darllenwraig

ddarllenwyr: *see* darllenwr

ddarllenydd: *see* darllenydd

ddarlun: *see* darlun

ddarluniau: *see* darlun

ddarn: *see* darn

ddarnau: *see* darn

ddarten: *see* darten

ddartiau: *see* darten

ddaru: [used in North Wales to say that he, she did something]

    ddaru hi fynd: she went

ddatblygiad: *see* datblygiad

ddatblygiadau: *see* datblygiad

ddatblygu: *see* datblygu

ddatgloi: *see* datgloi

ddathliad: *see* dathliad

ddathliadau: *see* dathliad

ddathlu: *see* dathlu

ddau: *see* dau

ddaw: *see* daw

ddawn: *see* dawn

ddawns: *see* dawns

ddawnsfeydd: *see* dawns

ddawnsio: *see* dawnsio

ddawnus: *see* dawnus

dde (y): the right;

    troi i'r dde: turning to the right

dde: *see* de

ddeall: *see* deall

ddeallus: *see* deallus

ddechrau: *see* dechrau

ddechreuwr: *see* dechreuwr

ddechreuwyr: *see* dechreuwr

ddeddf: *see* deddf
ddedfryd: *see* dedfryd
ddedfrydau: *see* dedfryd
ddefaid: *see* dafad
ddeffro: *see* deffro
ddefnydd: *see* defnydd
ddefnyddiau: *see* defnydd
ddefnyddio: *see* defnyddio
ddefnyddiol: *see* defnyddiol
ddeg: *see* deg
ddegau: *see* deg
ddegfed: *see* degfed
ddegol: *see* degol
ddegolion: *see* degol
ddeheuol: *see* deheuol
ddeial: *see* deial
ddeialau: *see* deial
ddeialog: *see* deialog
ddeialogau: *see* deialog
ddeialu: *see* deialu
ddeigryn: *see* deigryn
ddeilen: *see* deilen
ddeintydd: *see* deintydd
ddeintyddion: *see* deintydd
ddel: *see* del
ddelach: *see* del
ddelaf: *see* del
ddeled: *see* del
ddelfryd: *see* delfryd
ddelfrydau: *see* delfryd
ddelfrydol: *see* delfrydol
ddelio: *see* delio
ddeng: *see* deng
ddeniadol: *see* deniadol
ddenu: *see* denu
dderbyn: *see* derbyn
dderbynfa: *see* derbynfa
dderbyniol: *see* derbyniol
dderbynnydd: *see* derbynnydd

dderbynwyr: *see* derbynnydd
dderw: *see* derw
dderw: *see* derwen
dderwen: *see* derwen
ddes: *see* des
ddesg: *see* desg
ddesgiau: *see* desg
ddest: *see* dest
ddestlus: *see* destlus
ddeuaf: *see* dof
ddeuai: *see* doi
ddeuddeg: *see* deuddeg
ddeuddegfed: *see* deuddegfed
ddeuech: *see* doech
ddeuem: *see* doem
ddeuen: *see* doem
ddeuen: *see* deuen
ddeuen: *see* deuen(t)
ddeuent: *see* deuen(t)
ddeugain: *see* deugain
ddeugeinfed: *see* deugeinfed
ddeui: *see* deui
ddeunaw: *see* deunaw
ddeunawfed: *see* deunawfed
ddeuwn: *see* down
ddewch: *see* dewch
ddewis: *see* dewis
ddewisiadau: *see* dewis
ddewr: *see* dewr
ddi-: *see* di-
ddi-ben-draw: *see* di-ben-draw
ddi-briod: *see* di-briod
ddi-dâl: *see* di-dâl
ddi-waith; *see* di-waith
ddiacon: *see* diacon
ddiaconiaid: *see* diacon
ddiafol: *see* diafol
ddiafoliaid: *see* diafol
ddial: *see* dial

ddialedd: *see* dialedd
ddianc: *see* dianc
ddiawl: *see* diawl
ddiawliaid: *see* diawl
ddiben: *see* diben
ddibenion: *see* diben
ddibennu: *see* dibennu
ddibynnu: *see* dibynnu
ddicter: *see* dicter
ddiddan: *see* diddan
ddiddanu: *see* diddanu
ddiddiwedd: *see* diddiwedd
ddiddordeb: *see* diddordeb
ddiddordebau: *see* diddordeb
ddiddori: *see* diddori
ddiddorol: *see* diddorol
ddieithr: *see* dieithr
ddieithriaid: *see* dieithryn
ddieithryn: *see* dieithryn
ddieuog: *see* dieuog
ddiferion: *see* diferyn
ddiferyn: *see* diferyn
ddifetha: *see* difetha
ddiffodd: *see* diffodd
ddiffuant: *see* diffuant
ddiflannu: *see* diflannu
ddiflas: *see* diflas
ddiflastod: *see* diflastod
ddiflasu: *see* diflasu
ddifrif: *see* difrif
ddifrifol: *see* difrifol
ddifyr: *see* difyr
ddifyrru: *see* difyrru
ddig: *see* dig
ddigalon: *see* digalon
ddigio: *see* digio
ddigon: *see* digon
ddigonedd: *see* digonedd
ddigrif: *see* digrif

ddigwydd: *see* digwydd
ddigwyddiad: *see* digwyddiad
ddigwyddiadau: *see* digwyddiad
ddihuno: *see* dihuno
ddillad: *see* dilledyn
ddilledyn: *see* dilledyn
ddilyn: *see* dilyn
ddim: *see* dim
ddinas: *see* dinas
ddinasoedd: *see* dinas
ddinasyddion: *see* dinesydd
ddinesig: *see* dinesig
ddinesydd: *see* dinesydd
ddinistrio: *see* dinistrio
ddiniwed: *see* diniwed
ddiod: *see* diod
ddiodydd: *see* diod
ddiofal: *see* diofal
ddiog: *see* diog
ddiogel: *see* diogel
ddiogi: *see* diogi
ddiogyn: *see* diogyn
ddiolch: *see* diolch
ddiolchgar: *see* diolchgar
ddiolchgarwch: *see* diolchgarwch
ddiolchiadau: *see* diolchiadau
ddireidi: *see* direidi
ddireidus: *see* direidus
ddirprwy: *see* dirprwy
ddirprwyon: *see* dirprwy
ddirwy: *see* dirwy
ddirwyon: *see* dirwy
ddisglair: *see* disglair
ddisgleirdeb: *see* disgleirdeb
ddisgleirder: *see* disgleirdeb
ddisgleirio: *see* disgleirio
ddisgo: *see* disgo
ddisgos: *see* disgo
ddisgrifiad: *see* disgrifiad

ddisgrifiadau: *see* disgrifiad
ddisgrifio: *see* disgrifio
ddisgwyl: *see* disgwyl
ddisgwyliad: *see* disgwyliad
ddisgwyliadau: *see* disgwyliad
ddisgybl: *see* disgybl
ddisgyblaeth: *see* disgyblaeth
ddisgyblaethau: *see* disgyblaeth
ddisgyblion: *see* disgybl
ddisgyn: *see* disgyn
ddistaw: *see* distaw
ddistawrwydd: *see* distawrwydd
dditectif: *see* ditectif
dditectifau: *see* ditectif
ddiwedd: *see* diwedd
ddiweddar: *see* diweddar
ddiweddarach: *see* diweddar
ddiweddaraf: *see* diweddar
ddiweddared: *see* diweddar
ddiweithdra: *see* diweithdra
ddiwerth: *see* diwerth
ddiwethaf: *see* diwethaf
ddiwrnod: *see* diwrnod
ddiwrnodau: *see* diwrnod
ddiwyd: *see* diwyd
ddiwydiannau: *see* diwydiant
ddiwydiannol: *see* diwydiannol
ddiwydiant: *see* diwydiant
ddiwydrwydd: *see* diwydrwydd
ddiwylliannau: *see* diwylliant
ddiwylliant: *see* diwylliant
ddoctor: *see* doctor
ddoctoriaid: *see* doctor
ddod: *see* dod
ddodi: *see* dodi
ddodrefn: *see* dodrefnyn
ddodrefnyn *see* dodrefnyn
ddoe: yesterday
ddoech: *see* doech

ddoem: *see* doem
ddoen: *see* doen
ddoen: *see* doen(t)
ddoent: *see* doen(t)
ddoeth: *see* doeth
ddoethach: *see* doeth
ddoethaf: *see* doeth
ddoethed: *see* doeth
ddof: *see* dof
ddof: *see* dof
ddofach: *see* dof
ddofaf: *see* dof
ddofed: *see* dof
ddogfen: *see* dogfen
ddogfennau: *see* dogfen
ddogfenni: *see* dogfen
ddoi: *see* doi
ddôi: *see* dôi
ddois: *see* dois
ddoist: *see* doist
ddol: *see* dol
ddôl: *see* dôl
ddolen: *see* dolen
ddolennau: *see* dolen
ddolenni: *see* dolen
ddoliau: *see* dol
ddolur: *see* dolur
ddoluriau: *see* dolur
ddolydd: *see* dôl
ddôn: *see* dôn(t)
ddoniau: *see* dawn
ddoniol: *see* doniol
ddoniolach: *see* doniol
ddoniolaf: *see* doniol
ddonioled: *see* doniol
ddônt: *see* dôn(t)
ddosbarth: *see* dosbarth
ddosbarthau: *see* dosbarth
ddosbarthiadau: *see* dosbarth

ddosbarthu: *see* dosbarthu
ddowch: *see* dowch
ddown: *see* down
ddraenen: *see* draenen
ddraenog: *see* draenog
draenogod: *see* draenog
ddraig: *see* draig
ddrain: *see* draenen
ddrama: *see* drama
ddramâu: *see* drama
ddramodwyr: *see* dramodydd
ddramodydd: *see* dramodydd
ddreigiau: *see* draig
ddresel: *see* dresel
ddreseli: *see* dresel
ddril: *see* dril
ddriliau: *see* dril
ddringo: *see* dringo
ddringwr: *see* dringwr
ddringwyr: *see* dringwr
ddrôr: *see* drôr
ddrorau: *see* drôr
ddroriau: *see* drôr
ddrud: *see* drud
ddrutach: *see* drud
ddrutaf: *see* drud
ddruted: *see* drud
ddrwg: *see* drwg
ddrwm: *see* drwm
ddrws: *see* drws
ddrych: *see* drych
ddrychau: *see* drych
ddrygau: *see* drwg
ddryll: *see* dryll
ddrylliau: *see* dryll
ddrymiau: *see* drwm
ddrysau: *see* drws
ddryw: *see* dryw
ddrwyod: *see* dryw

ddu: *see* du
dduach: *see* du
dduaf: *see* du
ddued: *see* du
ddur: *see* dur
dduw: *see* duw
dduwiau: *see* duw
dduwies: *see* duwies
dduwiesau: *see* duwies
dduwiol: *see* duwiol
ddweud: *see* dweud
ddwfn: *see* dwfn
ddwl: *see* dwl
ddwli: *see* dwli
ddŵr: *see* dŵr
ddwrn: *see* dwrn
ddwsin: *see* dwsin
ddwsinau: *see* dwsin
ddwster: *see* dwster
ddwsteri: *see* dwster
ddwy: *see* dwy
ddwyieithog: *see* dwyieithog
ddwyieithrwydd: *see*
    dwyieithrwydd
ddwylo: *see* llaw
ddwyn: *see* dwyn
ddwyrain: *see* dwyrain
ddwyreiniol: *see* dwyreiniol
ddwywaith: *see* dwywaith
ddychmygu: *see* dychmygu
ddychryn: *see* dychryn
ddychrynllyd: *see* dychrynllyd
ddychwelyd: *see* dychwelyd
ddychymyg: *see* dychymyg
ddydd: *see* dydd
ddyddiad: *see* dyddiad
ddyddiadau: *see* dyddiad
ddyddiadur: *see* dyddiadur
ddyddiaduron: *see* dyddiadur

ddyddiau: *see* dydd
ddyfais: *see* dyfais
ddyfalu: *see* dyfalu
ddyfarniad: *see* dyfarniad
ddyfarniadau: *see* dyfarniad
ddyfarnwr: *see* dyfarnwr
ddyfarnwyr: *see* dyfarnwr
ddyfeisiadau: *see* dyfais
ddyffryn: *see* dyffryn
ddyffrynnoedd: *see* dyffryn
ddyfnach: *see* dwfn
ddyfnaf: *see* dwfn
ddyfned: *see* dwfn
ddyfodol: *see* dyfodol
ddyfrgi: *see* dyfrgi
ddyfrgwn: *see* dyfrgi
ddyfroedd: *see* dŵr
ddymuniad: *see* dymuniad
ddymuniadau: *see* dymuniad
ddymuno: *see* dymuno
ddymunol: *see* dymunol
ddyn: *see* dyn
ddynes: *see* dynes
ddynesu: *see* dynesu
ddynion: *see* dyn
ddynwared: *see* dynwared
ddyrnau: *see* dwrn
ddyrnu: *see* dyrnu
ddysgl: *see* dysgl
ddysglaid: *see* dysglaid
ddysglau: *see* dysgl
ddysgleidiau: *see* dysglaid
ddysgu: *see* dysgu
ddysgwr: *see* dysgwr
ddysgwyr: *see* dysgwr
ddyweddïo: *see* dyweddïo

Ee

eang: wide; expansive
ebol, -ion: foal(s) *m*
Ebrill, mis Ebrill: April *m*
echdoe: the day before yesterday
echel, -au: axle(s) *f*
echnos: the night before last
eco: echo *m*
economaidd: economic
economeg: economics *f*
economegydd, economegwyr:
    economist(s) *m*
economi, economïau: economy,
    economies *m*
edau, edafedd: thread(s) *f*
edifar: penitent; sorry
edifarhau: to repent; to be sorry
    [*stem* edifarha-] edifarhaodd:
    he, she repented; was sorry
edmygedd: admiration *m*
edmygu: to admire [*stem* edmyg-]
    edmygodd: he, she admired
edmygydd, edmygwyr:
    admirer(s) *m*
edrych: to look [*stem* edrych-]
    edrychodd: he, she looked
ef: he; him; it
efail: *see* gefail
efallai: perhaps
efe: he [*emphatic*]
efeiliau: *see* gefail
efeiliau: *see* gefel
efel: *see* gefel
efell: *see* gefell
efeilliaid: *see* gefell
efelychiad, -au: imitation(s) *m*

efelychu: to imitate [*stem* **efelych-**]
  efelychodd: he, she imitated
efengyl, -au: gospel(s) *f*
efengylaidd: evangelical
efengylu: to evangelize
  [*stem* **efengyl-**] **efengylodd:** he,
  she evangelized
efengylydd, efengylwyr:
  evangelist(s) *m*
effaith, effeithiau: effect(s) *f*
effeithiol: effective
effro: awake
efo: with
efô: he [*empahtic*]
efydd: bronze; brass *m*
eglur: clear; obvious; evident
eglurdeb, eglurder: brightness;
  clearness *m*
egluro: to explain [*stem* **eglur-**]
  eglurodd: he, she explained
eglwys, -i: church(es) *f*
eglwyswr, eglwyswyr: churchman,
  churchmen *m*
eglwyswraig, eglwyswragedd:
  churchwoman, churchwomen *f*
egni: energy *m*
egnïol: energetic
egwyddor, -ion: principle(s) *f*
egwyl, -iau: interval(s) *f*
ehangder, eangderau:
  expanse(s) *m*
ei: his [+ *soft mutatation*]
  ei dad: his father
ei: her [+ a*spirant mutation*]
  ei thad: her father
ei: you [*s*] go [*from* **mynd**]
eich: your [*pl*]
eiddew: ivy *m*
eiddgar: ardent; zealous

eiddigedd: jealousy *m*
eiddigeddu: to envy
  [*stem* **eiddigedd-**]
  eiddigeddodd: he, she envied
eiddil: feeble; frail
eiddo: property *m*
eidion, eidionnau: bullock(s) *m*;
  cig eidion: beef
eiliad, -au: second(s) *m f*
eilio: to second [*stem* **eili-**]
  eiliodd: he, she seconded
eillio: to shave [*stem* **eilli-**]
  eilliodd: he, she shaved
eilradd: second rate
eilun, -od: idol(s); image(s) *m*
eilydd, -ion: seconder(s);
  substitute(s) [sport] *m*
ein: our
eira: snow *m*; **bwrw eira:** to snow
eirfa: *see* **geirfa**
eirfaoedd: *see* **geirfa**
eiriadur: *see* **geiriadur**
eiriaduron: *see* **geiriadur**
eiriau: *see* **gair**
eirinen, eirin: plum(s) *f*
eirinen wlanog, eirin gwlanog:
  peach(es) *f*
eirlaw: sleet *m*
eisiau: want
eisoes: already
eistedd: to sit [*stem* **eistedd-**]
  eisteddodd: he, she sat
eisteddfod, -au: competitive
  cultural festival(s) *f*;
  Yr Eisteddfod Genedlaethol:
  The National Eisteddfod
eitem, -au: item(s) *f*
eithaf, -ion: extremity, extremities
  m; **i'r eithaf:** to the utmost

eithaf: quite; fairly; **eithaf da:** quite good; fairly good

eithafol: extreme

eithin: furze; gorse [*pl noun*]

eithriad, -au: exception(s) *m*

eithriadol: exceptional

eithrio: to except [*stem* **eithri-**] **eithriodd:** he, she excepted

elastig: elastic *m*

electroneg: electronic

eleni: this year

elfen, -nau: element(s);particle(s) *f*

elfennol: elementary

eli, elïau: ointment(s); salve(s) *m*

elusen, -nau: charity, charities *f*

elw: profit; gain *m*

elwa: to profit; to gain [*stem* **elw-**] **elwodd:** he, she profited; gained

emau: *see* **gem**

emwyr: *see* **gemydd**

emydd: *see* **gemydd**

emyn, -au: hymn(s) *m*; **emyn-dôn, emyn-donau:** hymn-tune(s) *f*

emynwr, emynydd, emynwyr: hymnist(s); hymn writer(s) *m*

ên: *see* **gên**

enau: *see* **gên**

enedigol: *see* **genedigol**

eneth: *see* **geneth**

enethod: *see* **geneth**

enfys, -au: rainbow(s) *f*

enghraifft, enghreifftiau: example(s) *f*; **er enghraifft** [**e.e.**]: for example [e.g.]

enghreifftiol: illustrative

englyn, -ion: stanza(s) [in Welsh strict metres] *m*

eni: *see* **geni**

enillwr, enillwyr: winner(s) *m*

enillwraig, enillwragedd: winner(s) [female] *f*

enjoio: to enjoy [*stem* **enjoi-**] **enjoiodd:** he, she enjoyed

enllib, -ion: slander(s); libel(s) *m*

enllibio: to slander; to libel [*stem* **enllibi-**] **enllibiodd:** he, she slandered; libelled

ennill: to win; to gain; to earn [*stem* **enill-**] **enillodd:** he, she won; earned; gained

ennyn: to incite [*stem* **enyn-**] **enynodd:** he, she incited

enw, -au: name(s) *m*

enwad, -au: denomination(s) *m*

enwi: to name [*stem* **enw-**] **enwodd:** he, she named

enwog: famous; renowned

enwogion: famous people

enwogrwydd: fame; renown *m*

eofn: fearless

eog, -iaid: salmon(s) *m*

epa, -od: ape(s) *m*

epil, -iaid: offspring(s) *m*

er: since; despite; for; **er mwyn:** in order to; for the sake of; **er gwaethaf:** despite

eraill: *see* **arall**

erbyn: by; against; **yn erbyn Caerdydd:** against Cardiff

erchyll: horrible; hideous; frightful

erddi: *see* **gardd**

erfyn, arfau: tool(s) *m*

erfyn: to plead; to expect [south][*stem* **erfyni-**] **erfyniodd:** he, she pleaded; expected

ergyd, -ion: blow(s); shot(s) *m f*

erioed: never; ever; at all

erlid: to pursue; to persecute
[*stem* **erlid-**] **erlidiodd:** he, she
pursued; persecuted

ers: since

erthygl, -au: article(s) *f*

erthyliad,-au: abortion(s) *m*

erw, -au: acre(s) *f*

eryr, -od: eagle(s) *m*

es: I went (colloquial)
[*from* **mynd**]

esboniad, -au: explanation(s) *m*

esbonio: to explain [*stem* **esboni-**]
esboniodd: he, she explained

esgeuluso: to neglect
[*stem* **esgeulus-**] **esgeulusodd:**
he, she neglected

esgid, -iau: shoe(s) *f*

esgob, -ion: bishop(s) *m*

esgobaeth, -au: diocese(s) *f*

esgus, -ion, -odion: excuse(s) *m*

esgusodi: to excuse
[*stem* **esgusod-**] **esgusododd:**
he, she excused

esgyn: to ascend; to mount
[*stem* **esgynn-**] **esgynnodd:**
he, she ascended; mounted

esmwyth: smooth; comfortable

esmwytho: to soothe; to ease
[*stem* **esmwyth-**] **esmwythodd:**
he, she soothed; eased

est: you [s] went (colloquial)
[*from* **mynd**]

estron: foreign

estron, -iaid: foreigner(s) *m*

estyn: to reach; to stretch;
to lengthen [*stem* **estynn-**]
estynnodd: he, she reached;
stretched; lengthened

estyniad, -au: extension(s) *m*

etifedd, -ion: heir(s) *m*

etifeddu: to inherit [*stem* **etifedd-**]
etifeddodd: he, she inherited

ethol: to elect; to choose
[*stem* **ethol-**] **etholodd:** he, she
elected; chose

etholiad, -au: election(s) *m*

etholwr, etholwyr: elector(s) *m*

eto: again

eu: their

euog: guilty

euogrwydd: guilt *m*

euraid, euraidd: of gold; golden

euthum: I went [*from* **mynd**]

ewch: you [*pl*] go; go! [*pl*]; **ewch
allan!:** go out! [*from* **mynd**]

ewin, -edd: nail(s) [finger] *m f*

Ewrop: Europe; **Y Gymuned
Ewropeaidd:** The European
Community

ewyllys, -iau: will(s) *m f*

ewyn: foam; froth *m*

ewynnog: foaming; frothing

ewythr, -od, ewythredd:
uncle(s); **ewyrth** (colloquial) *m*

Ff

fab: *see* mab
faban: *see* baban
fabanaidd: *see* babanaidd
fabanod: *see* baban
fabi: *see* babi
fabolgampau: *see* mabolgampau
fach: *see* bach
fachgen: *see* bachgen
fachyn: *see* bachyn
fachynnau: *see* bachyn
faco: *see* tybaco
facrell: *see* macrell
facwn: *see* bacwn
fad: *see* bad
fadarch: *see* madarchen
fadarchen: *see* madarchen
fadau: *see* bad
faddon: *see* baddon
faddeuant: *see* maddeuant
faddonau: *see* baddon
fae: *see* bae
faeau: *see* bae
faeddu: *see* baeddu
faen: *see* maen
faer: *see* maer
faes: *see* maes
fafon: *see* mafonen
fafonen: *see* mafonen
fag: *see* bag
fagaid: *see* bagiad
fageidiau: *see* bagaid
fagiau: *see* bag
fagned: *see* magned
fagnedau: *see* magned
fagu: *see* magu

Fai: *see* Mai
fai: *see* bai
fain: *see* main
fainc: *see* mainc
faint: how many; how much
faint: *see* maint
faip: *see* meipen
faith: *see* maith
falais: *see* malais
falch: *see* balch
falchach: *see* balch
falchaf: *see* balch
falchder: *see* balchder
falched: *see* balch
faleisus: *see* maleisus
falf, -iau: valve(s) *f*
fallai: *see* efallai
falwen: *see* malwen
falŵn: *see* balŵn
falwnau: *see* balŵn
falwod: *see* malwen
falwoden: *see* malwen
fam: *see* mam
fam-gu: *see* mam-gu
fam-yng-nghyfraith: *see* mam-
    yng-nghyfraith
famau: *see* mam
famau-cu: *see* mam-gu
famau-yng-nghyfraith: *see* mam-
    yng-nghyfraith
fambŵ: *see* bambŵ
fan, -iau: van(s) *f*
fan: *see* man
fân: *see* mân
fanana: *see* banana
fanc: *see* banc
fanciau: *see* banc
fancio: *see* bancio
fancwr: *see* bancwr

57

fancwyr: *see* bancwr
fand: *see* band
fandal, -iaid: vandal(s) *m*
fandaliaeth: vandalism *f*
fandiau: *see* band
faneg: *see* maneg
faner: *see* baner
faneri: *see* baner
fannau: *see* man
fantais: *see* mantais
fanteision: *see* mantais
fantell: *see* mantell
fanwl: *see* manwl
fanylion: *see* manylyn
fanylyn: *see* manylyn
fap: *see* map
fapiau: *see* map
far: *see* bar
fara: *see* bara
farbwr: *see* barbwr
farbwyr: *see* barbwr
farc: *see* marc
farchnad: *see* marchnad
farchnadoedd: *see* marchnad
farchogaeth: *see* marchogaeth
farciau: *see* marc
farcio: *see* marcio
fardd: *see* bardd
farddoni: *see* barddoni
farddoniaeth: *see* barddoniaeth
farf: *see* barf
farfau: *see* barf
fargarîn: *see* margarîn
fargeiniau: *see* bargen
fargeinion: *see* bargen
fargen: *see* bargen
faril: *see* baril
farilau: *see* baril
farmalêd: *see* marmalêd

farmor: *see* marmor
farn: *see* barn
farnau: *see* barn
farnu: *see* barnu
farnwr: *see* barnwr
farnwyr: *see* barnwr
farrau: *see* bar
farw: *see* marw
farwol: *see* marwol
farwolaeth: *see* marwolaeth
farwolaethau: *see* marwolaeth
fas: *see* bas
fasged: *see* basged
fasgedi: *see* basged
fasn: *see* basn
fasnach: *see* masnach
fasnachu: *see* masnachu
fasnau: *see* basn
fat: *see* mat
fater: *see* mater
faterion: *see* mater
fath: *see* math
fathau: *see* math
fathemateg: *see* mathemateg
fathodyn: *see* bathodyn
fathodynnau: *see* bathodyn
fatiau: *see* mat
fatsen: *see* matsen
fatsys: *see* matsen
faw: *see* baw
fawd: *see* bawd
fawr: *see* mawr
fawredd: *see* mawredd
Fawrth: *see* Mawrth
fe: him; he; it
fe [+ *soft mutation*] used before
    verb in colloquial speech
    [south]. Not translatable;
    fe glywodd: he, she heard

fechan: *see* bychan

fechgyn: *see* bachgen

fecryll: *see* macrell

fecso: *see* becso

fedd: *see* bedd

fedd: *see* medd

feddau: *see* bedd

feddal: *see* meddal

feddw: *see* meddw

feddwi: *see* meddwi

feddwl: *see* meddwl

feddwon: *see* meddwyn

feddwyn: *see* meddwyn

feddyg: *see* meddyg

feddygfa: *see* meddygfa

feddygfeydd: *see* meddygfa

feddygon: *see* meddyg

feddyliau: *see* meddwl

fedi: *see* medi

Fedi: *see* Medi

fedr: *see* medr

fedrau: *see* medr

fedru: *see* medru

fedrus: *see* medrus

fedydd: *see* bedydd

fedyddio: *see* bedyddio

fefus: *see* mefusen

fefusen: *see* mefusen

Fehefin: *see* Mehefin

feibion: *see* mab

feibl: *see* beibl

feiblau: *see* beibl

feic: *see* beic

feichiog: *see* beichiog

feichiogi: *see* beichiogi

feiciau: *see* beiciau

feicio: *see* beicio

feiciwr: *see* beiciwr

feicroffon: *see* meicroffon

feicroffonau: *see* meicroffon

feicwyr: *see* beiciwr

feinach: *see* main

feinaf: *see* main

feined: *see* main

feini: *see* maen

feintiau: *see* maint

feio: *see* beio

feipen: *see* meipen

feirdd: *see* bardd

feiri: *see* maer

feirniad: *see* beirnad

feirniadu: *see* beirniadu

feirniaid: *see* beirniad

feistr: *see* meistr

feistres: *see* meistres

feistresau: *see* meistres

feistri: *see* meistr

feithrin: *see* meithrin

fel: as; like

fêl: *see* mêl

felen: *see* melyn

felin: *see* melin

felinau: *see* melin

fellt: *see* mellten

fellten: *see* mellten

felly: so; thus

felon: *see* melon

felonau: *see* melon

felyn: *see* melyn

felynach: *see* melyn

felynaf: *see* melyn

felyned: *see* melyn

felys: *see* melys

felysach: *see* melys

felysaf: *see* melys

felysed: *see* melys

fendigedig: *see* bendigedig

fenig: *see* maneg

fenthyca: *see* benthyca
fenthyciad: *see* benthyciad
fenthyciadau: *see* benthyciad
fenthyg: *see* benthyg
fentro: *see* mentro
fentyll: *see* mantell
fenyg: *see* maneg
fenyn: *see* y menyn
fenyw: *see* benyw
fenywaidd: *see* benywaidd
fenywod: *see* benyw
feranda, -s: verandah(s) *f*
ferch: *see* merch
ferched: *see* merch
Fercher: *see* Mercher
ferf: *see* berf
ferfau: *see* berf
ferlen: *see* merlen
ferlota: *see* merlota
ferlyn: *see* merlyn
ferlynod: *see* merlen
ferlynod: *see* merlyn
ferthyr: *see* merthyr
ferthyron: *see* merthyr
ferwi: *see* berwi
festri, festrïoedd: vestry, vestries *f*
fesur: *see* mesur
fesurau: *see* mesur
fesuriad: *see* mesuriad
fesuriadau: *see* mesuriad
fesurydd: *see* mesurydd
fesuryddion: *see* mesurydd
fetel: *see* metel
fetelau: *see* metel
Fethodist: *see* Methodist
Fethodistiaid: *see* Methodist
fethu: *see* methu
fetr: *see* metr
fetrau: *see* metr

fewian: *see* mewian
fewn: *see* mewn
fewnforio: *see* mewnforio
fewnfudwr: *see* mewnfudwr
fewnfudwyr: *see* mewnfudwr
feysydd: *see* maes
fi: me; I
ficer, -iaid: vicar(s) *m*
ficerdy, ficerdai: vicarage(s) *m*
fideo: video *m*
fil: *see* bil
filiau: *see* bil
filiwn: *see* miliwn
filiynau: *see* miliwn
filltir: *see* milltir
filltiroedd: *see* milltir
filwr: *see* milwr
filwyr: *see* milwr
fin: *see* bin
fin: *see* min
finegr: vinegar *m*
finiau: *see* bin
finio: *see* minio
finiog: *see* miniog
finlliw: *see* minlliw
finlliwiau: *see* minlliw
finnau: *see* minnau
firi: *see* miri
firws, -au: virus(es) *m*
fis: *see* mis
fisged: *see* bisged
fisgedi: *see* bisged
fisgïen: *see* bisged
fisoedd: *see* mis
fiwsig: *see* miwsig
flaen: *see* blaen
flaenau: *see* blaen
flaendal: *see* blaendal
flaendaliadau: *see* blaendal

flaenwr: *see* blaenwr
flaenwyr: *see* blaenwr
flaidd: *see* blaidd
flanced: *see* blanced
flancedi: *see* blanced
flas: *see* blas
flasau: *see* blas
flasu: *see* blasu
flasus: *see* blasus
flawd: *see* blawd
fleiddiaid: *see* blaidd
flêr: *see* blêr
flew: *see* blewyn
flewog: *see* blewog
flewyn: *see* blewyn
flin: *see* blin
flinedig: *see* blinedig
flino: *see* blino
floc: *see* bloc
flociau: *see* bloc
flodau: *see* blodyn
flodfresych: *see* blodfresychen
flodfresychen: *see* blodfresychen
flodyn: *see* blodyn
flows: *see* blows
flowsys: *see* blows
flwch: *see* blwch
flwydd: *see* blwydd
flwyddyn: *see* blwyddyn
flychau: *see* blwch
flynedd: *see* blynedd
flynyddau: *see* blwyddyn
flynyddoedd: *see* blwyddyn
flynyddol: *see* blynyddol
fo: he; him
foch: *see* boch
foch: *see* mochyn
fochau: *see* boch
fochyn: *see* mochyn

focs: *see* bocs
focsiau: *see* bocs
focsio: *see* bocsio
focsys: *see* bocs
fod: *see* bod
fodd: *see* bodd
foddi: *see* boddi
foddion: *see* moddion
fodern: *see* modern
fodfedd: *see* modfedd
fodfeddi: *see* modfedd
fodiau: *see* bawd
fodlon: *see* bodlon
fodloni: *see* bodloni
fodoli: *see* bodoli
fodrwy: *see* modrwy
fodrwyon: *see* modrwy
fodryb: *see* modryb
fodrybedd: *see* modryb
fodur: *see* modur
fodurdai: *see* modurdy
fodurdy: *see* modurdy
foduro: *see* moduro
foduron: *see* modur
foel: *see* moel
foes: *see* moes
foesau: *see* moes
foethus: *see* moethus
fol: *see* bol
folchi: *see* ymolchi
folgi: *see* bolgi
folgwn: *see* bolgi
foliau: *see* bol
fom: *see* bom
foment: *see* moment
fomentau: *see* moment
fomiau: *see* bom
foneddigaidd: *see* boneddigaidd
foneddiges: *see* boneddiges

foneddigesau: *see* boneddiges
fonet: *see* bonet
fonetau: *see* bonet
fonheddig: *see* bonheddig
fonheddwr: *see* bonheddwr
fonheddwyr: *see* bonheddwr
fôr: *see* môr
ford: *see* bord
fordydd: *see* bord
fore: *see* bore
foreau: *see* bore
forfil: *see* morfil
forfilod: *see* morfil
forgais: *see* morgais
forgeisi: *see* morgais
forio: *see* morio
forlo: *see* morlo
forloi: *see* morlo
foroedd: *see* môr
foron: *see* moronen
foronen: *see* moronen
forwr: *see* morwr
forwyn: *see* morwyn
forwyr: *see* morwr
forynion: *see* morwyn
fotwm: *see* botwm
fotymau: *see* botwm
fowlio: *see* bowlio
fowliwr: *see* bowliwr
fowlwyr: *see* bowliwr
fraich: *see* braich
frain: *see* brân
fraith: *see* brith
frân: *see* brân
frandi: *see* brandi
frat: *see* brat
frathiad: *see* brathiad
frathiadau: *see* brathiad
frathu: *see* brathu

fratiau: *see* brat
fraw: *see* braw
frawd: *see* brawd
frawddeg: *see* brawddeg
frawddegau: *see* brawddeg
frêc: *see* brêc
frechdan: *see* brechdan
frechdannau: *see* brechdan
freciau: *see* brêc
frecio: *see* brecio
frecwast: *see* brecwast
frecwastau: *see* brecwast
freichiau: *see* braich
frenhines: *see* brenhines
frenhinoedd: *see* brenin
frenhinol: *see* brenhinol
frenin: *see* brenin
freninesau: *see* brenhines
fresych: *see* bresychen
fresychen: *see* bresychen
frethyn: *see* brethyn
frethynnau: *see* brethyn
freuddwyd: *see* breuddwyd
freuddwydio: *see* breuddwydio
freuddwydion: *see* breuddwyd
frics: *see* bricsen
fricsen: *see* bricsen
frifo: *see* brifo
frigâd: *see* brigâd
frigadau: *see* brigâd
frith: *see* brith
frithyll: *see* brithyll
frithylliaid: *see* brithyll
friwsion: *see* briwsionyn
friwsionyn: *see* briwsionyn
fro: *see* bro
frodyr: *see* brawd
froga: *see* broga
frogaod: *see* broga

fron: *see* bron
fronnau: *see* bron
frown: *see* brown
fröydd: *see* bro
frwdfrydedd: *see* brwdfrydedd
frwdfrydig: *see* brwdfrydig
frws : *see* brws
frwsio: *see* brwsio
frwsys: *see* brws
frwydr: *see* brwydr
frwydrau: *see* brwydr
frwydro: *see* brwydro
fryd: *see* bryd
fryn: *see* bryn
fryniau: *see* bryn
frys: *see* brys
frysio: *see* brysio
fu: *see* bu
fuan: *see* buan
fuasai: *see* buasai
fuasech: *see* buasech
fuasem: *see* buasem
fuasen: *see* buasem
fuasen: *see* buasen(t)
fuasent: *see* buasen(t)
fuasit: *see* buasit
fuaswn: *see* buaswn
fuchod: *see* buwch
fud: *see* mud
fudandod: *see* mudandod
fuddugoliaeth: *see* buddugoliaeth
fuddugoliaethau: *see* buddugoliaeth
fudiad: *see* mudiad
fudiadau: *see* mudiad
fudr: *see* budr
fues: *see* bues
fugail: *see* bugail
fugeiliaid: *see* bugail
fugeilio: *see* bugeilio

fugeiliol: *see* bugeiliol
ful: *see* mul
fulod: *see* mul
fûm: *see* bûm
funud: *see* munud
funudau: *see* munud
fuoch: *see* buoch
fuom: *see* buom
fuon: *see* buom
fuon: *see* buon(t)
fuont: *see* buon(t)
fuost: *see* buost
fur: *see* mur
furiau: *see* mur
fusnes: *see* busnes
fusnesa: *see* busnesa
fusnesau: *see* busnes
fuwch: *see* buwch
fwced: *see* bwced
fwcedaid: *see* bwcedaid
fwcedi: *see* bwced
fwg: *see* mwg
fŵg: *see* mŵg
fwlch: *see* bwlch
fwled: *see* bwled
fwledi: *see* bwled
fwletin: *see* bwletin
fwletinau: *see* bwletin
fwltur, -iaid: vulture(s) *m*
fwrdd: *see* bwrdd
fwriad: *see* bwriad
fwriadau: *see* bwriad
fwriadol: *see* bwriadol
fwriadu: *see* bwriadu
fwrw: *see* bwrw
fws: *see* bws
fwsogl: *see* mwsogl
fwstás: *see* mwstás
fwstasys: *see* mwstás

fwthyn: *see* bwthyn
fwy: *see* mwy
fwyaf: *see* mwy
fwyalchen: *see* mwyalchen
fwyalchod: *see* mwyalchen
fwyar duon: *see* mwyaren ddu
fwyaren ddu: *see* mwyaren ddu
fwyd: *see* bwyd
fwydlen: *see* bwydlen
fwydlenni: *see* bwydlen
fwydo: *see* bwydo
fwydydd: *see* bwyd
fwyn: *see* mwyn
fwynhau: *see* mwynhau
fwyta: *see* bwyta
fwytai: *see* bwyty
fwyty: *see* bwyty
fy: my [+ *nasal mutation*];
    fy nhraed: my feet
fychan: *see* bychan
fyd: *see* byd
fydd: *see* bydd
fyddaf: *see* byddaf
fyddan: *see* byddan(t)
fyddant: *see* byddan(t)
fyddar: *see* byddar
fyddech: *see* byddech
fyddem: *see* byddem
fydden: *see* byddem
fydden: *see* bydden(t)
fyddent: *see* bydden(t)
fyddi: *see* byddi
fyddin: *see* byddin
fyddinoedd: *see* byddin
fyddit: *see* byddit
fyddwch: *see* byddwch
fyddwn: *see* byddwn
fydoedd: *see* byd
fyfyrio: *see* myfyrio
fyfyriwr: *see* myfyriwr

fyfyrwragedd: *see* myfyrwraig
fyfyrwraig: *see* myfyrwraig
fyfyrwyr: *see* myfyriwr
fygiau: *see* mẁg
fygwth: *see* bygwth
fylchau: *see* bwlch
fynd: *see* mynd
fynedfa: *see* mynedfa
fynedfeydd: *see* mynedfa
fynediad: *see* mynediad
fynegi: *see* mynegi
fyngalo: *see* byngalo
fyngalos: *see* byngalo
fynnu: *see* mynnu
fynwent: *see* mynwent
fynwentydd: *see* mynwent
fyny (i): upwards; up
fynydd: *see* mynydd
fynydda: *see* mynydda
fynyddau: *see* mynydd
fynyddig: *see* mynyddig
fynyddoedd: *see* mynydd
fyr: *see* byr
fyrddau: *see* bwrdd
fyrrach: *see* byr
fyrraf: *see* byr
fyrred: *see* byr
fys: *see* bys
fysedd: *see* bys
fyseddu: *see* byseddu
fysiau: *see* bws
fysys: *see* bws
fyth: *see* byth
fythynnod: *see* bwthyn
fyw: *see* byw
fywiog: *see* bywiog
fywoliaeth: *see* bywoliaeth
fywoliaethau: *see* bywoliaeth
fywyd: *see* bywyd
fywydau: *see* bywyd

FF ff

ffactor, -au: factor(s) *m*

ffaeledd, -au: fault(s) *m*

ffaelu: to fail [*stem* **ffael-**]
    ffaelodd: he, she failed [south]

ffafr, -au: favour(s) *f*

ffafrio: to favour [*stem* **ffafri-**]
    ffafriodd: he, she favoured

ffafriol: favourable

ffagl, -au: flame torch(es) *f*

ffair, ffeiriau: fair(s) *f*

ffaith, ffeithiau: fact(s) *f*

ffansi: fancy *f*

ffansïo: to fancy [*stem* **ffansï-**]
    ffansïodd: he, she fancied

ffarm, ffermydd: farm(s) *f*

ffarmio: to farm [*stem* **ffarmi-**]
    ffarmiodd: he, she farmed

ffarmwr, ffarmwyr: farmer(s) *m*

ffarwél: farewell *m f*

ffarwelio: to say farewell
    [*stem* **ffarweli-**] **ffarweliodd:**
    he, she said farewell

ffasiwn, ffasiynau: fashion(s) m *f*

ffatri, ffatrïoedd:
    factory, factories *f*

ffawd, ffodion: fate(s) *f*

ffederal: federal

ffedog, -au: apron(s) *f*

ffefryn, -nau: favourite(s) *m*

ffeil, -iau: file(s) *f*

ffeilio: to file [*stem* **ffeili-**]
    ffeiliodd: he, she filed

ffeindio: to find [*stem* **ffeindi-**]
    ffeindiodd: he, she found

ffeirio: to exchange [*stem* **ffeiri-**]
    ffeiriodd: he, she exchanged

ffeithiol: factual

ffenestr, -i: window(s) *f*

ffêr, fferau: ankle(s) *f*

fferins: sweets [*pl noun*][north]

fferm, -ydd: farm(s) *f*

ffermio: to farm [*stem* **ffermi-**]
    ffermiodd: he, she farmed

ffermwr, ffermwyr: farmer(s) *m*

fferyllfa, fferyllfeydd: pharmacy,
    pharmacies *f*

fferyllydd, -ion: chemist(s) *m*

ffesant, -od: pheasant(s) *m*

ffeuen, ffa: bean(s) *f*

ffiaidd: loathsome

ffibr, -au: fibre(s) *m*

ffidil, -au: fiddle(s) *f*

ffigur, -au: figure(s) *m*

ffilm, -iau: film(s) *f*

ffilmio: to film [*stem* **ffilmi-**]
    ffilmiodd: he, she filmed

ffin, -iau: boundary; boundaries *f*

ffiseg: physics *f*

ffisig: medicine [north] *m*

ffit: fit

ffitio: to fit [*stem* **ffiti-**]
    ffitiodd: he, she fitted

ffitrwydd: fitness *m*

ffiwdal: feudal

fflach, -iau: flash(es) *f*

fflachio: to flash [*stem* **fflachi-**]
    fflachiodd: he, she flashed

fflam, -au: flame(s) *f*

fflamio: to blaze; to flame
    [*stem* **fflami-**] **fflamiodd:** he,
    she flamed, blazed

fflat, -iau: flat(s) *m f*

fflint, -iau: flint(s) *m*

fflio: to fly [*stem* **ffli-**]
   ffliodd: he, she flew
ffliw: influenza *m*
fflyd, -oedd: fleet(s) *f*
ffoadur, -iaid: refugee(s);
   fugitive(s) *m*
ffodus: lucky
ffoi: to escape; to flee [*stem* **ffo-**]
   ffôdd: he, she escaped; fled
ffôl: foolish; **cyn ffoled:** as foolish;
   ffolach: more foolish; **ffolaf:**
   most foolish
ffolineb: foolishness *m*
ffon, ffyn: stick(s);
   walking stick(s) *f*
ffôn, ffonau: phone(s) *f*
ffonio: to phone [*stem* **ffoni-**]
   ffoniodd: he, she phoned
fforc, ffyrc: table fork(s) *f*;
   cyllyll a ffyrc: knives and forks
fforch, fforchau, ffyrch:
   fork(s) [gardening] *f*
ffordd, ffyrdd: road(s); way(s) *f*
fforddio: to afford
fforest, -ydd: forest(s) *f*
ffotograff, -au: photograph(s) *m*
ffotograffiaeth: photography *f*
ffotograffydd, ffotograffwyr:
   photographer(s) *m*
ffowlyn, ffowls: chicken(s);
   fowl(s) *m*
ffracsiwn, ffracsiynau:
   fraction(s) *m*
ffrae, -on: quarrel(s) *f*
ffraeo: to quarrel [*stem* **ffrae-**]
   ffraeodd: he, she quarrelled
ffrâm, fframiau: frame(s) *f*
fframio: to frame [*stem* **fframi-**]
   fframiodd: he, she framed

fframwaith, fframweithiau:
   framework(s); structure(s) *m*
ffres: fresh; **cyn ffresed:** as fresh;
   ffresach: more fresh;
   ffresaf: most fresh
ffrind, -iau: friend(s) *m*
ffrio: to fry [*stem* **ffri-**]
   ffriodd: he, she fried
ffroen, -au: nostril(s) *f*
ffroesen, ffroes: pancake(s)
   [south] *f*
ffrog, -au, -iau: dress(es) *f*
ffrwydriad, -au: explosion(s) *m*
ffrwydro: to explode [*stem*
   ffrwydr-] **ffrwydrodd:**
   he, she, it exploded
ffrwydryn, ffrwydron:
   explosive(s) *m*
ffrwyth, -au: fruit(s) *m*
ffrwythlon: fruitful; fertile
ffug: false
ffugio: to pretend; falsify [*stem*
   ffugi-] **ffugiodd:** he, she
   pretended; falsified
ffurf, -iau: shape(s); form(s) *f*
ffurfio: to form [*stem* **ffurfi-**]
   ffurfiodd: he, she formed
ffurfiol: formal
ffurflen, -ni: form(s) [document] *f*
ffwdan: fuss; bother; bustle *f*
ffwng, ffyngau: fungus, fungi *m*
ffŵl, ffyliaid: fool(s) *m*
ffwr, ffyrrau: fur(s)
ffwrdd (i): away
ffwrn, ffyrnau: oven(s) *f*
ffwrnais, ffwrneisiau: furnace(s) *f*
ffyddlon: faithful; loyal
ffyddloniaid (y): the faithful;
   the loyal ones [*pl noun*]

ffynhonnell, ffynonellau: source(s) *f*

ffyniannus: prosperous

ffyniant: prosperity

ffynnon, ffynhonnau: well(s); fountain(s) *f*

ffynnu: to prosper [*stem* **ffynn-**] **ffynnodd:** he, she prospered

ffyrnig: fierce

ffyrnigrwydd: ferocity *m*

gabaets: *see* **cabetsen**

gaban: *see* **caban**

gabanau: *see* **caban**

gabetsen: *see* **cabetsen**

gacen: *see* **cacen**

gacennau: *see* **cacen**

gacenni: *see* **cacen**

gadach: *see* **cadach**

gadael: to leave [*stem* **gadaw-**] **gadawodd:** he, she left

gadair: *see* **cadair**

gadeiriau: *see* **cadair**

gadeirio: *see* **cadeirio**

gadarn: *see* **cadarn**

gadarnach *see* **cadarn**

gadarnaf: *see* **cadarn**

gadarned: *see* **cadarn**

gadeirydd: *see* **cadeirydd**

gadeiryddes: *see* **cadeiryddes**

gadeiryddesau: *see* **cadeiryddes**

gadeiryddion: *see* **cadeirydd**

gadw: *see* **cadw**

gae: *see* **cae**

gaead: *see* **caead**

gaeadau: *see* **caead**

gaeaf, -au: winter(s) *m*

gaeau: *see* **cae**

gaech: *see* **caech**

gael: *see* **cael**

gaem: *see* **caem**

gaen: *see* **caen**

gaen: *see* **caen(t)**

gaent: *see* **caen(t)**

gaer: *see* **caer**

gaerau: *see* **caer**

gaeth: *see* **caeth**

gaf: *see* **caf**

gafael: to hold; to grasp [*stem* **gafael-**] **gafaelodd:** he, she held; grasped

gaffi: *see* **caffi**

gaffis: *see* **caffi**

gafodd: *see* **cafodd**

gafr, geifr: goat(s) *f*

gâi: *see* **câi**

gaiff: *see* **caiff**

gair, geiriau: word(s) *m*

gais: *see* **cais**

gait: *see* **cait**

galan: *see* **calan**

galed: *see* **caled**

galendr: *see* **calendr**

galendrau: *see* **calendr**

galetach: *see* **caled**

galetaf: *see* **caled**

galeted: *see* **caled**

gall: *see* **call**

gallach: *see* **call**

gallaf: *see* **call**

galled: *see* **call**

gallu, -oedd: abililty, abilities; skill(s) *m*

gallu: to be able [*stem* **gall-**] **gallodd:** he, she was able

galluog: able; clever; brainy

galon: *see* **calon**

galonau: *see* **calon**

galw: to call [*stem* **galw-**] **galwodd:** he, she called

galwad, -au: call(s) *m f*

galwedigaeth, -au: occupation(s); profession(s) *f*

galwyn, -i: gallon(s) *m*

gam: *see* **cam**

gamau: *see* **cam**

gamera: *see* **camera**

gamerâu: *see* **camera**

gamgymeriad: *see* **camgymeriad**

gamgymeriadau: *see* **camgymeriad**

gamp: *see* **camp**

gampau: *see* **camp**

gampfa: *see* **campfa**

gamu: *see* **camu**

gan: from; by; **gennyf:** from me; I have; **gennyt:** from you; you have [*s*]; **ganddo:** from him; he has; **ganddi:** from her; she has; **gennyn:** from us; we have; **gennych:** from you; you have [*pl*]; **ganddyn(t):** from them; they have; **gan** [+ **bod**]: have; mae ci gan Alun; mae gan Alun gi: Alun has a dog

gân: *see* **cân(t)**

ganeuon: *see* **cân**

gangen: *see* **cangen**

ganghennau: *see* **cangen**

ganiatâd: *see* **caniatâd**

ganiatáu: *see* **caniatáu**

ganllaw: *see* **canllaw**

ganllawiau: *see* **canllaw**

ganlyn: *see* **canlyn**

ganlyniad: *see* **canlyniad**

ganlyniadau: *see* **canlyniad**

ganmol: *see* **canmol**

gannoedd: *see* **cant**

ganol: *see* **canol**

ganolfan: *see* **canolfan**

ganolfannau: *see* **canolfan**

ganolwr: *see* **canolwr**

ganolwragedd: *see* **canolwraig**

ganolwraig: *see* **canolwraig**

ganolwyr: *see* **canolwr**

ganrif: *see* canrif
ganrifoedd: *see* canrif
gant: *see* cant
gânt: *see* cân(t)
gantores: *see* cantores
gantoresau: *see* cantores
ganu: *see* canu
ganŵ: *see* canŵ
ganŵio: *see* canŵio
ganŵod: *see* canŵ
ganwr: *see* canwr
ganwyr: *see* canwr
gap: *see* cap
gapel: *see* capel
gapeli: *see* capel
gapiau: *see* cap
gapteiniaid: *see* capten
gapten: *see* capten
gar: *see* car
garafán: *see* carafán
garafanau: *see* carafán
garchar: *see* carchar
garcharau: *see* carchar
garchardai: *see* carchardy
garchardy: *see* carchardy
garcharor: *see* carcharor
garcharorion: *see* carcharor
gardd, gerddi: garden (s) *f*
garddio: to garden [*stem* garddi-]
   garddiodd: he, she gardened
garddwr, garddwyr: gardener(s) *m*
garden: *see* carden
gardiau: *see* cerdyn
gardiau: *see* carden
garedig: *see* caredig
garedicach: *see* caredig
garedicaf: *see* caredig
garediced: *see* caredig
garegog: *see* caregog

gareiau: *see* carrai
garej: garage *f*
gariad: *see* cariad
gariadon: *see* cariad
gario: *see* cario
garlam: *see* carlam
garlamau: *see* carlam
garlamu: *see* carlamu
garlleg: garlic [*pl noun*]
garnifal: *see* carnifal
garnifalau: *see* carnifal
garol: *see* carol
garolau: *see* carol
garped: *see* carped
garpedi: *see* carped
garrai: *see* carrai
garreg: *see* carreg
gart: *see* cart
gartiau: *see* cart
gartref: *see* cartref
gartrefi: *see* cartref
gartrefol: *see* cartrefol
gartŵn: *see* cartŵn
gartwnau: *see* cartŵn
garu: *see* caru
garw: coarse; harsh; rough
gas: *see* cas
gas: *see* cas
gasáu: *see* casáu
gasét: *see* casét
gasetiau: *see* casét
gastell: *see* castell
gât, gatiau: gate(s) *f*
gatalog: *see* catalog
gatalogau: *see* catalog
gatalogio: *see* catalogio
gath: *see* cath
gathod: *see* cath
gawl: *see* cawl

gawn: *see* cawn

gawod: *see* cawod

gawodau: *see* cawod

gawodlyd: *see* cawodlyd

gawodydd: *see* cawod

gawr: *see* cawr

gaws: *see* caws

gawsan: *see* cawsan(t)

gawsant: *see* cawsan(t)

gawsiau: *see* caws

gawsoch: *see* cawsoch

gawsom: *see* cawsom

gawson: *see* cawson

gefail, gefeiliau: smithy, smithies *f*

gefais: *see* cefais

gefaist: *see* cefaist

gefel, gefeiliau: tong(s); pincers *f*

gefell, gefeilliaid: twin(s) *m*;
    yr efeilliaid: the twins

geffyl: *see* ceffyl

geffylau: *see* ceffyl

gefn: *see* cefn

gefnau: *see* cefn

gefnder: *see* cefnder

gefnderoedd: *see* cefnder

gefndir: *see* cefndir

gefndyr: *see* cefnder

gefnogaeth: *see* cefnogaeth

gefnogi: *see* cefnogi

geg: *see* ceg

gegau: *see* ceg

gegin: *see* cegin

geginau: *see* cegin

gei: *see* cei

geiliog: *see* ceiliog

geiliogod: *see* ceiliog

geiniog: *see* ceiniog

geiniogau: *see* ceiniog

geir: *see* car

geirfa, -oedd: vocabulary,
    vocabularies *f*

geiriadur, -on: dictionary,
    dictionaries *m*

geirwir: truthful

geisiadau: *see* cais

geisio: *see* ceisio

gelf: *see* celf

gelfau: *see* celf

gelfi: *see* celficyn

gelficyn: *see* celficyn

gelfyddyd: *see* celfyddyd

gelfyddydau: *see* celfyddyd

gell: *see* cell

gelloedd: *see* cell

gellygen, gellyg: pear(s) *f*

gelwydd: *see* celwydd

gelwyddau: *see* celwydd

gem, -au: gem(s); jewel(s) *m f*

gêm, gemau: game(s) *f*

gemeg: *see* cemeg

gemegau: *see* cemegyn

gemegyn: *see* cemegyn

gemydd, gemwyr: jeweller(s) *m*

gên, genau: jaw(s); chin(s) *f*

genau, geneuon: mouth(s);
    opening(s) *m*

genedigaeth, -au: birth(s) *f*

genedigol: born; native [*adj*]

genedl: *see* cenedl

genedlaethol: *see* cenedlaethol

genedlaetholdeb: *see*
    cenedlaetholdeb

genedlaetholwr: *see*
    cenedlaetholwr

genedlaetholwragedd: *see*
    cenedlaetholwraig

genedlaetholwraig: *see*
    cenedlaetholwraig

genedlaetholwyr: *see* **cenedlaetholwr**

genel: *see* **cenel**

genelau: *see* **cenel**

geneth, -od: girl(s) *f*

genhinen: *see* **cenhinen**

geni: to give birth;
   cael ei eni: to be born;
   cefais fy ngeni: I was born

gennin: *see* **cenhinen**

genod: girls [*pl*] [north]

ger: by; near

gerbyd: *see* **cerbyd**

gerbydau: *see* **cerbyd**

gerdd: *see* **cerdd**

gerdded: *see* **cerdded**

gerddi: *see* **cerdd**

gerddi: *see* **gardd**

gerddor: *see* **cerddor**

gerddorfa: *see* **cerddorfa**

gerddorfeydd: *see* **cerddorfa**

gerddoriaeth: *see* **cerddoriaeth**

gerddorion: *see* **cerddor**

gerdyn: *see* **cerdyn**

gerllaw: by; near

gerrig: *see* **carreg**

ges: *see* **ces**

gest: *see* **cest**

gestyll: *see* **castell**

gewch: *see* **cewch**

gewri: *see* **cawr**

gewyn: *see* **cewyn**

gewynnau: *see* **cewyn**

gi: *see* **ci**

giât, giatiau: gate(s) *f*

gic: *see* **cic**

giciau: *see* **cic**

gicio: *see* **cicio**

gig: *see* **cig**

gigoedd: *see* **cig**

gigydd: *see* **cigydd**

gigyddion: *see* **cigydd**

giniawau: *see* **cinio**

ginio: *see* **cinio**

gitâr, gitarau: guitar(s) *m f*

gladdu: *see* **claddu**

glaf: *see* **claf**

glan, -nau: river bank(s); shore(s) *f*

glân: clean; **cyn laned:** as clean;
   glanach: cleaner; **glanaf:**
   cleanest

glanhau: to clean [*stem* **glanha-**]
   glanhaodd: he, she cleaned

glanio: to land [*stem* **glani-**]
   glaniodd: he, she landed

glarc: *see* **clarc**

glarcod: *see* **clarc**

glas: blue; **cyn lased:** as blue;
   glasach: bluer; **glasaf:** bluest

glasaid, glaseidiau: glassful(s) *m*

glaswelltyn, glaswellt: a blade of
   grass, grass *m*

glaw, -ogydd: rain(s) *m*

glawdd: *see* **clawdd**

glawio: to rain [*stem* **glawio-**]
   glawiodd: it rained

glawog: rainy

glawr: *see* **clawr**

glebran: *see* **clebran**

gleifion: *see* **claf**

glêr: *see* **clêr**

glerc: *see* **clerc**

glercod: *see* **clerc**

gleren: *see* **cleren**

glerigol: *see* **clerigol**

glir: *see* **clir**

gliriach: *see* **clir**

gliriaf: *see* **clir**

gliried: *see* **clir**
glirio: *see* **clirio**
glo: coal *m*; **glo brig:** open-cast coal; **glo carreg:** anthracite; **glo mân:** small coal
glo: *see* **clo**
gloch: *see* **cloch**
gloch (o'r): o'clock
gloddiau: *see* **clawdd**
gloeau: *see* **clo**
gloeon: *see* **clo**
glofa, glofeydd: colliery, collieries *f*
glofaol: mining
gloriau: *see* **clawr**
glöwr, glowyr: miner(s); collier(s) *m*
glöyn byw, glöynnod byw: butterfly, butterflies *m*
gloywi: to shine [*stem* **gloyw-**]
    gloywodd: it shone
glud: glue *m*
gludo: to glue [*stem* **glud-**]
    gludodd: he, she glued
glust: *see* **clust**
glustiau: *see* **clust**
glustog: *see* **clustog**
glustogau: *see* **clustog**
glwb: *see* **clwb**
glwt: *see* **clwt**
glwyd: *see* **clwyd**
glwydi: *see* **clwyd**
glybiau: *see* **clwb**
glyd: *see* **clyd**
glyn, -noedd: valley(s) *m*
glyw: *see* **clyw**
glytiau: *see* **clwt**
gnau: *see* **cneuen**
gnawd: *see* **cnawd**
gnoc: *see* **cnoc**
gnociau: *see* **cnoc**

gnocio: *see* **cnocio**
gnoi: *see* **cnoi**
go: rather; somewhat; **go dda:** fairly good
gobaith, gobeithion: hope(s) *m*
goban: *see* **coban**
gobanau: *see* **coban**
gobeithio: to hope [*stem* **gobeithi-**]
    gobeithiodd: he, she hoped
gobeithiol: hopeful
goch: *see* **coch**
gochach: *see* **coch**
gochaf: *see* **coch**
goched: *see* **coch**
god: *see* **cod**
gôd: *see* **côd**
godau: *see* **cod**
godau: *see* **côd**
godi: *see* **codi**
godiad: *see* **codiad**
godiadau: *see* **codiad**
goed: *see* **coeden**
goeden: *see* **coeden**
goedwig: *see* **coedwig**
goedwigoedd: *see* **coedwig**
goes: *see* **coes**
goesau: *see* **coes**
gof, -aint: blacksmith(s) *m*
gof: *see* **cof**
gofal, -on: care(s) *m*
gofalu: to take care [*stem* **gofal-**]
    gofalodd: he, she took care
gofalus: careful
gofalwr, gofalwyr: caretaker(s) *m*
goffi: *see* **coffi**
gofid, -iau: sorrow(s); trouble(s); worry, worries *m*
gofidio: to worry [*stem* **gofidi-**]
    gofidiodd: he, she worried

gofio: *see* **cofio**
gofion: *see* **cof**
gofrestr: *see* **cofrestr**
gofrestrau: *see* **cofrestr**
gofrestru: *see* **cofrestru**
gofyn: to ask [*stem* **gofynn-**]
　　gofynnodd: he, she asked
gog: *see* **cog**
gogau: *see* **cog**
goginio: *see* **coginio**
gogledd: north *m*
gogleddol: northern
gogleddwr, gogleddwyr:
　　northerner(s) *m*
gogleddwraig, gogleddwragedd:
　　northerner(s) [female] *f*
gogydd: *see* **cogydd**
gogyddes: *see* **cogyddes**
gogyddesau: *see* **cogyddes**
gogyddion: *see* **cogydd**
gohebu: to correspond; to report
　　[*stem* **goheb-**] **gohebodd:** he,
　　she corresponded; reported
gohebydd, gohebwyr:
　　correspondent(s); reporter(s) *m*
gohirio: to delay; to postpone
　　[*stem* **gohiri-**] **gohiriodd:** he,
　　she delayed; postponed
gôl, goliau: goal(s) *f*
golau, goleuadau: light(s) *m*
golau: light; fair [*adj*]
golch (y): the washing *m*
golchi: to wash [*stem* **golch-**]
　　golchodd: he, she washed
goleg: *see* **coleg**
golegau: *see* **coleg**
goler: *see* **coler**
goleri: *see* **coler**
goleudy, goleudai: lighthouse(s) *m*

goleuo: to light; to enlighten
　　[*stem* **goleu-**] **goleuodd:** he,
　　she lit; enlightened
golff: golf *m*
golled: *see* **colled**
golledion: *see* **colled**
golli: *see* **colli**
gollwng: to release [*stem* **gollyng-**]
　　gollyngodd: he, she released
golofn: *see* **colofn**
golofnau: *see* **colofn**
golur: *see* **colur**
goluro: *see* **coluro**
golwg, golygon: look(s); sight(s);
　　appearance(s) *m f*
golygfa, golygfeydd: view(s);
　　scenery, sceneries *f*
golygu: to mean; to edit
　　[*stem* **golyg-**] **golygodd:**
　　he, she meant; edited
golygus: handsome
golygydd, -ion: editor(s) *m*
gomedi: *see* **comedi**
gomedïau: *see* **comedi**
gomig: *see* **comig**
goncwest: *see* **concwest**
goncwestau: *see* **concwest**
gondom: *see* **condom**
gondomau: *see* **condom**
gonest: honest
gonestrwydd: honesty *m*
gongl: *see* **congl**
gonglau: *see* **congl**
gopa: *see* **copa**
gopaon: *see* **copa**
gopi: *see* **copi**
gopïau: *see* **copi**
gopïo: *see* **copïo**
gopr: *see* **copr**

gôr: *see* **côr**
gorau: best
gorau: *see* **corau**
gorchfygu: to conquer [*stem* **gorchfyg-**] **gorchfygodd:** he, she conquered
gorchymyn, gorchmynion: order(s); command(s); commandment(s) *m*
gorchymyn: to order [*stem* **gorchmyn-**] **gorchmynodd:** he, she ordered
gorcyn: *see* **corcyn**
gorcynnau: *see* **corcyn**
gord: *see* **cord**
gordiau: *see* **cord**
gordyn: *see* **cordyn**
gordynnau: *see* **cordyn**
gorff: *see* **corff**
gorffen: to finish; to complete [*stem* **gorffenn-**] **gorffennodd:** he, she finished; completed
Gorffennaf, mis Gorffennaf: July *m*
gorffennol (y): the past *m*
gorffwys: to rest [*stem* **gorffwys-**] **gorffwysodd:** he, she rested
gorfod: to be obliged; compelled; **rydw i'n gorfod mynd:** I have to go
gorfodaeth: obligation; compulsion *f*
gorfodi: to compel [*stem* **gorfod-**] **gorfododd:** he, she compelled
goriad, -au: key(s) [north] *m*
goridor: *see* **coridor**
goridorau: *see* **coridor**
gorlawn: overflowing
gorlifo: to overflow [*stem* **gorlif-**] **gorlifodd:** it overflowed

gorllewin: west *m*
gorllewinol: western
gormod: too much
gornel: *see* **cornel**
gornelau: *see* **cornel**
gorneli: *see* **cornel**
gornest, -au: contest(s) *f*
goron: *see* **coron**
goronau: *see* **coron**
goroni: *see* **coroni**
gorsaf, -oedd: station(s) [buildings]; **gorsaf drenau:** train stations *f*
gortyn: *see* **cortyn**
gortynnau: *see* **cortyn**
goruchwyliwr, goruchwylwyr: supervisor(s) *m*
goruwch: above
gorwedd: to lie down [*stem* **gorwedd-**] **gorweddodd:** he, she lay down
gosb: *see* **cosb**
gosbau: *see* **cosb**
gosbi: *see* **cosbi**
gosmetig: *see* **cosmetig**
gosod: to place [*stem* **gosod-**] **gosododd:** he, she placed
gost: *see* **cost**
gostau: *see* **cost**
gostio *see* **costio**
gostus: *see* **costus**
got: *see* **cot**
gôt: *see* **cot**
gotiau: *see* **cot**
gotwm: *see* **cotwm**
gotymau: *see* **cotwm**
grac: *see* **crac**
graciau: *see* **crac**
gracio: *see* **cracio**

gradd, -au: grade(s); degree(s) *f*
graddio: to graduate [*stem* **graddi-**]
   graddiodd: he, she graduated
graddol: gradual
grafu: *see* **crafu**
gragen: *see* **cragen**
graig: *see* **craig**
gramadeg, -au: grammar(s) *m*
gramadegol: grammatical
grât, gratau, gratiau: fireplace(s) *m f*
grawnffrwyth, -au: grapefruit(s) *m*
grawnwin: grapes [*pl noun*]
gredu: *see* **credu**
gref: *see* **cryf**
grefft: *see* **crefft**
grefftau: *see* **crefft**
grefftwr: *see* **crefftwr**
grefftwragedd: *see* **crefftwraig**
grefftwraig: *see* **crefftwraig**
grefftwyr: *see* **crefftwr**
grefi: gravy *m*
grefydd: *see* **crefydd**
grefyddau: *see* **crefydd**
grefyddol: *see* **crefyddol**
gregyn: *see* **cragen**
greigiau: *see* **craig**
greision: *see* **creision**
grempog: *see* **crempog**
grempogau: *see* **crempog**
greulon: *see* **creulon**
greulonach: *see* **creulon**
greulonaf: *see* **creulon**
greuloned: *see* **creulon**
grib: *see* **crib**
gribau: *see* **crib**
gribo: *see* **cribo**
griced: *see* **criced**
gricedwr: *see* **cricedwr**
gricedwyr: *see* **cricedwr**

grid, -iau: grid(s) *m*
grio: *see* **crio**
gris, -iau: step(s); stair(s) *m*
Grist: *see* **Crist**
Gristion: *see* **Cristion**
Gristnogion: *see* **Cristion**
gristnogol: *see* **cristnogol**
griw: *see* **criw**
griwiau: *see* **criw**
groen: *see* **croen**
groes: *see* **croes**
groesair: *see* **croesair**
groesau: *see* **croes**
groesawu: *see* **croesawu**
groeseiriau: *see* **croesair**
groesfan: *see* **croesfan**
groesfannau: *see* **croesfan**
groesffordd: *see* **croesffordd**
groesffyrdd: *see* **croesffordd**
groesi: *see* **croesi**
groeso: *see* **croeso**
groten: *see* **croten**
grotesi: *see* **croten**
grug: heather *m*
grwn: *see* **crwn**
grŵp, grwpiau: group(s) *m*
grwt: *see* **crwt**
grwydriaid: *see* **crwydryn**
grwydro: *see* **crwydro**
grwydryn: *see* **crwydryn**
grwyn: *see* **croen**
grybwyll: *see* **crybwyll**
gryf: *see* **cryf**
gryfach: *see* **cryf**
gryfaf: *see* **cryf**
gryfed: *see* **cryf**
gryfhau: *see* **cryfhau**
grym, -oedd: strength(s);
   power(s) *m*

grymus: strong; powerful
grynhoi: *see* **crynhoi**
grynodeb: *see* **crynodeb**
grynodebau: *see* **crynodeb**
grynu: *see* **crynu**
grys: *see* **crys**
grysau: *see* **crys**
grystau: *see* **crystyn**
grystiau: *see* **crystyn**
grystyn: *see* **crystyn**
gryts: *see* **crwt**
guddio: *see* **cuddio**
gul: *see* **cul**
gulach: *see* **cul**
gulaf: *see* **cul**
guled: *see* **cul**
gur: *see* **cur**
gurau: *see* **cur**
guriad: *see* **curiad**
guriadau: *see* **curiad**
guro: *see* **curo**
gusan: *see* **cusan**
gusanau: *see* **cusan**
gusanu: *see* **cusanu**
gwadu: to deny [*stem* **gwad-**] **gwadodd:** he, she denied
gwaed: blood *m*
gwaedd, -au: shout(s) *f*
gwaedu: to bleed [*stem* **gwaed-**] **gwaedodd:** he, she bled
gwael: ill; **cyn waeled:** as ill; **gwaelach:** more unwell; **gwaelaf:** most unwell
gwaelod: lowest position; the bottom *m*
gwaeth: worse
gwaethaf: worst
gwag: empty; vacant
gwagio: to empty [*stem* **gwagi-**]

gwagiodd: he, she emptied
gwahaniaeth, -au: difference(s) *m*
gwahanol: different
gwahanu: to separate [*stem* **gwahan-**] **gwahanodd:** he, she separated; **ar wahân:** apart
gwahardd: to prohibit [*stem* **gwahardd-**] **gwaharddodd:** he, she prohibited
gwahodd: to invite [*stem* **gwahodd-**] **gwahoddodd:** he, she invited
gwahoddiad, -au: invitation(s) *m*
gwair: grass; hay *m*
gwaith, gweithfeydd: work(s) [industry] *m*
gwaith, gweithiau: work(s); composition(s) *m*
gwaith, gweithiau: time(s) *f*; **unwaith:** once; **dwywaith:** two times; **teirgwaith:** three times
gwall, -au: mistake(s) *m*
gwallt, -iau: hair(s) *m*
gwan: weak; **cyn wanned:** as weak; **gwannach:** weaker; **gwannaf:** weakest
gwanhau: to weaken [*stem* **gwanha-**] **gwanhaodd:** he, she weakened
gwanwyn, -au: spring(s) *m*
gwaraidd: civilized
gwarchod: to guard; to mind [*stem* **gwarchod-**] **gwarchododd:** he, she guarded; minded
gwared: to rid; deliver from [*stem* **gwared-**] **gwaredodd:** he, she got rid of; delivered from; **cael gwared o:** to get rid of

gwario: to spend [money][*stem*
  gwari-] **gwariodd:** he, she spent

gwartheg: cattle [*pl noun*]

gwas, gweision: servant(s) *m*;
  gwas, gweision sifil: civil
  servant(s)

gwasanaeth, -au: service(s) *m*

gwasanaethu: to serve [*stem*
  gwasanaeth-] **gwasanaethodd:**
  he, she served

gwasg, gweisg: press(es);
  waist(s) *m f*

gwasgod, -au: waistcoat(s) *f*

gwasgu: to press; to squeeze
  [*stem* **gwasg-**] **gwasgodd:** he,
  she pressed, squeezed

gwastad: level; flat; constant;
  always

gwastadedd, -au: level place(s);
  plain(s) *m*

gwastraff: waste; refuse *m*

gwastraffu: to waste
  [*stem* **gwastraff-**]
  gwastraffodd: he, she wasted

gwau: to knit [*stem* **gweu-**]
  gweuodd: he, she knitted

gwawr: dawn *f*

gwawrio: to dawn [*stem* **gwawri-**]
  gwawriodd: it dawned

gwbl: *see* **cwbl**

gwblhau: *see* **cwblhau**

gwch: *see* **cwch**

gwddf, gyddfau: neck(s); throat(s) *m*

gweddi, gweddïau: prayer(s) *f*

gweddill (y): the rest

gweddill, -ion: leftover(s) *m*;
  remains [*pl*]

gweddïo: to pray [*stem* **gweddï-**]
  gweddïodd: he, she prayed

gweddol: fair, fairly

gweddw, -on: widow(s) *f*

gweddw: widowed

gwefus, -au: lip(s) *f*

gweiddi: to shout [*stem* **gwaedd-**]
  gwaeddodd: he, she shouted

gweinidog, -ion: minister(s) *m*

gweinydd, -wyr: attendant(s)
  [male]; waiter(s) *m*

gweinyddes, -au: attendant(s);
  nurse(s) [female]; waitress(es) *f*

gweinyddol: administrative

gweinyddwr, gweinyddwyr:
  administrator(s) *m*

gweithgar: hard-working

gweithgaredd, gweithgareddau:
  activity, activities *m*

gweithgarwch: activity *m*

gweithio: to work [*stem* **gweithi-**]
  gweithiodd: he, she worked

gweithiwr, gweithwyr: worker(s)
  [male] *m*

gweithwraig, gweithwragedd:
  worker(s) [female] *f*

gweld: to *see* [*stem* **gwel-**]
  gwelodd: he, she saw

gwell: better

gwella: to recuperate; to improve
  [*stem* **gwell-**] **gwellodd:** he, she
  recuperated; improved

gwelliant, gwelliannau:
  improvement(s) *m*

gwelltyn, gwellt: a blade of grass,
  grass *m*; a straw, straw *m*

gwely, -au: bed(s) *m*

gwen: *see* **gwyn**

gwên, gwenau: smile(s) *f*

Gwener, dydd Gwener: Friday *m*

gwennol, gwenoliaid: swallow(s) *f*

gwenu: to smile [*stem* **gwen-**]
   gwenodd: he, she smiled
gwenwyn, -au: poison(s) *m*
gwenwynig: poisonous
gwenynen, gwenyn: bee(s) *f*
gwerdd: *see* **gwyrdd**
gwerin, -oedd: ordinary folk *f*;
   cân werin: folk song;
   dawns werin: folk dance *f*
gwers, -i: lesson(s) *f*
gwersyll, -oedd: camp(s) *m*
gwersylla: to camp
   [*stem* **gwersyll-**] **gwersyllodd:**
   he, she camped
gwerth, -oedd: worth; value(s) *m*
gwerthfawr: valuable
gwerthu: to sell [*stem* **gwerth-**]
   gwerthodd: he, she sold
gwerthwr, gwerthwyr: seller(s);
   salesman, salesmen *m*
gweryl: *see* **cweryl**
gweryla: *see* **cweryla**
gwerylon: *see* **cweryl**
gwestai, gwesteion: guest(s) *m*
gwestiwn: *see* **cwestiwn**
gwestiynau: *see* **cwestiwn**
gwesty, gwestai: hotel(s);
   guest-house(s) *m*
gwifren, gwifrau: wire(s) *f*
gwin, -oedd: wine(s) *m*
gwir: true
gwir: truth *m*
gwirfoddolwr, gwirfoddolwyr:
   volunteer(s) *m*
gwirion: foolish
gwirionedd: reality *m*
gwirionedd, -au: truth(s) *m*
gwirioneddol: real
gwirod, -ydd: spirit(s) [drink]

gwisg, -oedd: costume(s) *f*
gwisgo: to wear; to dress
   [*stem* **gwisg-**] **gwisgodd:** he,
   she wore, dressed
gwiwer, -od: squirrel(s) *f*
gwlad, gwledydd: country,
   countries *f*
gwladgarwr, gwladgarwyr:
   patriot(s) *m*
gwlân: woollen
gwlân, gwlanoedd: wool(s) *m*
gwledd, -oedd: feast(s) *f*
gwleidydd, -ion: politician(s) *m*
gwleidyddiaeth: politics *f*
gwlyb: wet; **cyn wlyped:** as wet;
   gwlypach: wetter; **gwlypaf:**
   wettest
gwlychu: to wet; to get wet
   [*stem* **gwlych-**] **gwlychodd:** he,
   she wetted; got wet
gwm: *see* **cwm**
gwmni: *see* **cwmni**
gwmnïau: *see* **cwmni**
gwmpas: *see* **cwmpas**
gwmpasau: *see* **cwmpas**
gwmpasoedd: *see* **cwmpas**
gwn: I know [*from* **gwybod**]
gwn, gynnau: gun(s) *m*
gŵn: *see* **ci**
gwna: he, she [*s*] does; makes;
   do!; make! [*from* **gwneud**]
gwnaech: you [*pl*] used to do;
   make [*from* **gwneud**]
gwnaem, gwnaen: we used to do;
   make [*from* **gwneud**]
gwnaen(t): they used to do; make
   [*from* **gwneud**]
gwnaeth: he, she did;
   made [*from* **gwneud**]

gwnaethan(t): they did; made
  [*from* **gwneud**]
gwnaethoch: you [*pl*] did; made
  [*from* **gwneud**]
gwnaethom, gwnaethon: we did;
  made [*from* **gwneud**]
gwnaethost: you [*s*] did; made
  [*from* **gwneud**]
gwnaf: I do; make [*from* **gwneud**]
gwnâi: he, she used to do;
  make [*from* **gwneud**]
gwnaiff: he, she does; makes
  [colloquial] [*from* **gwneud**]
gwnait: you [*s*] used to do;
  make [*from* **gwneud**]
gwnân(t): they do; make
  [*from* **gwneud**]
gwnawn: we do; make; I used
  to do; make [*from* **gwneud**]
gwnei: you [*s*] do; make
  [*from* **gwneud**]
gwnes: I did; made (colloquial)
  [*from* **gwneud**]
gwnest: you [*s*] did; made
  [*from* **gwneud**]
gwneud: to do; make [*stem* **gwn-**]
  gwnaeth: he, she did; made
gwnewch: you [*pl*] do; make; do!
  make! [*pl*] [*from* **gwneud**]
gwningen: *see* **cwningen**
gwningod: *see* **cwningen**
gwnïo: to sew [*stem* **gwnï-**]
  gwnïodd: he, she sewed
gwnstabl: *see* **cwnstabl**
gwnstabliaid: *see* **cwnstabl**
gwobr, -au: prize(s) *f*; reward(s) *f*
gwobrwyo: to reward [*stem*
  gwobrwy-] **gwobrwyodd:**
  he, she rewarded

gwpan: *see* **cwpan**
gwpanau: *see* **cwpan**
gwpanaid: *see* **cwpanaid**
gwpaneidiau: *see* **cwpanaid**
gwpwrdd: *see* **cwpwrdd**
gŵr, gwŷr: husband(s);
  man, men *m*
gŵr gweddw, gwŷr gweddw:
  widower(s) *m*
gwraig, gwragedd: wife, wives;
  woman, women *f*
gwraig weddw, gwragedd gweddw:
  widow(s) *f*
gwrando: to listen [*stem*
  gwrandaw-] **gwrandawodd:**
  he, she listened
gwrdd: *see* **cwrdd**
gwreiddiol: original;
  yn wreiddiol: originally
gwrens: *see* **cwrensen**
gwrensen: *see* **cwrensen**
gwres: heat *m*
gwresogi: to heat [*stem* **gwresog-**]
  gwresogodd: he, she heated
gwresogydd, -ion: heater(s) *m*
gwrs: *see* **cwrs**
gwrt: *see* **cwrt**
gwrth-: anti- [*prefix*];
  gwrth-niwclear: anti-nuclear
gwrthod: to refuse [*stem*
  gwrthod-] **gwrthododd:**
  he, she refused
gwrw: *see* **cwrw**
gwrych, -au, -oedd: hedge(s) *m*
gwryw, -od: male(s) *m*
gwrywaidd: masculine
gwsg: *see* **cwsg**
gwsmer: *see* **cwsmer**
gwsmeriaid: *see* **cwsmer**

gwt: *see* **cwt**
gwthio: to push [*stem* **gwthi-**]
  gwthiodd: he, she pushed
gwybod: to know [*stem* **gwy-**]
  gwybu: he, she knew
gwybodaeth: knowledge;
  information *f*
gwych: splendid; brilliant
gŵydd, gwyddau: goose, geese *f*
gwyddai: he, she knew
  [*from* **gwybod**]
gwyddan(t): they know
  [*from* **gwybod**]
gwyddech: you [*pl*] knew
  [*from* **gwybod**]
gwyddem, gwydden: we knew
  [*from* **gwybod**]
gwydden(t): they knew
  [*from* **gwybod**]
gwyddit: you [*s*] knew
  [*from* **gwybod**]
gwyddoch: you [*pl*] know
  [*from* **gwybod**]
gwyddom, gwyddon: we know
  [*from* **gwybod**]
gwyddoniaeth: science *f*
gwyddonydd, gwyddonwyr:
  scientist(s) *m*
gwyddost: you [*s*] know
  [*from* **gwybod**]
gwyddwn: I knew
  [*from* **gwybod**]
gwydr, -au: glass(es) *m*
gwydraid: a glassful *m*
gŵyl, gwyliau: festival(s);
  holiday(s) *f*
gwylan, -od: seagull(s) *f*
gwylio: to watch [*stem* **gwyli-**]
  gwyliodd: he, she watched

gwyliwr, gwylwyr: watcher(s);
  spectator(s); viewer(s) *m*
gwyllt: wild; **cyn wyllted:** as wild;
  gwylltach: wilder; **gwylltaf:**
  wildest
gwylltio: to become angry; to
  enrage [*stem* **gwyllti-**]
  gwylltiodd: he, she became
  angry; enraged
gwymon: seaweed *m*
gwympo: *see* **cwympo**
gwyn: white [feminine **gwen**]; **cyn**
  wynned: as white; **gwynnach:**
  whiter; **gwynnaf:** whitest
gwyn: *see* **cwyn**
gwynion: *see* **cwyn**
gwyno: *see* **cwyno**
gwynt, -oedd: wind(s) *m*
gwyntog: windy
gŵyr: he, she knows [*from* **gwybod**]
gwyrdd: green [feminine **gwerdd**];
  cyn wyrdded: as green;
  gwyrddach: greener;
  gwyrddaf: greenest
gychod: *see* **cwch**
gychwyn: *see* **cychwyn**
gyd (i): all
gyd: *see* **cyd**
gyd-fynd: *see* **cyd-fynd**
gyda: with; **gydag** [*in front of a*
  vowel] **gydag amser:** with time
gydio: *see* **cydio**
gyfaill: *see* **cyfaill**
gyfan: *see* **cyfan**
gyfandir: *see* **cyfandir**
gyfandiroedd: *see* **cyfandir**
gyfansoddiad: *see* **cyfansoddiad**
gyfansoddiadau: *see* **cyfansoddiad**
gyfanswm: *see* **cyfanswm**

gyfansymiau: *see* cyfanswm
gyfarchiad: *see* cyfarchiad
gyfarchiadau: *see* cyfarchiad
gyfarchion: *see* cyfarch
gyfarfod: *see* cyfarfod
gyfarfodydd: *see* cyfarfod
gyfartal: *see* cyfartal
gyfarth: *see* cyfarth
gyfarwydd: *see* cyfarwydd
gyfarwyddiadau: *see* cyfarwyddyd
gyfarwyddo: *see* cyfarwyddo
gyfarwyddwr: *see* cyfarwyddwr
gyfarwyddwragedd: *see*
   cyfarwyddwraig
gyfarwyddwraig: *see*
   cyfarwyddwraig
gyfarwyddwyr: *see* cyfarwyddwr
gyfarwyddyd: *see* cyfarwyddyd
gyfeillgar: *see* cyfeillgar
gyfeillgarwch: *see* cyfeillgarwch
gyfeillion: *see* cyfaill
gyfeiriad: *see* cyfeiriad
gyfeiriadau: *see* cyfeiriad
gyfeirio: *see* cyfeirio
gyfenw: *see* cyfenw
gyfenwau: *see* cyfenw
gyferbyn: opposite
gyffordd: *see* cyffordd
gyfforddus: *see* cyfforddus
gyffredin: *see* cyffredin
gyffredinol: *see* cyffredinol
gyffrous: *see* cyffrous
gyffwrdd: *see* cyffwrdd
gyffyrdd: *see* cyffordd
gyffyrddus: *see* cyffyrddus
gyfieithiad: *see* cyfieithiad
gyfieithiadau: *see* cyfieithiad
gyfieithu: *see* cyfieithu
gyfieithwyr: *see* cyfieithydd

gyfieithydd: *see* cyfieithydd
gyflawn: *see* cyflawn
gyfle: *see* cyfle
gyfleoedd: *see* cyfle
gyfleus: *see* cyfleus
gyfleuster: *see* cyfleuster
gyfleusterau: *see* cyfleuster
gyflog: *see* cyflog
gyflogau: *see* cyflog
gyflogi: *see* cyflogi
gyflwr: *see* cyflwr
gyflwyniad: *see* cyflwyniad
gyflwyniadau: *see* cyflwyniad
gyflwyno: *see* cyflwyno
gyflwynwyr: *see* cyflwynydd
gyflwynydd: *see* cyflwynydd
gyflym: *see* cyflym
gyflymach: *see* cyflym
gyflymaf: *see* cyflym
gyflymed: *see* cyflym
gyflymu: *see* cyflymu
gyflyrau: *see* cyflwr
gyfnewid: *see* cyfnewid
gyfnither: *see* cyfnither
gyfnitherod: *see* cyfnither
gyfnod: *see* cyfnod
gyfnodau: *see* cyfnod
gyfoes: *see* cyfoes
gyfoeth: *see* cyfoeth
gyfoethocach: *see* cyfoethog
gyfoethocaf: *see* cyfoethog
gyfoethoced: *see* cyfoethog
gyfoethog: *see* cyfoethog
gyfran: *see* cyfran
gyfrannau: *see* cyfran
gyfreithiwr: *see* cyfreithiwr
gyfreithlon: *see* cyfreithlon
gyfreithwragedd: *see* cyfreithwraig
gyfreithwraig: *see* cyfreithwraig

gyfreithwyr: *see* cyfreithiwr
gyfres: *see* cyfres
gyfresi: *see* cyfres
gyfrif: *see* cyfrif
gyfrifiad: *see* cyfrifiad
gyfrifiadau: *see* cyfrifiad
gyfrifiadur: *see* cyfrifiadur
gyfrifiaduron: *see* cyfrifiadur
gyfrifol: *see* cyfrifol
gyfrifon: *see* cyfrif
gyfrifwragedd: *see* cyfrifwraig
gyfrifwraig: *see* cyfrifwraig
gyfrifwyr: *see* cyfrifydd
gyfrifydd: *see* cyfrifydd
gyfrinach: *see* cyfrinach
gyfrinachau: *see* cyfrinach
gyfrinachol: *see* cyfrinachol
gyfrol: *see* cyfrol
gyfrolau: *see* cyfrol
gyfun: *see* cyfun
gyfweliad: *see* cyfweliad
gyfweliadau: *see* cyfweliad
gyhoeddi: *see* cyhoeddi
gyhoeddus: *see* cyhoeddus
gyhoeddusrwydd: *see* cyhoeddusrwydd
gyhoeddwr: *see* cyhoeddwr
gyhoeddwragedd: *see* cyhoeddwraig
gyhoeddwraig: *see* cyhoeddwraig
gyhoeddwyr: *see* cyhoeddwr
gylch: *see* cylch
gylchau: *see* cylch
gylchdaith: *see* cylchdaith
gylchdeithiau: *see* cylchdaith
gylchdroi: *see* cylchdroi
gylched: *see* cylched
gylchedau: *see* cylched
gylchgrawn: *see* cylchgrawn

gylchgronau: *see* cylchgrawn
gylchoedd: *see* cylch
gyllell: *see* cyllell
gyllid: *see* cyllid
gyllyll: *see* cyllell
gymaint: *see* cymaint
gymanfa: *see* cymanfa
gymanfaoedd: *see* cymanfa
gymdeithas: *see* cymdeithas
gymdeithasau: *see* cymdeithas
gymdeithasol: *see* cymdeithasol
gymdeithasu: *see* cymdeithasu
gymdogion: *see* cymydog
gymeriad: *see* cymeriad
gymeriadau: *see* cymeriad
gymoedd: *see* cwm
gymorth: *see* cymorth
Gymraeg: *see* Cymraeg
Gymraes: *see* Cymraes
Gymreig: *see* Cymreig
Gymro: *see* Cymro
Gymru: *see* Cymru
Gymry: *see* Cymro
gymryd: *see* cymryd
gymuned: *see* cymuned
gymunedau: *see* cymuned
gymwynas: *see* cymwynas
gymwynasau: *see* cymwynas
gymydog: *see* cymydog
gymylau: *see* cwmwl
gymylog: *see* cymylog
gymysg: *see* cymysg
gymysgu: *see* cymysgu
gyn: *see* cyn
gynaeafau: *see* cynhaeaf
gynaeafu: *see* cynaeafu
gynddrwg: *see* cynddrwg
gynffon: *see* cynffon
gynffonnau: *see* cynffon

gyngerdd: *see* cyngerdd
gyngherddau: *see* cyngerdd
gynghorau: *see* cyngor
gynghori: *see* cynghori
gynghorwr: *see* cynghorwr
gynghorwyr: *see* cynghorwr
gynghorwyr: *see* cynghorydd
gynghorydd: *see* cynghorydd
gynghrair: *see* cynghrair
gynghreiriau: *see* cynghrair
gyngor: *see* cyngor
gynhaeaf: *see* cynhaeaf
gynhesu: *see* cynhesu
gynhyrchu: *see* cynhyrchu
gynhyrchwyr: *see* cynhyrchydd
gynhyrchydd: *see* cynhyrchydd
gynigion: *see* cynnig
gynilion: *see* cynilion
gynilo: *see* cynilo
gynllun: *see* cynllun
gynlluniau: *see* cynllun
gynnal: *see* cynnal
gynnar: *see* cynnar
gynnes: *see* cynnes
gynnig: *see* cynnig
gynnil: *see* cynnil
gynnwys: *see* cynnwys
gynorthwyo: *see* cynorthwyo
gynorthwywyr: *see* cynorthwy-ydd
gynorthwy-ydd: *see* cynorthwy-ydd
gynradd: *see* cynradd
gynrychioli: *see* cynrychioli
gyntaf: *see* cyntaf
gyntedd: *see* cyntedd
gynteddau: *see* cyntedd
gynulleidfa: *see* cynulleidfa
gynulleidfaoedd: *see* cynulleidfa
gypyrddau: *see* cwpwrdd
gyrddau: *see* cwrdd

gyrfa, -oedd: career(s) *f*
gyrff: *see* corff
gyrliog: *see* cyrliog
gyrraedd: *see* cyrraedd
gyrru: to drive; to send
    [*stem* gyrr-] gyrrodd:
    he, she drove; sent
gyrrwr, gyrrwyr: driver(s) *m*
gyrsiau: *see* cwrs
gyrten: *see* cyrten
gyrtenni: *see* cyrten
gyrtiau: *see* cwrt
gysgod: *see* cysgod
gysgodi: *see* cysgodi
gysgodion: *see* cysgod
gysgodol: *see* cysgodol
gysgu: *see* cysgu
gyson: *see* cyson
gystadlaethau: *see* cystadleuaeth
gystadleuaeth: *see* cystadleuaeth
gystadleuwyr: *see* cystadleuydd
gystadeuydd: *see* cystadleuydd
gystadlu: *see* cystadlu
gystal: *see* cystal
gysurus: *see* cysurus
gysylltu: *see* cysylltu
gytau: *see* cwt
gytiau: *see* cwt
gytiau: *see* cwt
gytûn: *see* cytûn
gytundeb: *see* cytundeb
gytundebau: *see* cytundeb
gytuno: *see* cytuno
gyw: *see* cyw
gywilydd: *see* cywilydd
gywilyddio: *see* cywilyddio
gywion: *see* cyw
gywir: *see* cywir
gywiro: *see* cywiro

NG ng

ngadael: *see* gadael
ngaeaf: *see* gaeaf
ngafael: *see* gafael
ngafr: *see* gafr
ngair: *see* gair
ngallu: *see* gallu
ngalluoedd: *see* gallu
ngalw: *see* galw
ngalwad: *see* galwad
ngalwadau: *see* galwad
ngalwedigaeth: *see* galwedigaeth
ngalwedigaethau: *see* galwedigaeth
ngalwyn: *see* galwyn
ngalwyni: *see* galwyn
ngardd: *see* gardd
ngarddio: *see* garddio
ngarddwr: *see* garddwr
ngarddwyr: *see* garddwr
ngarlleg: *see* garlleg
ngât: *see* gât
ngatiau: *see* gât
ngefail: *see* gefail
ngefailiau; *see* gefail
ngefeiliau: *see* gefel
ngefel: *see* gefel
ngeifr: *see* gafr
ngeirfa: *see* geirfa
ngeirfaoedd: *see* geirfa
ngeiriadur: *see* geiriadur
ngeiriaduron: *see* geiriadur
ngeiriau: *see* gair
ngellyg: *see* gellygen
ngellygen: *see* gellygen
ngem: *see* gem
ngêm: *see* gêm

ngemau: *see* gem
ngemau: *see* gêm
ngemydd: *see* gemydd
ngên: *see* gên
ngenau: *see* gên
ngenau: *see* genau
ngenedigaeth: *see* genedigaeth
ngenedigaethau: *see* genedigaeth
ngeneth: *see* geneth
ngenethod: *see* geneth
ngeneuon: *see* genau
ngeni: *see* geni
ngenod: *see* genod
ngerddi: *see* gardd
nghabaets: *see* cabetsen
nghaban: *see* caban
nghabanau: *see* caban
nghabetsen: *see* cabetsen
nghacen: *see* cacen
nghacennau: *see* cacen
nghacenni: *see* cacen
nghadach: *see* cadach
nghadachau: *see* cadach
nghadair: *see* cadair
nghadeiriau: *see* cadair
nghadeirio: *see* cadeirio
nghadeirydd: *see* cadeirydd
nghadeiryddes: *see* cadeiryddes
nghadeiryddesau: *see* cadeiryddes
nghadeiryddion: *see* cadeirydd
nghadw: *see* cadw
nghae: *see* cae
nghaead: *see* caead
nghaeadau: *see* caead
nghaeau: *see* cae
nghael: *see* cael
nghaer: *see* caer
nghaerau: *see* caer
nghaffi: *see* caffi

nghaffis: *see* caffi
nghais: *see* cais
nghalendr: *see* calendr
nghalendrau: *see* calendr
nghalon: *see* calon
nghalonnau: *see* calon
ngham: *see* cam
nghamau: *see* cam
nghamera: *see* camera
nghamerâu: *see* camera
nghamgymeriad: *see* camgymeriad
nghamgymeriadau: *see* camgymeriad
nghamp: *see* camp
nghampau: *see* camp
nghampfa: *see* campfa
nghân: *see* cân
nghaneuon: *see* cân
nghangen: *see* cangen
nghanghennau: *see* cangen
nghaniatâd: *see* caniatâd
nghaniatáu: *see* caniatáu
nghanllaw: *see* canllaw
nghanllawiau: *see* canllaw
nghanlyn: *see* canlyn
nghanlyniad: *see* canlyniad
nghanlyniadau: *see* canlyniad
nghanmol: *see* canmol
nghannoedd: *see* cant
nghanol: *see* canol
nghanolfan: *see* canolfan
nghanolfannau: *see* canolfan
nghanolwr: *see* canolwr
nghanolwragedd: *see* canolwraig
nghanolwraig: *see* canolwraig
nghanolwyr: *see* canolwr
nghanrif: *see* canrif
nghanrifoedd: *see* canrif
nghant: *see* cant

nghanu: *see* canu
nghanŵ: *see* canŵ
nghanŵod: *see* canŵ
nghap: *see* cap
nghapel: *see* capel
nghapeli: *see* capel
nghapiau: *see* cap
nghapteiniaid: *see* capten
nghapten: *see* capten
nghar: *see* car
ngharafán: *see* carafán
ngharafanau: *see* carafán
ngharchar: *see* carchar
ngharcharau: *see* carchar
ngharchardai: *see* carchardy
ngharchardy: *see* carchardy
ngharcharor: *see* carcharor
ngharcharorion: *see* carcharor
ngharden: *see* carden
nghardiau: *see* carden
nghardiau: *see* cerdyn
nghareiau: *see* carrai
nghariad: *see* cariad
nghariadon: *see* cariad
nghario: *see* cario
ngharnifal: *see* carnifal
ngharnifalau: *see* carnifal
ngharol: *see* carol
ngharolau: *see* carol
ngharped: *see* carped
ngharpedi: *see* carped
ngharrai: *see* carrai
ngharreg: *see* carreg
nghart: *see* cart
nghartiau: *see* cart
nghartref: *see* cartref
nghartrefi: *see* cartref
nghartŵn: *see* cartŵn
nghartwnau: *see* cartŵn

ngharu: *see* caru
nghasáu: *see* casáu
nghasét: *see* casét
nghasetiau: *see* casét
nghasglu: *see* casglu
nghastell: *see* castell
nghatalog: *see* catalog
nghatalogau: *see* catalog
nghath: *see* cath
nghathod: *see* cath
nghau: *see* cau
nghawl: *see* cawl
nghawod: *see* cawod
nghawr: *see* cawr
nghaws: *see* caws
ngheffyl: *see* ceffyl
ngheffylau: *see* ceffyl
nghefn: *see* cefn
nghefnau: *see* cefn
nghefnder: *see* cefnder
nghefnderoedd: *see* cefnder
nghefndir: *see* cefndir
nghefndiroedd: *see* cefndir
nghefndyr: *see* cefnder
nghefnogaeth: *see* cefnogaeth
nghefnogi: *see* cefnogi
ngheg: *see* ceg
nghegau: *see* ceg
nghegin: *see* cegin
ngheginau: *see* cegin
ngheiliog: *see* ceiliog
ngheiliogod: *see* ceiliog
ngheiniog: *see* ceiniog
ngheiniogau: *see* ceiniog
ngheir: *see* car
ngheisiadau: *see* cais
nghelf: *see* celf
nghelfi: *see* celficyn
nghelficyn: *see* celficyn

nghelfyddyd: *see* celfyddyd
nghelfyddydau: *see* celfyddyd
nghell: *see* cell
nghelloedd: *see* cell
nghelwydd: *see* celwydd
nghelwyddau: *see* celwydd
nghemegau: *see* cemegyn
nghemegyn: *see* cemegyn
nghenedl: *see* cenedl
nghenel: *see* cenel
nghenelau: *see* cenel
nghenhedloedd: *see* cenedl
nghenhinen: *see* cenhinen
nghennin: *see* cenhinen
ngherbyd: *see* cerbyd
ngherbydau: *see* cerbyd
ngherdd: *see* cerdd
ngherddi: *see* cerdd
ngherddor: *see* cerddor
ngherddorfa: *see* cerddorfa
ngherddorfeydd: *see* cerddorfa
ngherddoriaeth: *see* cerddoriaeth
ngherddorion: *see* cerddor
ngherdyn: *see* cerdyn
ngherrig: *see* cerrig
ngherti: *see* cart
nghestyll: *see* castell
nghewyn: *see* cewyn
nghewynnau: *see* cewyn
nghi: *see* ci
nghic: *see* cic
nghiciau: *see* cic
nghicio: *see* cicio
nghig: *see* cig
nghigoedd: *see* cig
nghigydd: *see* cigydd
nghigyddion: *see* cigydd
nghiniawau: *see* cinio
nghinio: *see* cinio

nghladdu: *see* claddu
nghlaf: *see* claf
nghlarc: *see* clarc
nghlarcod: *see* clarc
nghlawdd: *see* clawdd
nghlawr: *see* clawr
nghlebran: *see* clebran
nghleifion: *see* claf
nghlerc: *see* clerc
nghlercod: *see* clerc
nghlirio: *see* clirio
nghlo: *see* clo
nghloc: *see* cloc
nghloch: *see* cloch
nghlociau: *see* cloc
nghloddiau: *see* clawdd
nghloeau: *see* clo
nghloeon: *see* clo
nghloi: *see* cloi
nghloriau: *see* clawr
nghludo: *see* cludo
nghlust: *see* clust
nghlustiau: *see* clust
nghlustog: *see* clustog
nghlustogau: *see* clustog
nghlwb: *see* clwb
nghlwt: *see* clwt
nghlwyd: *see* clwyd
nghlwydi: *see* clwyd
nghlybiau: *see* clwb
nghlychau: *see* cloch
nghlymu: *see* clymu
nghlytiau: *see* clwt
nghlyw: *see* clyw
nghlywed: *see* clywed
nghnau: *see* cneuen
nghnawd: *see* cnawd
nghneuen: *see* cneuen
nghnocio: *see* cnocio

nghnoi: *see* cnoi
nghoban: *see* coban
nghobanau: *see* coban
nghod: *see* cod
nghod: *see* côd
nghodau: *see* cod
nghodau: *see* côd
nghodi: *see* codi
nghodiad: *see* codiad
nghodiadau: *see* codiad
nghoed: *see* coeden
nghoeden: *see* coeden
nghoedwig: *see* coedwig
nghoedwigoedd: *see* coedwig
nghoes: *see* coes
nghoesau: *see* coes
nghof: *see* cof
nghoffi: *see* coffi
nghofio: *see* cofio
nghofion: *see* cof
nghofrestr: *see* cofrestr
nghofrestrau: *see* cofrestr
nghofrestru: *see* cofrestru
nghog: *see* cog
nhogau: *see* cog
nghoginio: *see* coginio
nghogydd: *see* cogydd
nghogyddes: *see* cogyddes
nghogyddesau: *see* cogyddes
nghogyddion: *see* cogydd
ngholeg: *see* coleg
ngholegau: *see* coleg
ngholer: *see* coler
ngholeri: *see* coler
ngholled: *see* colled
ngholledion: *see* colled
ngholli: *see* colli
ngholofn: *see* colofn
ngholofnau: *see* colofn

nghomedi: *see* comedi
nghomedïau: *see* comedi
nghomig: *see* comig
nghoncwest: *see* concwest
nghoncwestau: *see* concwest
nghondom: *see* condom
nghondomau: *see* condom
nghongl: *see* congl
nghonglau: *see* congl
nghopa: *see* copa
nghopaon: *see* copa
nghopi: *see* copi
nghopïau: *see* copi
nghopïo: *see* copïo
nghopr: *see* copr
nghôr: *see* côr
nghorau: *see* côr
nghorcyn: *see* corcyn
nghorcynnau: *see* corcyn
nghord: *see* cord
nghordiau: *see* cord
nghordyn: *see* cordyn
nghorff: *see* corff
nghoridor: *see* coridor
nghoridorau: *see* coridor
nghornel: *see* cornel
nghornelau: *see* cornel
nghorneli: *see* cornel
nghoron: *see* coron
nghoronau: *see* coron
nghoroni: *see* coroni
nghortyn: *see* cortyn
nghortynnau: *see* cortyn
nghosb: *see* cosb
nghosbau: *see* cosb
nghosbi: *see* cosbi
nghost: *see* cost
nghostau: *see* cost
nghot: *see* cot

nghôt: *see* cot
nghotiau: *see* cot
nghotwm: *see* cotwm
nghotymau: *see* cotwm
nghownter: *see* cownter
nghownteri: *see* cownter
nghrafu: *see* crafu
nghragen: *see* cragen
nghraig: *see* craig
nghredu: *see* credu
nghrefft: *see* crefft
nghrefftau: *see* crefft
nghrefftwr: *see* crefftwr
nghrefftwragedd: *see* crefftwraig
nghrefftwraig: *see* crefftwraig
nghrefftwyr: *see* crefftwr
nghrefydd: *see* crefydd
nghrefyddau: *see* crefydd
nghregyn: *see* cragen
nghreigiau: *see* craig
nghreision: *see* creision
nghrempog: *see* crempog
nghrempogau: *see* crempog
nghrib: *see* crib
nghribau: *see* crib
nghribo: *see* cribo
Nghrist: *see* Crist
nghriw: *see* criw
nghriwiau: *see* criw
nghroen: *see* croen
nghroes: *see* croes
nghroesair: *see* croesair
nghroesau: *see* croes
nghroesawu: *see* croesawu
nghroeseiriau: *see* croesair
nghroesi: *see* croesi
nghroeso: *see* croeso
nghroten: *see* croten
nghrotesi: *see* croten

nghrwt: *see* crwt
nghrwyn: *see* croen
nghrys: *see* crys
nghrysau: *see* crys
nghrystau: *see* crystyn
nghrystiau: *see* crystyn
nghrystyn: *see* crystyn
nghryts: *see* crwt
nghuddio: *see* cuddio
nghur: *see* cur
nghuriad: *see* curiad
nghuriadau: *see* curiad
nghuriau: *see* cur
nghuro: *see* curo
nghusan: *see* cusan
nghusanau: *see* cusan
nghusanu: *see* cusanu
nghwbl: *see* cwbl
nghwch: *see* cwch
nghweryl: *see* cweryl
nghwerylon: *see* cweryl
nghwestiwn: *see* cwestiwn
nghwestiynau: *see* cwestiwn
nghwm: *see* cwm
nghwmni: *see* cwmni
nghwmnïau: *see* cwmni
nghwmpas: *see* cwmpas
nghŵn: *see* ci
nghwnigen: *see* cwningen
nghwningod: *see* cwningen
nghwnstabl: *see* cwnstabl
nghwnstabliaid: *see* cwnstabl
nghwpan: *see* cwpan
nghwpanau: *see* cwpan
nghwpwrdd: *see* cwpwrdd
nghwrdd: *see* cwrdd
nghwrs: *see* cwrs
nghwrt: *see* cwrt
nghwrw: *see* cwrw

nghwsg: *see* cwsg
nghwsmer: *see* cwsmer
nghwsmeriaid: *see* cwsmer
nghwt: *see* cwt
nghwyn: *see* cwyn
nghwynion: *see* cwyn
nghychod: *see* cwch
nghychwyn: *see* cychwyn
nghyd: *see* cyd
nghyfaill: *see* cyfaill
nghyfan: *see* cyfan
nghyfandir: *see* cyfandir
nghyfandiroedd: *see* cyfandir
nghyfansoddiad: *see* cyfansoddiad
nghyfansoddiadau: *see*
   cyfansoddiad
nghyfanswm: *see* cyfanswm
nghyfansymiau: *see* cyfanswm
nghyfarch: *see* cyfarch
nghyfarchiad: *see* cyfarchiad
nghyfarchion: *see* cyfarchiad
nghyfarfod: *see* cyfarfod
nghyfarfodydd: *see* cyfarfod
nghyfarwyddiadau: *see*
   cyfarwyddydd
nghyfarwyddo: *see* cyfarwyddo
nghyfarwyddwr: *see* cyfarwyddwr
nghyfarwyddwragedd: *see*
   cyfarwyddwraig
nghyfarwyddwraig: *see*
   cyfarwyddwraig
nghyfarwyddwyr: *see*
   cyfarwyddwyr
nghyfarwyddyd: *see* cyfarwyddyd
nghyfeillgarwch: *see* cyfeillgarwch
nghyfeillion: *see* cyfaill
nghyfeiriad: *see* cyfeiriad
nghyfeiriadau: *see* cyfeiriad
nghyfeirio: *see* cyfeirio

nghyfenw: *see* cyfenw
nghyfenwau: *see* cyfenw
nghyffordd: *see* cyffordd
nghyffyrdd: *see* cyffordd
nghyfieithiad: *see* cyfieithiad
nghyfieithiadau: *see* cyfieithiad
nghyfieithu: *see* cyfieithu
nghyfieithwyr: *see* cyfieithydd
nghyfieithydd: *see* cyfieithydd
nghyfle: *see* cyfle
nghyfleoedd: *see* cyfle
nghyfleuster: *see* cyfleuster
nghyfleusterau: *see* cyfleuster
nghyflog: *see* cyflog
nghyflogau: *see* cyflog
nghyflogi: *see* cyflogi
nghyflwr: *see* cyflwr
nghyflwyniad: *see* cyflwyniad
nghyflwyniadau: *see* cyflwyniad
nghyflwyno: *see* cyflwyno
nghyflwynwyr: *see* cyflwynydd
nghyflwynydd: *see* cyflwynydd
nghyflymu: *see* cyflymu
nghyfnewid: *see* cyfnewid
nghyfnither: *see* cyfnither
nghyfnitherod: *see* cyfnither
nghyfnod: *see* cyfnod
nghyfnodau: *see* cyfnod
nghyfoeth: *see* cyfoeth
nghyfraith: *see* cyfraith
nghyfran: *see* cyfran
nghyfrannau: see cyfran
nghyfreithiwr: *see* cyfreithiwr
nghyfreithwragedd; *see* cyfreithwraig
nghyfreithwraig: *see* cyfreithwraig
nghyfreithwyr: *see* cyfreithiwr
nghyfres: *see* cyfres

nghyfresi: *see* cyfres
nghyfrif: *see* cyfrif
nghyfrifiadur: *see* cyfrifiadur
nghyfrifiaduron: *see* cyfrifiadur
nghyfrifon: *see* cyfrifon
nghyfrifwragedd: *see* cyfrifwraig
nghyfrifwraig: *see* cyfrifwraig
nghyfrifwyr: *see* cyfrifydd
nghyfrifydd: *see* cyfrifydd
nghyfrinach: *see* cyfrinach
nghyfrinachau: *see* cyfrinach
nghyfrol: *see* cyfrol
nghyfrolau: *see* cyfrol
nghyfweliad: *see* cyfweliad
nghyfweliadau: *see* cyfweliad
nghyhoedd: *see* cyhoedd
nghyhoeddi: *see* cyhoeddi
nghyhoeddusrwydd: *see* cyhoeddusrwydd
nghyhoeddwr: *see* cyhoeddwr
nghyhoeddwragedd: *see* cyhoeddwraig
nghyhoeddwraig: *see* cyhoeddwraig
nghyhoeddwyr: *see* cyhoeddwr
nghylch: *see* cylch
nghylchau: *see* cylch
nghylchdaith: *see* cylchdaith
nghylchdeithiau: *see* cylchdaith
nghylchdroi: *see* cylchdroi
nghylched: *see* cylched
nghylchedau: *see* cylched
nghylchgrawn: *see* cylchgrawn
nghylchgronau: *see* cylchgrawn
nghylchoedd: *see* cylch
nghyllell: *see* cyllell
nghyllid: *see* cyllid
nghyllyll: *see* cyllell
nghymanfa: *see* cymanfa

nghymanfaoedd: *see* cymanfa
nghymdeithas: *see* cymdeithas
nghymdeithasau: *see* cymdeithas
nghymdogion: *see* cymydog
nghymeriad: *see* cymeriad
nghymeriadau: *see* cymeriad
nghymoedd: *see* cwm
nghymorth: *see* cymorth
Nghymraeg: *see* Cymraeg
Nghymraes: *see* Cymraes
Nghymro: *see* Cymro
Nghymru: *see* Cymru
Nghymry: *see* Cymro
nghymryd: *see* cymryd
nghymuned: *see* cymuned
nghymunedau: *see* cymuned
nghymwynas: *see* cymwynas
nghymwynasau: *see* cymwynas
nghymydog: *see* cymydog
nghymysgu: *see* cymysgu
nghyn: *see* cyn
nghynaeafau: *see* cynhaeaf
nghynffon: *see* cynffon
nghynffonnau: *see* cynffon
nghyngerdd: *see* cyngerdd
nghyngherddau: *see* cyngherddau
nghynghorau: *see* cyngor
nghynghori: *see* cynghori
nghynghorwr: *see* cynghorwr
nghynghorwyr: *see* cynghorwr
nghynghorwyr: *see* cynghorydd
nghynghorydd: *see* cynghorydd
nghyngrair: *see* cyngrair
nghynghreiriau: *see* cyngrair
nghyngor: *see* cyngor
nghynhaeaf: *see* cynhaeaf
nghynhesu: *see* cynhesu
nghynhwysion: *see* cynnwys
nghynhyrchwyr: *see* cynhyrchydd
nghynhyrchydd: *see* cynhyrchydd
nghynigion: *see* cynnig
nghynilion: *see* cynilion
nghynllun: *see* cynllun
nghynlluniau: *see* cynllun
nghynnal: *see* cynnal
nghynnig: *see* cynnig
nghynnwys: *see* cynnwys
nghynorthwyo: *see* cynorthwyo
nghynorthwywyr: *see*
   cynorthwy-ydd
nghynorthwy-ydd: *see*
   cynorthwy-ydd
nghynrychioli: *see* cynrychioli
nghyntaf: *see* cyntaf
nghyntedd: *see* cyntedd
nghynteddau: *see* cyntedd
nghynulleidfa: *see* cynulleidfa
nghynulleidfaoedd: *see* cynulleidfa
nghypyrddau: *see* cwpwrdd
nghyrff: *see* corff
nghyrraedd: *see* cyrraedd
nghyrsiau: *see* cwrs
nghyrten: *see* cyrten
nghyrtenni: *see* cyrten
nghyrtiau: *see* cwrt
nghysgod: *see* cysgod
nghysgodi: *see* cysgodi
nghysgodion: *see* cysgod
nghystadlaethau: *see*
   cystadleuaeth
nghystadleuaeth: *see*
   cystadleuaeth
nghystadleuwyr: *see* cystadleuydd
nghystadleuydd: *see* cystadleuydd
nghysylltu: *see* cysylltu
nghytau: *see* cwt
nghytiau: *see* cwt
nghytiau: *see* cwt

nghytundeb: *see* cytundeb
nghytundebau: *see* cytundeb
nghyw: *see* cyw
nghywilydd: *see* cywilydd
nghywilyddio: *see* cywilyddio
nghywion: *see* cyw
nghywiro: *see* cywiro
ngiât: *see* giât
ngiatiau: *see* giât
ngitâr: *see* gitâr
ngitarau: *see* gitâr
nglanhau: *see* glanhau
nglasaid: *see* glasaid
nglaseidiau: *see* glasaid
nglaswellt: *see* glaswellt
nglo: *see* glo
nglofa: *see* glofa
nglofeydd: *see* glofa
nglöwr: *see* glöwr
nglowyr: *see* glöwr
nglud: *see* glud
ngludo: *see* gludo
nglyn: *see* glyn
nglynnoedd: *see* glyn
ngobaith: *see* gobaith
ngobeithion: *see* gobaith
ngof: *see* gof
ngofaint: *see* gof
ngofal: *see* gofal
ngofalon: *see* gofal
ngofalwr: *see* gofalwr
ngofalwyr: *see* gofalwr
ngofid: *see* gofid
ngofidiau: *see* gofid
ngofidio: *see* gofidio
ngogledd: *see* gogledd
ngohebwyr: *see* gohebydd
ngohebydd: *see* gohebydd
ngohirio: *see* gohirio

ngôl: *see* gôl
ngolau: *see* gôl
ngolau: *see* golau
ngolch: *see* golch
ngolchi: *see* golchi
ngoleudai: *see* goleudy
ngoleudy: *see* goleudy
ngoleuo: *see* goleuo
ngolff: *see* golff
ngollwng: *see* gollwng
ngolwg: *see* golwg
ngolygfa: *see* golygfa
ngolygon: *see* golwg
ngolygydd: *see* golygydd
ngolygyddion: *see* golygydd
ngorau: *see* gorau
ngorchfygu: *see* gorchfygu
ngorchmynion: *see* gorchymyn
ngorchymyn: *see* gorchymyn
ngorffen: *see* gorffen
ngorffennol: *see* gorffennol
Ngorffennaf: *see* Gorffennaf
ngorffennol: *see* gorffennol
ngorfodi: *see* gorfodi
ngoriad: *see* goriad
ngoriadau: *see* goriad
ngorllewin: *see* gorllewin
ngornest: *see* gornest
ngornestau: *see* gornest
ngorsaf: *see* gorsaf
ngorsafoedd: *see* gorsaf
ngosod: *see* gosod
ngostwng: *see* gostwng
ngradd: *see* gradd
ngraddau: *see* gradd
ngramadeg: *see* gramadeg
ngrât: *see* grât
ngratau: *see* grât
ngratiau: *see* grât

ngrawnffrwyth: *see* grawnffrwyth

ngrawnffrwythau: *see* grawnffrwyth

ngrawnwin: *see* grawnwin

ngrŵp: *see* grŵp

ngrwpiau: *see* grŵp

ngwaed: *see* gwaed

ngwaedd: *see* gwaedd

ngwaeddau: *see* gwaedd

ngwaelod: *see* gwaelod

ngwahanu: *see* gwahanu

ngwahardd: *see* gwahardd

ngwahodd: *see* gwahodd

ngwahoddiad: *see* gwahoddiad

ngwahoddiadau: *see* gwahoddiad

ngwair: *see* gwair

ngwaith: *see* gwaith

ngwall: *see* gwall

ngwallau: *see* gwall

ngwallt: *see* gwallt

ngwalltiau: *see* gwallt

ngwanhau: *see* gwanhau

ngwanwyn: *see* gwanwyn

ngwarchod: *see* gwarchod

ngwared: *see* gwared

ngwario: *see* gwario

ngwartheg: *see* gwartheg

ngwas: *see* gwas

ngwasanaeth: *see* gwasanaeth

ngwasanaethau: *see* gwasanaeth

ngwasanaethu: *see* gwasanaethu

ngwasg: *see* gwasg

ngwasgod: *see* gwasgod

ngwasgodau: *see* gwasgod

ngwasgu: *see* gwasgu

ngwastraff: *see* gwastraff

ngwastraffu: *see* gwastraffu

ngwau: *see* gwau

ngwddf: *see* gwddf

ngweddi: *see* gweddi

ngweddïau: *see* gweddi

ngweddill: *see* gweddill

ngweddillion: *see* gweddill

ngwefus: *see* gwefus

ngwefusau: *see* gwefus

ngweinidog: *see* gweinidog

ngweinidogion: *see* gweinidog

ngweinydd: *see* gweinydd

ngweinyddes: *see* gweinyddes

ngweinyddesau: *see* gweinyddes

ngweinyddwr: *see* gweinyddwr

ngweinyddwyr: *see* gweinydd

ngweinyddwyr: *see* gweinyddwr

ngweisg: *see* gwasg

ngweision: *see* gwas

ngweithfeydd: *see* gwaith

ngweithgaredd: *see* gweithgaredd

ngweithgareddau: *see* gweithgaredd

ngweithgarwch: *see* gweithgarwch

ngweithiau: *see* gwaith

ngweithio: *see* gweithio

ngweithiwr: *see* gweithiwr

ngweithwragedd: *see* gweithwraig

ngweithwraig: *see* gweithwraig

ngweithwyr: *see* gweithiwr

ngweld: *see* gweld

ngwell: *see* gwell

ngwelliannau: *see* gwelliant

ngwelliant: *see* gwelliant

ngwely: *see* gwely

ngwelyau: *see* gwely

ngwên: *see* gwên

ngwenau: *see* gwên

ngwenwyn: *see* gwenwyn

ngwenwynau: *see* gwenwyn

ngwenyn: *see* gwenynen

ngwenynen: *see* gwenynen

ngwers: *see* gwers
ngwersi: *see* gwers
ngwersyll: *see* gwersyll
ngwersylloedd: *see* gwersyll
ngwerth: *see* gwerth
ngwerthoedd: *see* gwerth
ngwerthwr: *see* gwerthwr
ngwerthwyr: *see* gwerthwr
ngwestai: *see* gwestai
ngwestai: *see* gwesty
ngwesteion: *see* gwestai
ngwesty: *see* gwesty
ngwifrau: *see* gwifren
ngwifren: *see* gwifren
ngwin: *see* gwin
ngwinoedd: *see* gwin
ngwisg: *see* gwisg
ngwisgo: *see* gwisgo
ngwisgoedd: *see* gwisg
ngwlad: *see* gwlad
ngwlân: *see* gwlân
ngwlanoedd: *see* gwlân
ngwledydd: *see* gwlad
ngwleidydd: *see* gwleidydd
ngwleidyddiaeth: *see* gwleidyddiaeth
ngwleidyddion: *see* gwleidydd
ngwlychu: *see* gwlychu
ngwn: *see* gwn
ngwneud: *see* gwneud
ngwnïo: *see* gwnïo
ngwobr: *see* gwobr
ngwobrau: *see* gwobr
ngŵr: *see* gŵr
ngwragedd: *see* gwraig
ngwraig: *see* gwraig
ngwres: *see* gwres
ngwresogydd: *see* gwresogydd
ngwresogyddion: *see* gwresogydd

ngwrthod: *see* gwrthod
ngwrych: *see* gwrych
ngwrychoedd: *see* gwrych
ngwthio: *see* gwthio
ngwybodaeth: *see* gwybodaeth
ngŵydd: *see* gŵydd
ngwyddau: *see* gŵydd
ngwyddoniaeth: *see* gwyddoniaeth
ngwydr: *see* gwydr
ngwydraid: *see* gwydraid
ngwydrau: *see* gwydr
ngŵyl: *see* gŵyl
ngwyliau: *see* gŵyl
ngwylio: *see* gwylio
ngwyliwr: *see* gwyliwr
ngwylltio: *see* gwylltio
ngwylwyr: *see* gwyliwr
ngwynt: *see* gwynt
ngwyntoedd: *see* gwynt
ngyddfau: *see* gwddf
ngynnau: *see* gwn
ngyrfa: *see* gyrfa
ngyrfaoedd: *see* gyrfa
ngyrru: *see* gyrru
ngyrrwr: *see* gyrrwr
ngyrwyr: *see* gyrrwr

Hh

hacen: *see* acen
hacenion: *see* acen
hachlysur: *see* achlysur
hachlysuron: *see* achlysur
hachub: *see* achub
hactio: *see* actio
hactor: *see* actor
hactores: *see* actores
hactoresau: *see* actores
hactorion: *see* actor
had, -au: seed(s) *m*
hadar: *see* aderyn
haderyn: *see* aderyn
haddasu: *see* addasu
haddewid: *see* addewid
haddewidion: *see* addewid
haddoldai: *see* addoldy
haddoldy: *see* addoldy
haddoli: *see* addoli
haddolwr: *see* addolwr
haddolwyr: *see* addolwr
haddurn: *see* addurn
haddurniadau: *see* addurn
haddysg: *see* addysg
haddysgu: *see* addysgu
haddysgwr: *see* addysgwr
haddysgwyr: *see* addysgwr
hadeilad: *see* adeilad
hadeiladau: *see* adeilad
hadeiladwyr: *see* adeiladydd
hadeiladydd: *see* adeiladydd
hadloniant: *see* adloniant
hadnabod: *see* adnabod
hadolygiad: *see* adolygiad
hadolygiadau: *see* adolygiad

hadolygu: *see* adolygu
hadolygwyr: *see* adolygydd
hadolygydd: *see* adolygydd
hadran: *see* adran
hadrannau: *see* adran
hadrodd: *see* adrodd
hadroddiad: *see* adroddiad
hadroddiadau: *see* adroddiad
haearn, heyrn: iron(s) *m*
haeddu: to deserve [*stem* haedd-]
    haeddodd: he, she deserved
hadolygu: *see* adolygu
haelod: *see* aelod
haelodau: *see* aelod
haelwyd: *see* aelwyd
haelwydydd: *see* aelwyd
haf, -au: summer(s) *m*
hafaidd: summery
hafal: equal
hafal: *see* afal
hafalau: *see* afal
hafiechyd: *see* afiechyd
hafiechydon: *see* afiechyd
hafon: *see* afon
hafonydd: *see* afon
hagor: *see* agor
hagoriad: *see* agoriad
hagoriadau: *see* agoriad
hagosatrwydd: *see* agosatrwydd
hagosrwydd: *see* agosrwydd
hail: *see* ail
hailadrodd: *see* ailadrodd
halaw: *see* alaw
halawon: *see* alaw
halcam: *see* alcam
halen: salt *m*
hallforio: *see* allforio
hallt: salty
hallwedd: *see* allwedd

hallweddi: *see* **allwedd**
hamau: *see* **amau**
hambiwlans: *see* **ambiwlans**
hambiwlansys: *see* **ambiwlans**
hambwrdd, hambyrddau: tray(s) *m*
hamdden: leisure *f*
hamddenol: leisurely
hamddiffyn: *see* **amddiffyn**
hamgáu: *see* **amgáu**
hamgueddfa: *see* **amgueddfa**
hamgueddfeydd: *see* **amgueddfa**
hamgylchedd: *see* **amgylchedd**
hamlen: *see* **amlen**
hamlenni: *see* **amlen**
hamod: *see* **amod**
hamodau: *see* **amod**
hamryw: *see* **amryw**
hamrywiaeth: *see* **amrywiaeth**
hamrywiaethau: *see* **amrywiaeth**
hamrywiol: *see* **amrywiol**
hamser: *see* **amser**
hamserau: *see* **amser**
hamserlen: *see* **amserlen**
hamserlenni: *see* **amserlen**
hanadl: *see* **anadl**
hanadlu: *see* **anadlu**
hanafu: *see* **anafu**
hances, -i: handkerchief(s) *f*
haneru: to halve [*stem* **haner-**]
  hanerodd: he, she halved
hanes, -ion: history, histories;
  story, stories *m*
hanfantais: *see* **anfantais**
hanfon: *see* **anfon**
hangen: *see* **angen**
hanghenfil: *see* **anghenfil**
hanghenion: *see* **angen**
hanghofio: *see* **anghofio**
hangor: *see* **angor**

hangorau: *see* **angor**
hanhrefn: *see* **anhrefn**
hanifail: *see* **anifail**
hanifeiliaid: *see* **anifail**
hanner, haneri: half, halves *m*
hannwyd: *see* **annwyd**
hannwyl: *see* **annwyl**
hanrheg: *see* **anrheg**
hanrhegion: *see* **anrheg**
hanthem: *see* **anthem**
hanwydau: *see* **annwyd**
hanthemau: *see* **anthem**
hapêl: *see* **apêl**
hapelau: *see* **apêl**
hapelion: *see* **apêl**
hapostol: *see* **apostol**
hapostolion: *see* **apostol**
hapus: happy; **cyn hapused:** as
  happy; **hapusach:** happier;
  hapusaf: happiest
hapusrwydd: happiness *m*
hapwyntiad: *see* **apwyntiad**
hapwyntiadau: *see* **apwyntiad**
haraith: *see* **araith**
harbenigwr: *see* **arbenigwr**
harbenigwragedd: *see*
  arbenigwraig
harbenigwraig: *see* **arbenigwraig**
harbenigwyr: *see* **arbenigwr**
harbwr: harbour *m*
harch: *see* **arch**
harcheb: *see* **archeb**
harchebion: *see* **archeb**
harchebu: *see* **archebu**
harchfarchnad: *see* **archfarchnad**
harchfarchnadoedd: *see*
  archfarchnad
hardal: *see* **ardal**
hardaloedd: *see* **ardal**

hardd: beautiful;
   cyn hardded: as beautiful;
   harddach: more beautiful;
   harddaf: most beautiful
harddangos: *see* **arddangos**
harddangosfa: *see* **arddangosfa**
harddangosfeydd: *see* **arddangosfa**
harddwch: beauty *m*
hareithiau: *see* **araith**
harf: *see* **arf**
harfau: *see* **arf**
harfer: *see* **arfer**
harferion: *see* **arfer**
harglwydd: *see* **arglwydd**
harglwyddes: *see* **arglwyddes**
harglwyddesau: *see* **arglwyddes**
harglwyddi: *see* **arglwydd**
hargraff: *see* **argraff**
hargraffau: *see* **argraff**
hargraffu: *see* **argraffu**
hargraffwyr: *see* **argraffydd**
hargraffydd: *see* **argraffydd**
hargyfwng: *see* **argyfwng**
harholiad: *see* **arholiad**
harholiadau: *see* **arholiad**
harholwr: *see* **arholwr**
harholwyr: *see* **arholwr**
harian: *see* **arian**
harlunio: *see* **arlunio**
harlunwyr: *see* **arlunydd**
harlunydd: *see* **arlunydd**
harlywydd: *see* **arlywydd**
harlywyddion: *see* **arlywydd**
harogl: *see* **arogl**
haroglau: *see* **arogl**
harogli: *see* **arogli**
harolwg: *see* **arolwg**
harolygon: *see* **arolwg**
harolygwr: *see* **arolygwr**

harolygwyr: *see* **arolygwr**
harwain: *see* **arwain**
harweinydd: *see* **arweinydd**
harweinyddion: *see* **arweinydd**
harwydd: *see* **arwydd**
harwyddion: *see* **arwydd**
hasesu: *see* **asesu**
hasgwrn: *see* **asgwrn**
hastudio: *see* **astudio**
hasyn: *see* **asyn**
hasynnod: *see* **asyn**
hatal: *see* **atal**
hateb: *see* **ateb**
hatebion: *see* **ateb**
hatgof: *see* **atgof**
hatgoffa: *see* **atgoffa**
hatgofion: *see* **atgof**
hathrawes: *see* **athrawes**
hathrawesau: *see* **athrawes**
hathrawon: *see* **athro**
hathro: *see* **athro**
hatlas: *see* **atlas**
hatlasau: *see* **atlas**
hatodiad: *see* **atodiad**
hatodiadau: *see* **atodiad**
hatom: *see* **atom**
hatomau: *see* **atom**
hau: to sow [*stem* **heu-**] **heuodd:**
   he, she sowed
haul: sun *m*
haur: *see* **aur**
hawdd: easy; **cyn hawsed:** as easy;
   haws: easier; **hawsaf:** easiest
hawdur: *see* **awdur**
hawdurdod: *see* **awdurdod**
hawdurdodau: *see* **awdurdod**
hawdures: *see* **awdures**
hawduresau: *see* **awdures**
hawduron: *see* **awdur**

hawgrym: *see* awgrym

hawgrymiadau: *see* awgrym

hawgrymu: *see* awgrymu

hawl, -iau: right(s) *f*

hawlfraint, hawlfreintiau:
  copyright(s) *f*

hawr: *see* awr

hawyren: *see* awyren

hawyrennau: *see* awyren

heb: without [+ *soft mutation*]

heblaw: apart from

hebol: *see* ebol

hebolion: *see* ebol

hechel: *see* echel

hechelau: *see* echel

heconomegwyr: *see* economegydd

heconomegydd: *see* economegydd

heddferch, -ed: policewoman,
  policewomen *f*

heddiw: today

heddlu, -oedd: police force(s) *m*

heddwas, heddweision: policeman,
  policemen *m*

heddwch: peace *m*

hedfan: to fly [*stem* hedfan-]
  hedfanodd: he, she flew

hedmygedd: *see* edmygedd

hedmygu: *see* edmygu

hedmygwyr: *see* edmygydd

hedmygydd: *see* edmygydd

heffaith: *see* effaith

heffeithiau: *see* effaith

hefelychu: *see* efelychu

hefengylwr: *see* efengylwr

hefo: *see* efo

hefyd: also; too

hegluro: *see* egluro

heglwys: *see* eglwys

heglwysi: *see* eglwys

hegni: *see* egni

hegwyddor: *see* egwyddor

hegwyddorion: *see* egwyddor

heibio: past; beyond

heiddigedd: *see* eiddigedd

heiddo: *see* eiddo

heiliad: *see* eiliad

heiliadau: *see* eiliad

heilio: *see* eilio

heilun: *see* eilun

heilunod: *see* eilun

heilydd: *see* eilydd

heilyddion: *see* eilydd

heirch: *see* arch

heirin: *see* eirinen

heirinen: *see* eirinen

heisiau: *see* eisiau

heisteddfod: *see* eisteddfod

heisteddfodau: *see* eisteddfod

heitem: *see* eitem

heitemau: *see* eitem

heithrio: *see* eithrio

hel: to gather [*stem* hel-, heli-]
  helodd, heliodd: he, she
  gathered

hela: to hunt [*stem* hel-, heli-]
  helodd, heliodd: he, she
  hunted

helaeth: extensive

helfen: *see* elfen

helfennau: *see* elfen

helmed, -au: helmet(s) *f*

helo: hello

help: help *m*

helpu: to help [*stem* help-]
  helpodd: he, she helped

helusen: *see* elusen

helusennau: *see* elusen

helw: *see* elw

hemyn: *see* **emyn**

hemynau: *see* **emyn**

hen: old; **cyn hyned:** as old;
   hynach: older;
   hynaf: oldest, eldest

henaint: old age *m*

heneiddio: to grow old
   [*stem* **heneiddi-**] **heneiddiodd:**
   he, she grew old

henglyn: *see* **englyn**

henglynion: *see* **englyn**

hengraifft: *see* **engraifft**

hengreifftiau: *see* **engraifft**

henillydd: *see* **enillydd**

heno: tonight

henw: *see* **enw**

henwau: *see* **enw**

henwad: *see* **enwad**

henwadau: *see* **enwad**

henwi: *see* **enwi**

heog: *see* **eog**

heogiaid: *see* **eog**

heol, -ydd: road(s) [south] *f*

hepil: *see* **epil**

hepiliaid: *see* **epil**

herbyn: *see* **erbyn**

hergyd: *see* **ergyd**

hergydion: *see* **ergyd**

herlid: *see* **erlid**

herthygl: *see* **erthygl**

herthyglau: *see* **erthygl**

herthyliad: *see* **erthyliad**

herthyliadau: *see* **erthyliad**

herw: *see* **erw**

herwau: *see* **erw**

hesboniad: *see* **esboniad**

hesboniadau: *see* **esboniad**

hesbonio: *see* **esbonio**

hesgeuluso: *see* **esgeuluso**

hesgid: *see* **esgid**

hesgidiau: *see* **esgid**

hesgus: *see* **esgus**

hesgusion: *see* **esgus**

hesgusodi: *see* **esgusodi**

hesgusodion: *see* **esgus**

hesgyrn: *see* **asgwrn**

hestyniad: *see* **estyniad**

hestyniadau: *see* **estyniad**

het, -iau: hat(s) *f*

hetholwr: *see* **etholwr**

hetholwyr: *see* **etholwr**

hetifedd: *see* **etifedd**

hetifeddion: *see* **etifedd**

hetifeddu: *see* **etifeddu**

hethol: *see* **ethol**

hetholiad: *see* **etholiad**

hetholiadau: *see* **etholiad**

heulog: sunny

heulwen: sunshine *f*

hewyllys: *see* **ewyllys**

hewyllysiau: *see* **ewyllys**

hewyrth: *see* **ewythr**

hewythr: *see* **ewythr**

hewythredd: *see* **ewythr**

hi: she, her

hiachâd: *see* **iachâd**

hiacháu: *see* **iacháu**

hiard: *see* **iard**

hierdydd: *see* **iard**

hiau: *see* **iau**

hiaith: *see* **iaith**

hiawndal: *see* **iawndal**

hiawndaliadau: *see* **iawndal**

hidiom: *see* **idiom**

hidiomau: *see* **idiom**

hiechyd: *see* **iechyd**

hieithoedd: *see* **iaith**

hieithydd: *see* **ieithydd**

hieithyddion: *see* **ieithydd**
hieuenctid: *see* **ieuenctid**
hincwm: *see* **incwm**
hinjan: *see* **injan**
hir: long ;
    cyn hired; cyhyd: as long as;
    hirach; hwy: longer;
    hiraf; hwyaf: longest
hiraeth: longing; nostalgia *m*
hiraethu: to long for
    [*stem* **hiraeth-**] **hiraethodd:** he,
    she longed for
hiro: *see* **iro**
his: *see* **is**
hithau: she, her too;
    she, her on her part
hiwmor: humour *m*
hoci: hockey *m*
hocsigen: *see* **ocsigen**
hocsiwn: *see* **ocsiwn**
hocsiynau: *see* **ocsiwn**
hochenaid: *see* **ochenaid**
hocheneidiau: *see* **ochenaid**
hochr: *see* **ochr**
hochrau: *see* **ochr**
hodl: *see* **odl**
hodlau: *see* **odl**
hoed: *see* **oed**
hoedran: *see* **oedran**
hoelen, hoelion: nail(s)
    [carpentry] *f*
hoen: *see* **oen**
hoergell: *see* **oergell**
hoergelloedd: *see* **oergell**
hoes: *see* **oes**
hofergoel: *see* **ofergoel**
hofergoelion: *see* **ofergoel**
hoff: fond; favourite [*adj*];
    fy hoff fwyd: my favourite food

hoffeiriad: *see* **offeiriad**
hoffeiriaid: *see* **offeiriad**
hoffer: *see* **offeryn**
hofferyn: *see* **offeryn**
hofferynnau: *see* **offeryn**
hofferynwyr: *see* **offerynnydd**
hofferynnydd: *see* **offerynnydd**
hoffi: to like [*stem* **hoff-**]
    hoffodd: he, she liked
hoffter: liking *m*
hoffus: likeable; loveable
hofn: *see* **ofn**
hofnau: *see* **ofn**
hofni: *see* **ofni**
hofrennydd, hofrenyddion:
    helicopter(s) *m*
hogan, genod: girl(s); lass(es)
    [north] *f*
hogi: to sharpen [*stem* **hog-**]
    hogodd: he, she sharpened
hogyn, hogiau: boy(s); lad(s)
    [north] *m*
hogof: *see* **ogof**
hogofâu: *see* **ogof**
hôl: *see* **ôl**
holew: *see* **olew**
holi: to ask; to inquire [*stem* **hol-**]
    holodd: he, she asked; inquired
holion: *see* **ôl**
hollol: entirely; completely
hôl-nodyn: *see* **ôl-nodyn**
hôl-nodau: *see* **ôl-nodyn**
holwyn: *see* **olwyn**
holwynion: *see* **olwyn**
holynwyr: *see* **olynydd**
holynydd: *see* **olynydd**
hon: this [feminine];
    y gath hon: this cat
hongl: *see* **ongl**

honglau: *see* ongl
honna: that one [*pointing to*]
    [feminine]
honno: that one [*speaking of*]
    [feminine]
hopera: *see* opera
hoperâu: *see* opera
hordeinio: *see* ordeinio
horen: *see* oren
horennau: *see* oren
horgan: *see* organ
horganau: *see* organ
horganydd: *see* organydd
horganyddion: *see* organydd
horiau: *see* awr
hosan, -au: sock(s) *f*
hosgoi: *see* osgoi
hostel, -au: hostel(s) *f*
huchafbwynt: *see* uchafbwynt
huchafbwyntiau: *see* uchafbwynt
huchelgais: *see* uchelgais
hud: magic *m*
huchder: *see* uchder
hufen: cream *m*
hufen iâ: ice cream *m*
hugain: *see* ugain
hunan, hunain: self, selves
hugeinfed: *see* ugeinfed
hun: sleep *m*
hunanol: selfish
hunawd: *see* unawd
hunawdau: *see* unawd
hunawdwyr: *see* unawdydd
hunawdydd: *see* unawdydd
hunben: *see* unben
hunbeniaid: *see* unben
hundeb: *see* undeb
hundebau: *see* undeb
hundod: *see* undod

hundodau: *see* undod
huned: *see* uned
hunedau: *see* uned
huniad: *see* uniad
hunig: *see* unig
hunion: *see* union
huno: to sleep [*stem* hun-]
    hunodd: he, she slept
hurt: stupid
hustus: *see* ustus
hustusiaid: *see* ustus
hutgorn: *see* utgorn
hutgyrn: *see* utgorn
hwiangerdd, -i: lullaby, lullabies *f*
hwn: this [masculine];
    y ci hwn: this dog
hwniwn: *see* wniwn
hwnna: that one [*pointing to*]
    [masculine]
hwnnw: that one [*speaking of*]
    [masculine]
hwnt: yonder; y tu hwnt: beyond
hwy: they; them
hwy *see* wy
hwyaden, hwyaid: duck(s) *f*
hwyau: *see* wy
hwyl: fun *f*
hwyl, -iau: mood(s); sail(s) *f*
hwylio: to sail [*stem* hwyli-]
    hwyliodd: he, she sailed
hwylus: convenient; easy
hwyneb: *see* wyneb
hwynebau: *see* wyneb
hwynebu: *see* wynebu
hwynt-hwy: they [emphatic]
hwyr: late; cyn hwyred: as late;
    hwyrach: later; hwyraf: latest
hwyrach: perhaps
hŵyr: *see* ŵyr

hwyres: *see* wyres
hwyresau: *see* hwyres
hwyrion: *see* ŵyr
hwythau: they, them too;
    they, them on their part
hwythnos: *see* wythnos
hwythnosau: *see* wythnos
hwythnosolyn: *see* wythnosolyn
hwythnosolion: *see* wythnosolyn
hy: bold
hychwanegiad: *see* ychwanegiad
hychwanegiadau: *see* ychwanegiad
hychwanegu: *see* ychwanegu
hyd, -au, -oedd: length(s) *m*;
    ar hyd: along;
    o hyd: always; still
hyd: until; hyd at: as far as
hyder: confidence *m*
Hydref, mis Hydref: October *m*
hydref, -au: autumn(s) *m*
hydrefol: autumnal
hyfforddi: to train
    [*stem* hyffordd-] hyfforddodd:
    he, she trained
hyfforddiant: training *m*
hyfryd: pleasant;
    cyn hyfryted: as pleasant;
    hyfrytach: more pleasant;
    hyfrytaf: most pleasant
hyhi: she [*emphatic*]
hyll: ugly; cyn hylled: as ugly;
    hyllach: uglier; hyllaf: ugliest
hymadrodd: *see* ymadrodd
hymadroddion: *see* ymadrodd
hymarfer: *see* ymarfer
hymarferion: *see* ymarfer
hymateb: *see* ymateb
hymatebion: *see* ymateb
hymbarél: *see* ymbarél

hymbarelau: *see* ymbarél
hymchwil: *see* ymchwil
hymchwiliad: *see* ymchwiliad
hymchwiliadau: *see* ymchwiliad
hymchwilwyr: *see* ymchwilydd
hymchwilydd: *see* ymchwilydd
hymddangosiad: *see*
    ymddangosiad
hymddangosiadau: *see*
    ymddangosiad
hymddiriedolwr: *see*
    ymddiriedolwr
hymddiriedolwyr: *see*
    ymddiriedolwr
hymddiswyddo: *see* ymddiswyddo
hymddygiad: *see* ymddygiad
hymddygiadau: *see* ymddygiad
hymdrech: *see* ymdrech
hymdrechion: *see* ymdrech
hymennydd: *see* ymennydd
hymgais: *see* ymgais
hymgeiswyr: *see* ymgeisydd
hymgeisydd: *see* ymgeisydd
hymgyrch: *see* ymgyrch
hymgyrchoedd: *see* ymgyrch
hymolchi: *see* ymolchi
hymosodiad: *see* ymosodiad
hymosodiadau: *see* ymosodiad
hympryd: *see* ympryd
hymprydiau: *see* ympryd
hymweliad: *see* ymweliad
hymweliadau: *see* ymweliad
hymwelwyr: *see* ymwelydd
hymwelydd: *see* ymwelydd
hymyl: *see* ymyl
hymylon: *see* ymyl
hyn: this; these
hynad: *see* ynad
hynadon: *see* ynad

hynganiad: *see* ynganiad
hynny: that; those
hynys: *see* ynys
hynysoedd: *see* ynys
hysbryd: *see* ysbryd
hysbrydion: *see* ysbryd
hysbyseb, -ion: advert(s);
    advertisement(s) *f*
hysbysebu: to advertise
    [*stem* hysbyseb-] hysbysebodd:
    he, she advertised
hysbysiad, -au: announcement(s) *m*
hysbysu: to inform [*stem* hysbys-]
    hysbysodd: he, she informed
hysbytai: *see* ysbyty
hysbyty: *see* ysbyty
hysgariad: *see* ysgariad
hysgariadau: *see* ysgariad
hysgol: *see* ysgol
hysgolion: *see* ysgol
hysgrif: *see* ysgrif
hysgrifau: *see* ysgrif
hysgrifen: *see* ysgrifen
hysgrifennydd: *see* ysgrifennydd
hysgrifenyddes: *see* ysgrifenyddes
hysgrifenyddesau: *see*
    ysgrifenyddes
hysgrifenyddion: *see* ysgrifennydd
hysgrythur: *see* ysgrythur
hysgrythurau: *see* ysgrythur
hysgwyd: *see* ysgwyd
hysgwydd: *see* ysgwydd
hysgwyddau: *see* ysgwydd
hystafell: *see* ystafell
hystafelloedd: *see* ystafell
hystyr: *see* ystyr
hystyron: *see* ystyr
hytrach: rather; yn hytrach na:
    rather than

i: to; for; **i mi:** to me; **i ti:** to you
    [*s*]; **iddo:** to him; **iddi:** to her; **i
    ni:** to us; **i chi:** to you [*pl*];
    iddyn(t): to them
iâ: ice *m*
iach: healthy;
    cyn iached: as healthy;
    iachach: healthier;
    iachaf: healthiest
iachâd: cure *m*
iacháu: to cure [*stem* iacha-]
    iachaodd: he, she cured
iachus: healthy
iaith, ieithoedd: language(s) *f*
iâr, ieir: hen(s) *f*
iâr fach yr haf, ieir bach yr haf:
    butterfly, butterflies *f*
iard, ierdydd: yard(s) *f*
ias, -au: shiver(s) *f*
iasol: thrilling
Iau, Dydd Iau: Thursday *m*
iau, ieuau: liver(s) *m*; yoke(s) *f*
iawn: correct; all right; very [*after
    adj*] **oer iawn:** very cold
iawndal, -iadau:
    compensation(s) *m*
idiom, -au: idiom(s) *f*
ie: yes [affirming a question or
    statement]
iechyd: health *m*; **Iechyd Da!:**
    Good Health! Cheers!
ieithydd, -ion: linguist(s) *m*
Iesu: Jesus; **Iesu Grist:** Jesus
    Christ

ifanc: young; **cyn ifanced;**
  ieuenged: as young; **ifancach;**
  ieuengach: younger; **ifancaf;**
  ieuengaf: youngest
ieuenctid: youth *m*
igam-ogam: zigzag
ildio: to surrender; to yield
  [*stem* **ildi-**] **ildiodd:** he, she
  surrendered; yielded
inc: ink *m*
incwm: income *m*;
  Treth Incwm: Income Tax
injan: engine *f*
innau: *see* **minnau**
Ionawr, mis Ionawr: January *m*
ir: fresh; succulent
iro: to grease; to annoint
  [*stem* **ir-**] **irodd:** he, she
  greased; annointed
is-: sub-; **is-bwyllgor:**
  sub-committee
isel: low; **cyn ised:** as low; **is:**
  lower; **isaf:** lowest
isod: below
israddol: inferior; subordinate

jam: jam *m*
jar, -au, -iau: jar(s) *f*
jeli: jelly *m*
job, joben: job *f*
jôc, -s: joke(s) *f*
jocian: to joke [*stem* **joci-**]
  jociodd: he, she joked
joio: to enjoy [*stem* **joi-**]
  joiodd: he, she enjoyed [south]
jwg, jygiau: jug(s) *f*

Ll

label, -i: label(s) *f*
labelu: to label [*stem* label-]
    labelodd: he, she labélled
labordy, labordai: laboratory,
    laboratories *m*
labrwr, labrwyr: labourer(s) *m*
ladd: *see* lladd
ladrad: *see* lladrad
ladrata: *see* lladrata
ladron: *see* lleidr
laeth: *see* llaeth
lai: *see* bach
lain: *see* llain
lais: *see* llais
lamp, -au: lamp(s) *f*
lan: up [south]
lan: *see* glan
lan: *see* llan
lân: *see* glân
lanast: *see* llanast
lanc: *see* llanc
lances: *see* llances
lancesau: *see* llances
lancesi: *see* llances
lanciau: *see* llanc
lanhau: *see* glanhau
lanio: *see* glanio
lannau: *see* glan
lannau: *see* llan
lanw: *see* llanw
larwm: alarm *m*;
    cloc larwm: alarm clock
las: *see* glas

lasach: *see* glas
lasaf: *see* glas
lasaid: *see* glasaid
lased: *see* glas
lastig: *see* elastig
laswellt: *see* glaswellt
lath: *see* llathen
lathen: *see* llathen
lathenni: *see* llathen
law: *see* llaw
law: *see* glaw
lawdriniaeth: *see* llawdriniaeth
lawdriniaethau: *see* llawdriniaeth
lawen: *see* llawen
lawenhau: *see* llawenhau
lawenydd: *see* llawenydd
lawer: *see* llawer
lawio: *see* glawio
lawn: *see* llawn
lawnach: *see* llawn
lawnaf: *see* llawn
lawned: *see* llawn
lawnt, -iau: lawn(s) *f*
lawog: *see* glawog
lawogydd: *see* glaw
lawr (i): down
lawr: *see* llawr
le: *see* lle
lech: *see* llech
lechi: *see* llechen
lecio: to like [*stem* leci-]
    leciodd: he, she liked
ledaenu: *see* lledaenu
leden: *see* lleden
ledod: *see* lleden
lefain: *see* llefain
lefel, -au: level(s) *f*
lefrith: *see* llefrith
leiafrif: *see* lleiafrif

leiafrifoedd: *see* **lleiafrif**
leidr: *see* **lleidr**
lein, -iau: line(s) *f*
leiniau: *see* **llain**
leisiau: *see* **llais**
lemonêd: lemonade *m*
len: *see* **llen**
leni: *see* **eleni**
lenni: *see* **llen**
lenyddiaeth: *see* **llenyddiaeth**
lenyddiaethau: *see* **llenyddiaeth**
leoedd: *see* **lleoedd**
leol: *see* **lleol**
leoliad: *see* **lleoliad**
les: *see* **lles**
lestr: *see* **llestr**
lestri: *see* **llestr**
letach: *see* **llydan**
letaf: *see* **llydan**
leted: *see* **llydan**
lety: *see* **llety**
letya: *see* **lletya**
letygarwch: *see* **lletygarwch**
letysen, letys: lettuce(s) *f*
leuad: *see* **lleuad**
leuadau: *see* **lleuad**
lew: *see* **llew**
lewod: *see* **llew**
lewygu: *see* **llewygu**
liain: *see* **lliain**
licio: to like [*stem* **lici-**]
    liciodd: he, she liked
lieiniau: *see* **lliain**
lif: *see* **llif**
lifft, -iau: lift(s) *m*
lifo: *see* **llifo**
linell: *see* **llinell**
linellau: *see* **llinell**
linyn: *see* **llinyn**

linynnau: *see* **llinyn**
lithren: *see* **llithren**
lithro: *see* **llithro**
litr, -au: litre(s) *m*
liw: *see* **lliw**
liwgar: *see* **lliwgar**
liwiau: *see* **lliw**
liwio: *see* **lliwio**
lo: *see* **llo**
loches: *see* **lloches**
lochesau: *see* **lloches**
lodes, -i: lass(es) [south] *f*
loer: *see* **lloer**
loerau: *see* **lloer**
loeren: *see* **lloeren**
loerennau: *see* **lloeren**
lofa: *see* **glofa**
lofeydd: *see* **glofa**
lofft: *see* **llofft**
lofftydd: *see* **llofft**
lofnod: *see* **llofnod**
lofnodion: *see* **llofnod**
lofnodi: *see* **llofnodi**
lofrudd: *see* **llofrudd**
lofruddiaeth: *see* **llofruddiaeth**
lofruddiaethau: *see* **llofruddiaeth**
lofruddio: *see* **llofruddio**
log: *see* **llog**
logau: *see* **llog**
logi: *see* **llogi**
loi: *see* **llo**
lol: nonsense *m*
lolfa: lounge *f*
lolian: to talk nonsense;
    to lounge
lolipop: lollypop *m*
lon: *see* **llon**
lôn, lonydd: lane(s); road(s)
    [north] *f*

loncian: to jog [*stem* **lonci-**]
   lonciodd: he, she jogged
long: *see* **llong**
longau: *see* **llong**
longwr: *see* **llongwr**
longwyr: *see* **llongwr**
longyfarch: *see* **llongyfarch**
longyfarchiadau: *see*
   llongyfarchiadau
lonnach: *see* **llon**
lonnaf: *see* **llon**
lonned: *see* **llon**
lonydd: *see* **llonydd**
lori, lorïau: lorry, lorries *f*
loriau: *see* **llawr**
losgi: *see* **llosgi**
losin: sweets [*pl noun*] [south]
lot: *see* **llawer**
löwr: *see* **glöwr**
lowyr: *see* **glöwr**
löyn byw: *see* **glöyn byw**
löynnod byw: *see* **glöyn byw**
loyw: *see* **gloyw**
loywach: *see* **gloyw**
loywaf: *see* **gloyw**
loywed: *see* **gloyw**
loywi: *see* **gloywi**
luchio: *see* **lluchio**
ludw: *see* **lludw**
lun: *see* **llun**
lungopi: *see* **llungopi**
lungopïau: *see* **llungopi**
lungopïo: *see* **llungopïo**
luniau: *see* **llun**
lusgo: *see* **llusgo**
lwc: luck *f*;
   lwc dda; pob lwc: good luck
lwch: *see* **llwch**
lwcus: lucky

lwgu: *see* **llwgu**
lwmp, lympiau: lump(s) *m*
lwnc: *see* **llwnc**
lwy: *see* **llwy**
lwyaid: *see* **llwyaid**
lwyau: *see* **llwy**
lwybr: *see* **llwybr**
lwybrau: *see* **llwybr**
lwyddiannau: *see* **llwyddiant**
lwyddiant: *see* **llwyddiant**
lwyddo: *see* **llwyddo**
lwyeidiau: *see* **llwyaid**
lwyfan: *see* **llwyfan**
lwyfannau: *see* **llwyfan**
lwyn: *see* **llwyn**
lwyni: *see* **llwyn**
lwynog: *see* **llwynog**
lwynogod: *see* **llwynog**
lwyr: *see* **llwyr**
lydan: *see* **llydan**
lyfr: *see* **llyfr**
lyffant: *see* **llyffant**
lyffantod: *see* **llyffant**
lyfrau: *see* **llyfr**
lyfrgell: *see* **llyfrgell**
lyfrgelloedd: *see* **llyfrgell**
lyfrgellydd: *see* **llyfrgellydd**
lyfrgellyddion: *see* **llyfrgellydd**
lyfryn: *see* **llyfryn**
lyfrynnau: *see* **llyfryn**
lygad: *see* **llygad**
lygaid: *see* **llygad**
lygod: *see* **llygod**
lygoden: *see* **llygoden**
lymaid: *see* **llymaid**
lymeidiau: *see* **llymaid**
lyn: *see* **llyn**
lynciau: *see* **llwnc**
lyncu: *see* **llyncu**

lynnoedd: *see* llyn
lys: *see* llys
lysiau: *see* llysieuyn
lysieuyn: *see* llysieuyn
lysoedd: *see* llys
lythrennau: *see* llythyren
lythyr: *see* llythyr
lythyrau: *see* llythyr
lythyren: *see* llythyren
lythyron: *see* llythyr
lyw: *see* llyw
lywiau: *see* llyw
lywio: *see* llywio
lywodraeth: *see* llywodraeth
lywodraethau: *see* llywodraeth
lywodraethu: *see* llywodraethu
lywodraethwr: *see* llywodraethwr
lywodraethwyr: *see* llywodraethwr
lywydd: *see* llywydd
lywyddion: *see* llywydd

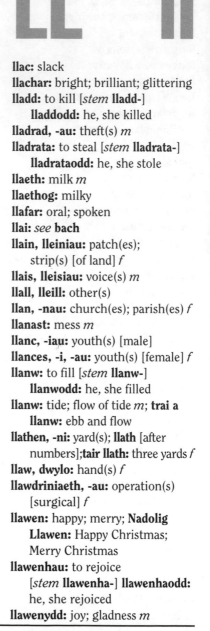

llac: slack
llachar: bright; brilliant; glittering
lladd: to kill [*stem* lladd-]
   lladdodd: he, she killed
lladrad, -au: theft(s) *m*
lladrata: to steal [*stem* lladrata-]
   lladrataodd: he, she stole
llaeth: milk *m*
llaethog: milky
llafar: oral; spoken
llai: *see* bach
llain, lleiniau: patch(es);
   strip(s) [of land] *f*
llais, lleisiau: voice(s) *m*
llall, lleill: other(s)
llan, -nau: church(es); parish(es) *f*
llanast: mess *m*
llanc, -iau: youth(s) [male]
llances, -i, -au: youth(s) [female] *f*
llanw: to fill [*stem* llanw-]
   llanwodd: he, she filled
llanw: tide; flow of tide *m*; **trai a**
   llanw: ebb and flow
llathen, -ni: yard(s); llath [after
   numbers];**tair llath:** three yards *f*
llaw, dwylo: hand(s) *f*
llawdriniaeth, -au: operation(s)
   [surgical] *f*
llawen: happy; merry; **Nadolig**
   Llawen: Happy Christmas;
   Merry Christmas
llawenhau: to rejoice
   [*stem* llawenha-] llawenhaodd:
   he, she rejoiced
llawenydd: joy; gladness *m*

llawer: many; much

llawn: full; **cyn llawned:** as full;
   llawnach: fuller; **llawnaf:** fullest

llawr, lloriau: floor(s) *m*

lle, -oedd: place(s); room [space] *m*

llech, -i: slab(s) *f*

llechen, llechi: slate(s) *f*

lled, -au: width(s) *m*

lled: rather

lledaenu: to spread [*stem* **lledaen-**]
   lledaenodd: he, she spread

lleden, lledod: plaice *f*

llefain: to cry [*stem* **llef-**] **llefodd:**
   he, she cried [south]

llefrith: milk [north] *m*

lleiafrif, -au, -oedd: minority,
   minorities *m*

lleidr, lladron: thief, thieves *m*

llen, -ni: curtain(s); veil(s) *f*

llenwi: to fill [*stem* **llenw-**]
   llenwodd: he, she filled

llenyddiaeth, -au: literature(s) *f*

lleol: local

lleoliad, -au: location(s) *m*

lles: benefit *m*

llestr, -i: dish(es) *m*

llety, -au: lodging(s);
   accommodation *m*

lletya: to lodge [*stem* **llety-**]
   lletyodd: he, she lodged

lletygar: hospitable

lletygarwch: hospitality *m*

lleuad, -au: moon(s) *f*;
   lleuad lawn: full moon

llew, -od: lion(s) *m*

llewygu: to faint [*stem* **llewyg-**]
   llewygodd: he, she fainted

lliain, llieiniau: towel(s) *m*;
   cloth(s) *m*

llif, llifogydd: flood(s) *m*

llif, -iau: saw(s) *f*

llifio: to saw [*stem* **llifi-**] **llifiodd:**
   he, she sawed

llifo: to flow [*stem* **llif-**]
   llifodd: he, she flowed

llinell, -au: line(s) *f*

llinyn, -nau: string(s) *m*

llithren: chute; slide *f*

llithrig: slippery

llithro: to slip, to slide
   [*stem* **llithr-**] **llithrodd:** he, she
   slipped, slid

lliw, -iau: colour(s) *m*

lliwgar: colourful

lliwio: to colour [*stem* **lliwi-**]
   lliwiodd: he, she coloured

llo, lloi: calf, calves *m*

lloches, -au: shelter(s) *f*

lloer, -au: moon(s) *f*

lloeren, -nau: satellite(s) *f*

llofft, -ydd: loft(s); bedroom(s) *f*

llofft (y): upstairs

llofnod, -ion: signature(s) *f*

llofnodi: to sign [*stem* **llofnod-**]
   llofnododd: he, she signed

llofrudd, -ion: murderer(s) *m*

llofruddiaeth, -au: murder(s) *f*

llofruddio: to murder
   [*stem* **llofruddi-**] **llofruddiodd:**
   he, she murdered

llog, -au: interest(s) [rate] *m*

llogi: to hire [*stem* **llog-**]
   llogodd: he, she hired

llon: merry; **cyn llonned:** as merry;
   llonnach: merrier;
   llonnaf: merriest

llond: full [*before noun*];
   llond bocs: a boxful

llong, -au: ship(s) *f*
llongwr, llongwyr: sailor(s) *m*
llongyfarch: to congratulate [*stem* **llongyfarch-**] **llongyfarchodd:** he, she congratulated
llongyfarchiadau: congratulations [*pl noun*]
llonydd: still; calm
llosgi: to burn [*stem* **llosg-**] **llosgodd:** he, she burnt
lluchio: to throw [*stem* **lluchi-**] **lluchiodd:** he, she threw
lludw: ashes *m*
llun, -iau: picture(s); photograph(s) *m*
Llun, dydd Llun: Monday *m*
llungopi, llungopïau: photocopy, photocopies *m*
llungopïo: to photocopy [*stem* **llungopï-**] **llungopïodd:** he, she photocopied
llusgo: to drag [*stem* **llusg-**] **llusgodd** he, she dragged
llwch: dust *m*
llwgu: to starve [*stem* **llwg-**] **llwgodd:** he, she starved
llwnc, llynciau: gulp(s) *m*
llwy, -au: spoon(s) *f;* **llwy fwrdd, llwyau bwrdd:** tablespoon(s) *f;* **llwy de, llwyau te:** teaspoon(s) *f*
llwyaid, llwyeidiau: spoonful(s) *f*
llwybr, -au: path(s) *m*
llwyd: grey
llwyddiannus: successful
llwyddiant, llwyddiannau: success(es) *m*
llwyddo: to succeed [*stem* **llwydd-**] **llwyddodd:** he, she succeeded
llwyfan, -nau: stage(s) *m f*

llwyn, -i: bush(es) *m*
llwynog, -od: fox(es) *m*
llwyr: entirely
llydan: wide; **cyn lleted:** as wide; **lletach:** wider; **lletaf:** widest
llyffant, -od: frog(s) [north] *m*
llyfr, -au: book(s) *m*
llyfrgell, -oedd: library, libraries *f*
llyfrgellydd, llyfrgellwyr: librarian(s) *m*
llyfryn, -nau: booklet(s) *m*
llygad, llygaid: eye(s) *m f*
llygoden, llygod: mouse, mice *f*
llymaid, llymeidiau: sip(s) *m*
llyn, -noedd: lake(s) *m*
llyncu: to swallow [*stem* **llync-**] **llyncodd:** he, she swallowed
llynedd (y): last year
llys, -oedd: court(s) *m*; **Llys yr Ynadon:** Magistrates' Court; **Llys y Goron:** Crown Court
llysieuyn, llysiau: vegetable(s) *m*
llythyr, -au, -on: letter(s) [correspondence] *m*
llythyren, llythrennau: letter(s) [of the alphabet] *f*
llyw, -iau: rudder(s); steering wheel(s) *m*
llywio: to steer [*stem* **llywi-**] **llywiodd:** he, she steered
llywodraeth, -au: government(s) *f*
llywodraethu: to govern [*stem* **llywodraeth-**] **llywodraethodd:** he, she governed
llywodraethwr, llywodraethwyr: governor(s) *m*
llywydd, -ion: chairperson(s); president(s) [of society] *m*

Mm

mab, meibion: son(s) *m*

mab-yng-nghyfraith, meibion-yng-nghyfraith: son(s)-in-law *m*

maban: *see* **baban**

mabanod: *see* **baban**

mabi: *see* **babi**

mabolgampau: athletics [*pl noun*]

mabwysiadu: to adopt [*stem* **mabwysiad-**] **mabwysiadodd:** he, she adopted

machgen: *see* **bachgen**

machlud: sunset *m*

machyn: *see* **bachyn**

machynnau: *see* **bachyn**

macrell, mecryll: mackerel(s) *m f*

macwn: *see* **bacwn**

madarchen, madarch: mushroom(s) *f*

maddau: to forgive [*stem* **maddeu-**] **maddeuodd:** he, she forgave

maddeuant: forgiveness *m*

mae: he, she is [*from* **bod**]

maeddu: to conquer; to beat [*stem* **maedd-**] **maeddodd:** he, she conquered, beat

maeddu: *see* **baeddu**

maen, meini: stone(s) *m*

maen(t): they are [*from* **bod**]

maer, meiri: mayor(s) *m*

maes, meysydd: field(s) *m*; **maes parcio:** car park; **maes awyr:** airport

mafonen, mafon: raspberry, raspberries *f*

magiau: *see* **bag**

magned, -au: magnet(s) *m*

magu: to breed; to nurse [*stem* **mag-**] **magodd:** he, she bred; nursed

Mai, mis Mai: May *m*

mai: that it is

main: thin; lean; **cyn fained:** as thin; lean; **meinach:** thinner; leaner; **meinaf:** thinnest; leanest

maint, meintiau: size(s) *m*

maith: long; tedious

malais: spite *m*

maleisus: spiteful

malio: to heed; to mind; to care [*stem* **mali-**] **maliodd:** he, she heeded; minded; cared

malwen, malwoden, malwod: snail(s) *f*

malŵn: *see* **balŵn**

malwnau: *see* **balŵn**

mam, -au: mother(s) *f*

mam-gu, mamau-cu: grandmother(s) [south] *f*

mam-yng-nghyfraith, mamau-yng-nghyfraith: mother(s)-in-law *f*

man, -nau: place(s) *m f*

mân: small

manc: *see* **banc**

manciau: *see* **banc**

mancwr: *see* **bancwr**

mancwyr: *see* **bancwr**

mand: *see* **band**

mandiau: *see* **band**

maneg, menig, menyg: glove(s) *f*

maner: *see* **baner**

maneri: *see* **baner**

mantais, manteision: advantage(s) *f*

mantell, mentyll: cloak(s) *f*

manwl: exact; detailed

manylyn, manylion: detail(s) *m*

map, -iau: map(s) *m*

marc, -iau: mark(s) *m*

marchnad, -oedd: market(s) *f*

marchogaeth: to ride [*stem* **marchog-**] **marchogodd:** he, she rode

marcio: to mark [*stem* **marci-**] **marciodd:** he, she marked

margarîn: margarine *m*

maril: *see* **baril**

marilau: *see* **baril**

marmalêd: marmalade *m*

marmor: marble *m*

marn: *see* **barn**

marnwr: *see* **barnwr**

marnwyr: *see* **barnwr**

marw: to die; **bu farw:** he, she died; **y meirw:** the dead [people] [*pl* n*oun*]

marwol: fatal

marwolaeth, -au: death(s) *f*

mas: out [south]

masged: *see* **basged**

masgedi: *see* **basged**

masn: *see* **basn**

masnach: trade; commerce *f*

masnachu: to trade [*stem* **masnach-**] **masnachodd:** he, she traded

masnau: *see* **basn**

mat, -iau: mat(s) *m*

mater, -ion: matter(s) *m*

math, -au: type(s); sort(s); kind(s) *m*

mathemateg: mathematics *f*

mathodyn: *see* **bathodyn**

mathodynnau: *see* **bathodyn**

matsien, matsys: match(es) [flame] *f*

mawd: *see* **bawd**

mawr: big; large; **cymaint:** as big; **mwy:** bigger; **mwyaf:** biggest

mawredd: greatness; majesty *m*

Mawrth, mis Mawrth: March *m*

Mawrth, dydd Mawrth: Tuesday *m*

mechgyn: *see* **bachgen**

mecso: *see* **becso**

medal, -au: medal(s) *f*

medd: mead *m*

medd: *see* **bedd**

meddal: soft

meddalwedd: software *m*

meddw drunk [*adj*]

meddwi: to become drunk [*stem* **meddw-**] **meddwodd:** he, she became drunk

meddwl, meddyliau: thought(s) *m*

meddwl: to think [*stem* **meddyli-**] **meddyliodd:** he, she thought

meddwyn, meddwon: drunkard(s) *m*

meddyg, -on: doctor(s) *m*

meddygfa, meddygfeydd: surgery, surgeries *f*

Medi, mis Medi: September *m*

medi: to reap; to harvest [*stem* **med-**] **medodd:** he, she reaped; harvested

medr, -au: skill(s) *m f*

medru: to be able [*stem* **medr-**] **medrodd:** he, she was able

medrus: skilful; able

mefusen, mefus: strawberry, strawberries *f*

Mehefin, mis Mehefin: June *m*
meibl: *see* **beibl**
meiblau: *see* **beibl**
meic: *see* **beic**
meiciau: *see* **meic**
meicroffon, -au: microphone(s) *m*
meio: *see* **beio**
meipen, maip: turnip(s) *f*
meirniad: *see* **beirniad**
meirniadu: *see* **beirniadu**
meirniaid: *see* **beirniad**
meirw (y): *see* **marw**
meistr, -i: master(s) *m*
meistres, -au: mistress(es) *f*
meithrin: to nourish; to cherish
   [*stem* **meithrin-**] **meithrinodd:**
   he, she nourished; cherished
meithrinfa, -oedd: nursery,
   nurseries *f*
mêl: honey *m*
melen: *see* **melyn**
melin, -au: mill(s) *f*
mellten, mellt: lightning *f*;
   mellt a tharanau: thunder and
   lightning
melyn: yellow [feminine **melen**];
   cyn felyned: as yellow;
   melynach: yellower; **melynaf:**
   yellowest
melys: sweet; **cyn felysed:** as
   sweet; **melysach:** sweeter;
   melysaf: sweetest
menthyg: *see* **benthyg**
mentro: to venture [*stem* **mentr-**]
   mentrodd: he, she ventured
menyn: *see* **ymenyn**
menyw, -od: woman, women
   [south] *f*
merch, -ed: girl(s); daughter(s);

woman, women *f*
merch-yng-nghyfraith,
   merched-yng-nghyfraith:
   daughter(s)-in-law *f*
Mercher, dydd Mercher:
   Wednesday *m*
merlen, merlod: pony, ponies *f*
merlota: ride a horse; pony
   trekking
merlyn, merlod: pony, ponies *m*
merthyr, -on: martyr(s) *m*
mesur: to measure [*stem* **mesur-**]
   mesurodd: he, she measured
mesur, -au: measure(s) *m*;
   metre(s) [verse] *m*; bill(s)
   [parliamentary] *m*
mesuriad, -au: measurement(s) *m*
mesurydd, -ion: meter(s) *m*
metel, -au: metal(s) *m*
Methodist, -iaid: Methodist(s) *m*
methu: to fail [*stem* **meth-**]
   methodd: he, she failed
metr, -au: metre(s) *m*
mewian: to mew [*stem* **mewi-**]
   mewiodd: he, she, it mewed
mewn (i): in
mewnforio: to import [*stem*
   mewnfori-] **mewnforiodd:**
   he, she imported
mewnfudwr, mewnfudwyr:
   immigrant(s); incomer(s) *m*
mhabell: *see* **pabell**
mhaced: *see* **paced**
mhacedi: *see* **paced**
mhaceidiau: *see* **paced**
mhadell: *see* **padell**
mhadelli: *see* **padell**
mhaent: *see* **paent**
mhaentiau: *see* **paent**

mhafiliwn: *see* pafiliwn

mhafiliynau: *see* pafiliwn

mhafin: *see* pafin

mhafinau: *see* pafin

mhais: *see* pais

mhalas: *see* palas

mhalasau: *see* palas

mhalmant: *see* palmant

mhalmentydd: *see* palmant

mhanad: *see* cwpanaid

mhaned: *see* cwpanaid

mhaneidiau: *see* cwpanaid

mhanel: *see* panel

mhaneli: *see* panel

mhantri: *see* pantri

mhantrïoedd: *see* pantri

mhapur: *see* papur

mhapurau: *see* papur

mhâr: *see* pâr

mharagraff: *see* paragraff

mharagraffau: *see* paragraff

mharatoi: *see* paratoi

mharau: *see* pâr

mharc: *see* parc

mharciau: *see* parc

mhardwn: *see* pardwn

mharlwr: *see* parlwr

mharlyrau: *see* parlwr

mharsel: *see* parsel

mharseli: *see* parsel

mharti: *see* parti

mhartïon: *see* parti

mhartner: *see* partner

mhartneriaid: *see* partner

mhasio: *see* pasio

mhastai: *see* pastai

mhatrwm: *see* patrwm

mhatrymau: *see* patrwm

mhebyll: *see* pabell

mhechod: *see* pechod

mhechodau: *see* pechod

mhecyn: *see* pecyn

mhecynnau: *see* pecyn

mhedair: *see* pedair

mhedal: *see* pedal

mhedwar: *see* pedwar

mhedwarawd: *see* pedwarawd

mhedwaredd: *see* pedwaredd

mhedwerydd: *see* pedwerydd

mhedyll: *see* padell

mheint: *see* peint

mheintiau: *see* peint

mheintiwr: *see* peintiwr

mheintwyr: *see* peintiwr

mheiriannau: *see* peiriant

mheiriant: *see* peiriant

mheisiau: *see* pais

mhêl: *see* pêl

mhelen: *see* pelen

mheli: *see* pêl

mheli: *see* pelen

mhen: *see* pen

mhenaethiaid: *see* pennaeth

mhen-blwydd: *see* pen-blwydd

mhencadlys: *see* pencadlys

mhencampwriaeth: *see*
pencampwriaeth

mhencampwriaethau: *see*
pencampwriaeth

mhenelin: *see* penelin

mhenelinoedd: *see* penelin

mhen-glin: *see* pen-glin

mhen-gliniau: *see* pen-glin

mhenillion: *see* pennill

mhen-lin: *see* pen-lin

mhen-liniau: *see* pen-lin

mhennaeth: *see* pennaeth

mhennill: *see* pennill

mhennod: *see* pennod

mhenodau: *see* pennod

mhensaer: *see* pensaer

mhenseiri: *see* pensaer

mhensil: *see* pensil

mhensiliau: *see* pensil

mhensiwn: *see* pensiwn

mhensiynau: *see* pensiwn

mhentref: *see* pentref

mhentrefi: *see* pentref

mhenwythnos: *see* penwythnos

mhenwythnosau: *see* penwythnos

mherchennog: *see* perchennog

mherfformiad: *see* perfformiad

mherfformiadau: *see* perfformiad

mhersawr: *see* persawr

mhersawrau: *see* persawr

mherson: *see* person

mhersonau: *see* person

mhersonoliaeth: *see* personoliaeth

mherswadio: *see* perswadio

mherth: *see* perth

mherthi: *see* perth

mherthnasau: *see* perthynas

mherthynas: *see* perthynas

mheswch: *see* peswch

mheth: *see* peth

mhethau: *see* peth

mhetrol: *see* petrol

mhiano: *see* piano

mhib: *see* pib

mhibau: *see* pib

mhibell: *see* pibell

mhibellau: *see* pibell

mhibelli: *see* pibell

mhicnic: *see* picnic

mhictiwr: *see* pictiwr

mhictiyrau: *see* pictiwr

mhigiad: *see* pigiad

mhigiadau: *see* pigiad

mhigo: *see* pigo

mhigyn: *see* pigyn

mhilsen: *see* pilsen

mhin: *see* pin

mhinau: *see* pin

mhisyn: *see* pisyn

mhlaid: *see* plaid

mhlanced: *see* planced

mhlancedi: *see* planced

mhlant: *see* plentyn

mhlas: *see* plas

mhlasau: *see* plas

mhlasdai: *see* plasty

mhlasty: *see* plasty

mhlât: *see* plât

mhlatiau: *see* plât

mhleidiau: *see* plaid

mhlentyn: *see* plentyn

mhlentyndod: *see* plentyndod

mhleser: *see* pleser

mhleserau: *see* pleser

mhlisman: *see* plisman

mhlismon: *see* plismon

mhlismyn: *see* plisman

mhlismyn: *see* plismon

mhlwyf: *see* plwyf

mhlwyfi: *see* plwyf

mhobl: *see* pobl

mhobloedd: *see* pobl

mhoced: *see* poced

mhocedi: *see* poced

mhoen: *see* poen

mhoenau: *see* poen

mhoeni: *see* poeni

mholion: *see* polyn

mholyn: *see* polyn

mhont: *see* pont

mhontydd: *see* pont

mhopty: *see* popty
mhorfa: *see* porfa
mhorth: *see* porth
mhorthladd: *see* porthladd
mhorthladdoedd: *see* porthladd
mhost: *see* post
mhoster: *see* poster
mhosteri: *see* poster
mhostman: *see* postman
mhostmon: *see* postmon
mhostmyn: *see* postman
mhostmyn: *see* postmon
mhostyn: *see* postyn
mhotel: *see* potel
mhotelaid: *see* potelaid
mhoteli: *see* potel
mhotiau: *see* potyn
mhotyn: *see* potyn
mhowdr: *see* powdr
mhowdrau: *see* powdr
mhowlen: *see* powlen
mhowlenni: *see* powlen
mhraidd: *see* praidd
mhrawf: *see* prawf
mhregeth: *see* pregeth
mhregethau: *see* pregeth
mhregethwr: *see* pregethwr
mhregethwyr: *see* pregethwr
mhreiddiau: *see* praidd
mhren: *see* pren
mhrentis: *see* prentis
mhrentisiaid: *see* prentis
mhres: *see* pres
mhrif: *see* prif
mhrifathrawes: *see* prifathrawes
mhrifathrawesau: *see* prifathrawes
mhrifathrawon: *see* prifathro
mhrifathro: *see* prifathro
mhrifddinas: *see* prifddinas

mhrifddinasoedd: *see* prifddinas
mhriffordd: *see* priffordd
mhriffyrdd: *see* priffordd
mhrifysgol: *see* prifysgol
mhrifysgolion: *see* prifysgol
mhriod: *see* priod
mhriodas: *see* priodas
mhriodasau: *see* priodas
mhriodi: *see* priodi
mhris: *see* pris
mhrisiau: *see* pris
mhrisoedd: *see* pris
mhroblem: *see* problem
mhroblemau: *see* problem
mhrofiad: *see* profiad
mhrofiadau: *see* profiad
mhrofion: *see* prawf
mhrosiect: *see* prosiect
mhrosiectau: *see* prosiect
mhryd: *see* pryd
mhrydau: *see* pryd
mhrydiau: *see* pryd
mhrynhawn: *see* prynhawn
mhrynhawniau: *see* prynhawn
mhrynu: *see* prynu
mhulpud: *see* pulpud
mhulpudau: *see* pulpud
mhumed: *see* pumed
mhump: *see* pump
mhunnoedd: *see* punt
mhunt: *see* punt
mhupur: *see* pupur
mhwced: *see* pwced
mhwcedi: *see* pwced
mhwdin: *see* pwdin
mhwdinau: *see* pwdin
mhŵer: *see* pŵer
mhwerau: *see* pŵer
mhwll: *see* pwll

mhwmp: *see* **pwmp**
mhwnc: *see* **pwnc**
mhwrpas: *see* **pwrpas**
mhwrs: *see* **pwrs**
mhwyllgor: *see* **pwyllgor**
mhwyllgorau: *see* **pwyllgor**
mhwynt: *see* **pwynt**
mhwyntiau: *see* **pwynt**
mhwys: *see* **pwys**
mhwysau: *see* **pwysau**
mhwysi: *see* **pwys**
mhwyslais: *see* **pwyslais**
mhwyso: *see* **pwyso**
mhyllau: *see* **pwll**
mhympiau: *see* **pwmp**
mhynciau: *see* **pwnc**
mhyrsiau: *see* **pwrs**
mhysgod: *see* **pysgodyn**
mhysgodyn: *see* **pysgodyn**
mhysgotwr: *see* **pysgotwr**
mhysgotwyr: *see* **pysgotwr**
mhythefnos: *see* **pythefnos**
mhytiau: *see* **pwt**
mi: I; me
mi: [+ *soft mutation*] used before verb in colloquial speech [north]. Not translatable;
   mi glywodd: he, she heard
mil, -oedd: thousand(s) *f*
mil: *see* **bil**
milfeddyg, -on: veterinary surgeon(s) *m*
miliau: *see* **bil**
miliwn, miliynau: million(s) *f*
milltir, -oedd: mile(s) *f*
milwr, milwyr: soldier(s) *m*
min, -ion: brink(s); edge(s) *m*
minio: to sharpen [*stem* **miniog-**]
   miniogodd: he, she sharpened

miniog: sharp
minlliw, -iau: lipstick(s) *m*
minnau: I, me; too;
   I, me on my part
miri: merriment *m*
mis, -oedd: month(s) *m*
misged: *see* **bisged**
misgedi: *see* **bisged**
miwsig: music *m*
mlaen: *see* **blaen**
mlaenau: *see* **blaen**
mlaendal: *see* **blaendal**
mlaendaliadau: *see* **blaendal**
mlaenwr: *see* **blaenwr**
mlanced: *see* **blanced**
mlancedi: *see* **blanced**
mlas: *see* **blas**
mlew: *see* **blewyn**
mlewyn: *see* **blewyn**
mlino: *see* **blino**
mlwydd: *see* **blwydd**
mlynedd: *see* **blynedd**
mochyn, moch: pig(s) *m*
mod: *see* **bod**
modd, -au: manner; means *m*
modd: *see* **bodd**
moddion: medicine
   [*pl noun*][south] *m*
modern: modern
modfedd, -i: inch(es) *f*
modiau: *see* **bawd**
modrwy, -au, -on: ring(s) *f*
modryb, -edd: aunt(s) *f*
modur, -on: motor(s) *m*
modurdy, modurdai: garage(s) *m*
moduro: to motor [*stem* **modur-**]
   modurodd: he, she motored
moel: bald
moes, -au: moral(s) *f*

moethus: luxurious

mofyn: *see* **ymofyn**

mol: *see* **bol**

molchi: *see* **ymolchi**

moliau: *see* **bol**

mom: *see* **bom**

moment, -au: moment(s) *f*

momiau: *see* **bom**

moneddiges: *see* **boneddiges**

moneddigesau: *see* **boneddiges**

monet: *see* **bonet**

monetau: *see* **bonet**

mor: how; so; as

môr, moroedd: sea(s) *m*

mord: *see* **bord**

mordydd: *see* **bord**

more: *see* **bore**

moreau: *see* **bore**

morfil, -od: whale(s) *m*

morgais, morgeisi: mortgage(s) *m*

morio: to sail [*stem* **mori-**]

    moriodd: he, she sailed

morlo, -i: seal(s) *m*

moronen, moron: carrot(s) *f*

morwr, morwyr: sailor(s) *m*

morwyn, morynion: maid(s) *f*

motwm: *see* **botwm**

motymau: *see* **botwm**

mowliwr: *see* **bowliwr**

mowlwyr: *see* **bowliwr**

moyn: *see* **ymofyn**

mraich: *see* **braich**

mrandi: *see* **brandi**

mrat: *see* **brat**

mrathiad: *see* **brathiad**

mrathiadau: *see* **brathiad**

mrathu: *see* **brathu**

mratiau: *see* **brat**

mrawd: *see* **brawd**

mrawddeg: *see* **brawddeg**

mrawddegau: *see* **brawddeg**

mrechdan: *see* **brechdan**

mrechdannau: *see* **brechdan**

mrecwast: *see* **brecwast**

mrecwastau: *see* **brecwast**

mrenhines: *see* **brenhines**

mrenhinoedd: *see* **brenin**

mrenin: *see* **brenin**

mreninesau: *see* **brenhines**

mreichiau: *see* **braich**

mresych: *see* **bresychen**

mresychen: *see* **bresychen**

mreuddwyd: *see* **breuddwyd**

mreuddwydion: *see* **breuddwyd**

mrics: *see* **bricsen**

mricsen: *see* **bricsen**

mrifo: *see* **brifo**

mrigâd: *see* **brigâd**

mrigadau: *see* **brigâd**

mriwsion: *see* **briwsionyn**

mriwsionyn: *see* **briwsionyn**

mro: *see* **bro**

mrodyr: *see* **brawd**

mron: *see* **bron**

mronnau: *see* **bron**

mröydd: *see* **bro**

mrwdfrydedd: *see* **brwdfrydedd**

mrws: *see* **brws**

mrwsio: *see* **brwsio**

mrwsys: *see* **brws**

mrwydr: *see* **brwydr**

mrwydrau: *see* **brwydr**

mryd: *see* **bryd**

mryn: *see* **bryn**

mryniau: *see* **bryn**

mrysio: *see* **brysio**

mud: mute; **mud a byddar:** deaf
    and dumb

mudandod: muteness *m*

muddugoliaeth: *see* **buddugoliaeth**

muddugoliaethau: *see* **buddugoliaeth**

mudiad, -au: movement(s) [social] *m*

mugail: *see* **bugail**

mugeiliaid: *see* **bugail**

mul, -od: mule(s); donkey(s) *m*

munud, -au: minute(s) *m f*

mur, -iau: wall(s) *m*

musnes: *see* **busnes**

musnesau: *see* **busnes**

muwch: *see* **buwch**

mwg: smoke *m*

mẁg, mygiau: mug(s) *m*

mwlch: *see* **bwlch**

mwled: *see* **bwled**

mwledi: *see* **bwled**

mwletin: *see* **bwletin**

mwletinau: *see* **bwletin**

mwrdd: *see* **bwrdd**

mwriad: *see* **bwriad**

mwriadau: *see* **bwriad**

mwrw: *see* **bwrw**

mws: *see* **bws**

mwsogl: moss *m*

mwstás, mwstasys: moustache(s) *m*

mwthyn: *see* **bwthyn**

mwy: more

mwyafrif, -oedd: majority, majorities *m*

mwyalchen, mwyalchod: blackbird(s) *f*

mwyaren ddu, mwyar duon: blackberry, blackberries *f*

mwyd: *see* **bwyd**

mwydlen: *see* **bwydlen**

mwydlenni: *see* **bwydlen**

mwydo: *see* **bwydo**

mwydydd: *see* **bwyd**

mwyn: gentle

mwyn (er): for the sake of; in order to

mwynhau: to enjoy [*stem* **mwynha-**] **mwynhaodd:** he, she enjoyed

mwytai: *see* **bwyty**

mwyty: *see* **bwyty**

myd: *see* **byd**

myddin: *see* **byddin**

myddinoedd: *see* **byddin**

myfi: I [*emphatic*]

myfyrio: to study; to contemplate [*stem* **myfyri-**] **myfyriodd:** he, she studied; contemplated

myfyriwr, myfyrwyr: student(s) *m*

myfyrwraig, myfyrwragedd: student(s) [female] *f*

mygwth: *see* **bygwth**

mylchau: *see* **bwlch**

mynd: to go; **mynd â:** to take; **aeth:** he, she went

mynedfa, mynedfeydd: entrance(s) *f*

mynediad: access *m*

mynegi: to express [*stem* **myneg-**] **mynegodd:** he, she expressed

myngalo: *see* **byngalo**

myngalos: *see* **byngalo**

mynnu: to insist [*stem* **mynn-**] **mynnodd:** he, she insisted

mynwent, -ydd: graveyard(s) *f*

mynydd, -oedd, -au: mountain(s) *m*

mynyddig: mountainous

myrddau: *see* **bwrdd**

mys: *see* **bys**

mysedd: *see* bys
mysiau: *see* bws
mysys: *see* bws
mythynnod: *see* bwthyn
mywoliaeth: *see* bywoliaeth
mywoliaethau: *see* bywoliaeth
mywyd: *see* bywyd

Nn

na: no
naddo: no [*in past tense*]
nadl: *see* dadl
nadleuon: *see* dadl
Nadolig: Christmas *m*;
    Dydd Nadolig: Christmas Day;
    Noswyl Nadolig: Christmas
    Eve; **Nadolig Llawen:** Merry
    Christmas
naear: *see* daear
naearoedd: *see* daear
nafad: *see* dafad
nage: no
nagrau: *see* deigryn
nai, neiaint: nephew(s) *m*
naid, neidiau: jump(s); leap(s) *f*
nail: *see* deilen
naill (y): the one; **y llall:** the other;
    y naill neu'r llall: one o'r the
    other
naill ai: either; **naill ai yma neu
    acw:** either here or there
nain, neiniau: grandmother(s)
    [north] *f*
nal: *see* dal
nam, -au: defect(s) *m*
namwain: *see* damwain
namweiniau: *see* damwain
nanfon: *see* danfon
nannedd: *see* dant
nant, nentydd: brook(s) *f*
nant: *see* dant
naratif: narrative *m*
narllediad: *see* darllediad
narllediadau: *see* darllediad

narllen: *see* **darllen**
narlun: *see* **darlun**
narluniau: *see* **darlun**
narn: *see* **darn**
narnau: *see* **darn**
narten: *see* **darten**
nartiau: *see* **darten**
natblygiad: *see* **datblygiad**
natblygiadau: *see* **datblygiad**
natblygu: *see* **datblygu**
nathliad: *see* **dathliad**
nathliadau: *see* **dathliad**
natur: nature; temper *f*
naturiol: natural
nau: *see* **dau**
naw: nine
nawddsant, nawddsaint: patron
    saint(s) *m*
nawfed: ninth
nawn: *see* **dawn**
nawns: *see* **dawns**
nawnsfeydd: *see* **dawns**
nawr: now [south]
neall: *see* **deall**
neb: nobody; no one
nechrau: *see* **dechrau**
nef, -oedd: heaven(s) *f*
nefaid: *see* **dafad**
neffro: *see* **deffro**
nefnydd: *see* **defnydd**
nefnyddiau: *see* **defnydd**
nefnyddio: *see* **defnyddio**
nefol, nefolaidd: heavenly
neg: *see* **deg**
neges, -euon, -euau: message(s) *f*
negfed: *see* **degfed**
negyddol: negative
neialog: *see* **deialog**
neialogau: *see* **deialog**

neidio: to jump; leap
    [*stem* **neidi-**] **neidiodd:** he, she
    jumped; leaped
neidr, nadredd, nadroedd:
    snake(s) *f*
neigryn: *see* **deigryn**
neilen: *see* **deilen**
neilon: nylon *m*
neintydd: *see* **deintydd**
neintyddion: *see* **deintydd**
neis: nice; **cyn neisied:** as nice;
    neisiach: nicer; **neisiaf:** nicest
neithiwr: last night
nelfryd: *see* **delfryd**
nenfwd, nenfydau: ceiling(s) *m*
nenu: *see* **denu**
nerbyn: *see* **derbyn**
nerf, -au: nerve(s) *m*
nerth, -oedd: strength(s); power(s)
nes: until; nearer; **yn nes ymlaen:**
    further on; later on
nesaf: nearest; next; **drws nesaf:**
    next door
nesáu: to approach; draw near
    [*stem* **nesa-**] **nesaodd:**
    he, she approached; drew near
nesg: *see* **desg**
nesgiau: *see* **desg**
nesu: to approach; draw near
    [*stem* **nes-**] **nesodd:** he, she
    approached; drew near
neu: or
neuadd, -au: hall(s) *f*
neuddeg: *see* **deuddeg**
neuddegfed: *see* **deuddegfed**
neugain: *see* **deugain**
neugeinfed: *see* **deugeinfed**
neunaw: *see* **deunaw**
neunawfed: *see* **deunawfed**

newid, -iadau: change(s) *m*

newid: to change [*stem* newidi-]
 newidiodd: he, she changed

newis: *see* dewis

newisiadau: *see* dewis

newydd: new

newydd, newyddion: news *f*;
 papur, -au newydd:
 newspaper(s)

newyddiaduraeth: journalism *f*

newyddiadurwr, newyddiadurwyr:
 journalist(s) *m*

newyddiadurwraig,
 newyddiadurwragedd:
 journalist(s) [female] *f*

newyn: famine *m*

nhabl: *see* tabl

nhablau: *see* tabl

nhabled: *see* tabled

nhabledi: *see* tabled

nhaclo: *see* taclo

nhacluso: *see* tacluso

nhacsi: *see* tacsi

nhad: *see* tad

nhad-cu: *see* tad-cu

nhad-yng-nghyfraith: *see* tad-yng-
 nghyfraith

nhadau-cu: *see* tad-cu

nhadau-yng-nghyfraith: *see* tad-
 yng-nghyfraith

nhafarn: *see* tafarn

nhafarnau: *see* tafarn

nhafarnwr: *see* tafarnwr

nhafarnwyr: *see* tafarnwr

nhafell: *see* tafell

nhafellau: *see* tafell

nhaflen: *see* taflen

nhaflenni: *see* taflen

nhaflu: *see* taflu

nhafod: *see* tafod

nhafodau: *see* tafod

nhai: *see* tŷ

nhaid: *see* taid

nhair: *see* tair

nhaith: *see* taith

nhalcen: *see* talcen

nhalcenni: *see* talcen

nhaldra: *see* taldra

nhalent: *see* talent

nhalentau: *see* talent

nhaliad: *see* taliad

nhaliadau: *see* taliad

nhalu: *see* talu

nhamaid: *see* tamaid

nhameidiau: *see* tamaid

nhân: *see* tân

nhanau: *see* tân

nhanc: *see* tanc

nhanciau: *see* tanc

nhanio: *see* tanio

nhanysgrifiad: *see* tanysgrifiad

nhanysgrifiadau: *see* tanysgrifiad

nhap: *see* tap

nhâp: *see* tâp

nhapiau: *see* tap

nhapiau: *see* tâp

nharged: *see* targed

nhargedau: *see* targed

nharo: *see* taro

nharten: *see* tarten

nhartennau: *see* tarten

nhartenni: *see* tarten

nharw: *see* tarw

nhasg: *see* tasg

nhasgau: *see* tasg

nhaten: *see* taten

nhatws: *see* taten

nhawelwch: *see* tawelwch

nhe: *see* te

nhebot: *see* tebot

nhebotau: *see* tebot

nhechneg: *see* techneg

nhechnegau: *see* techneg

nhechnegwr: *see* technegwr

nhechnegwragedd: *see* technegwraig

nhechnegwraig: *see* technegwraig

nhechnegwyr: *see* technegwr

nhechnegwyr: *see* technegydd

nhechnegydd: *see* technegydd

nhechnoleg: *see* technoleg

nhedi: *see* tedi

nhegan: *see* tegan

nheganau: *see* tegan

nhegell: *see* tegell

nhegellau: *see* tegell

nhei: *see* tei

nheiar: *see* teiar

nheiars: *see* teiar

nheidiau: *see* taid

nheiliwr: *see* teiliwr

nheilwriaid: *see* teiliwr

nheimlad: *see* teimlad

nheimladau: *see* teimlad

nheimlo: *see* teimlo

nheip: *see* teip

nheipiadur: *see* teipiadur

nheipiaduron: *see* teipiadur

nheipiau: *see* teip

nheipio: *see* teipio

nheipydd: *see* teipydd

nheipyddion: *see* teipydd

nheirw: *see* tarw

nheis: *see* tei

nheisen: *see* teisen

nheisennau: *see* teisen

nheisenni: *see* teisen

nheithiau: *see* taith

nheithiwr: *see* teithiwr

nheithwyr: *see* teithiwr

nheitl: *see* teitl

nheitlau: *see* teitl

nheledu: *see* teledu

nheledydd: *see* teledu

nheledyddion: *see* teledu

nheleffon: *see* teleffon

nheleffonau: *see* teleffon

nheliffon: *see* teliffon

nheliffonau: *see* teliffon

nheligraff: *see* teligraff

nheligraffau: *see* teligraff

nheligram: *see* teligram

nheligramau: *see* teligram

nhelyn: *see* telyn

nhelynau: *see* telyn

nhestun: *see* testun

nhestunau: *see* testun

nheulu: *see* teulu

nhiced: *see* ticed

nhicedau: *see* ticed

nhicedi: *see* ticed

nhîm: *see* tîm

nhimau: *see* tîm

nhir: *see* tir

nhiroedd: *see* tir

nhiwb: *see* tiwb

nhiwbiau: *see* tiwb

nhiwn: *see* tiwn

nhiwniau: *see* tiwn

nhiwtor: *see* tiwtor

nhiwtoriaid: *see* tiwtor

nhlws: *see* tlws

nhlysau: *see* tlws

nho: *see* to

nhocyn: *see* tocyn

nhocynnau: *see* tocyn

nhoeau: *see* to
nhoeon: *see* to
nhoiled: *see* toiled
nhoiledau: *see* toiled
nhoiledi: *see* toiled
nhôn: *see* tôn
nhonau: *see* tôn
nhorri: *see* torri
nhorth: *see* torth
nhorthau: *see* torth
nhorts: *see* torts
nhost: *see* tost
nhractor: *see* tractor
nhractorau: *see* tractor
nhraed: *see* troed
nhraeth: *see* traeth
nhraethau: *see* traeth
nhraethawd: *see* traethawd
nhraethodau: *see* traethawd
nhrafod: *see* trafod
nhrafodaeth: *see* trafodaeth
nhrafodaethau: *see* trafodaeth
nhrasiedi: *see* trasiedi
nhrasieđïau: *see* trasiedi
nhref: *see* tref
nhrefi: *see* tref
nhrefniadau: *see* trefniant
nhrefniant: *see* trefniant
nhrefnu: *see* trefnu
nhrefnydd: *see* trefnydd
nhrefnyddion: *see* trefnydd
nhreigl(i)ad: *see* treigl(i)ad
nhreigl(i)adau: *see* treigl(i)ad
nhreio: *see* treio
nhrên: *see* trên
nhrenau: *see* trên
nhreth: *see* treth
nhrethi: *see* treth
nhreuliau: *see* treuliau

nhriawd: *see* triawd
nhriawdau: *see* triawd
nhrin: *see* trin
nhriniaeth: *see* triniaeth
nhriniaethau: *see* triniaeth
nhrio: *see* trio
nhriongl: *see* triongl
nhrionglau: *see* triongl
nhrip: *see* trip
nhripiau: *see* trip
nhristwch: *see* tristwch
nhroad: *see* troad
nhroadau: *see* troad
nhroed: *see* troed
nhroedfedd: *see* troedfedd
nhroedfeddi: *see* troedfedd
nhroi: *see* troi
nhrôns: *see* trôns
nhrowsus: *see* trowsus
nhrowsusau: *see* trowsus
nhrwblu: *see* trwblu
nhrwsio: *see* trwsio
nhrwydded: *see* trwydded
nhrwyddedau: *see* trwydded
nhrwyn: *see* trwyn
nhrwynau: *see* trwyn
nhrydan: *see* trydan
nhrydanwr: *see* trydanwr
nhrydanwyr: *see* trydanwr
nhrydedd: *see* trydedd
nhrydydd: *see* trydydd
nhrysor: *see* trysor
nhrysorau: *see* trysor
nhrysorydd: *see* trysorydd
nhrysoryddion: *see* trysorydd
nhudalen: *see* tudalen
nhudalennau: *see* tudalen
nhun: *see* tun
nhuniau: *see* tun

nhw: them; they
nhwlc: *see* **twlc**
nhwll: *see* **twll**
nhwmpath: *see* **twmpath**
nhwmpathau: *see* **twmpath**
nhwnelau: *see* **twnnel**
nhwnnel: *see* **twnnel**
nhwpsod: *see* **twpsyn**
nhwpsyn: *see* **twpsyn**
nhwr: *see* **twr**
nhŵr: *see* **tŵr**
nhwrci: *see* **twrci**
nhwrcïod: *see* **twrci**
nhwrnai: *see* **twrnai**
nhwrneiod: *see* **twrnai**
nhwthau: *see* **hwythau**
nhwyllo: *see* **twyllo**
nhwymo: *see* **twymo**
nhŷ: *see* **tŷ**
nhybaco: *see* **tybaco**
nhyddyn: *see* **tyddyn**
nhyddynnod: *see* **tyddyn**
nhyllau: *see* **twll**
nhymer: *see* **tymer**
nhymheredd: *see* **tymheredd**
nhymhorau: *see* **tymor**
nhymor: *see* **tymor**
nhynnu: *see* **tynnu**
nhyrau: *see* **tŵr**
nhyrrau: *see* **twr**
nhywel: *see* **tywel**
nhyweli: *see* **tywel**
nhywod: *see* **tywod**
nhywysog: *see* **tywysog**
nhywysoges: *see* **tywysoges**
nhywysogesau: *see* **tywysoges**
nhywysogion: *see* **tywysog**
ni: we; us
niacon: *see* **diacon**

niaconiaid: *see* **diacon**
niben: *see* **diben**
nibenion: *see* **diben**
nid: not
niddanu: *see* **diddanu**
niddordeb: *see* **diddordeb**
niddordebau: *see* **diddordeb**
niddori: *see* **diddori**
nifer, -oedd: number(s); amount(s) *m f*
niferyn: *see* **diferyn**
nifetha: *see* **difetha**
niflasu: *see* **diflasu**
nifyrru: *see* **difyrru**
nigio: *see* **digio**
nihuno: *see* **dihuno**
nillad: *see* **dilledyn**
nilledyn: *see* **dilledyn**
nilyn: *see* **dilyn**
ninas: *see* **dinas**
ninasoedd: *see* **dinas**
ninasyddion: *see* **dinesydd**
ninesydd: *see* **dinesydd**
ninistrio: *see* **dinistrio**
ninnau: we, us too; we, us on our part
niod: *see* **diod**
niodydd: *see* **diod**
niolchiadau: *see* **diolchiadau**
nionyn, nionod: onion(s) [north] *m*
nirwy: *see* **dirwy**
nirwyo: *see* **dirwyo**
nirwyon: *see* **dirwy**
nisgrifiad: *see* **disgrifiad**
nisgrifiadau: *see* **disgrifiad**
nisgrifio: *see* **disgrifio**
nisgwyl: *see* **disgwyl**
nisgwyliad: *see* **disgwyliad**

nisgwyliadau: *see* **disgwyliad**
nisgybl: *see* **disgybl**
nisgyblion: *see* **disgybl**
nistawrwydd: *see* **distawrwydd**
nitectif: *see* **ditectif**
nitectifau: *see* **ditectif**
nith, -oedd: niece(s) *f*
niwclear: nuclear; **ynni niwclear:**
    nuclear power
niwed, niweidiau: injury, injuries;
    harm *m*
niwedd: *see* **diwedd**
niweidio: to harm; to injure
    [*stem* **niweidi-**] **niweidiodd:** he,
    she injured; harmed
niwl: fog; mist *m*
niwlog: foggy; misty
niwrnod: *see* **diwrnod**
niwrnodau: *see* **diwrnod**
niwydiant: *see* **diwydiant**
niwydiannau: *see* **diwydiant**
noctor: *see* **doctor**
noctoriaid: *see* **doctor**
nodi: to note [*stem* **nod-**]
    nododd: he, she noted
nodrefn: *see* **dodrefnyn**
nodrefnyn: *see* **dodrefnyn**
nodwedd, -ion: characteristic(s);
    feature(s) *f*
nodweddiadol: characteristic;
    typical
nodwydd, -au: needle(s) *f*
nodyn, nodau: note(s) [musical] *m*
nodyn, nodiadau: note(s) *m*
noeth: naked
nofel, -au: novel(s) *f*
nofelydd, nofelwyr: novelist(s) *m*
nofio: to swim [*stem* **nofi-**]
    nofiodd: he, she swam

nol: *see* **dol**
nôl: *see* **dôl**
nôl: to fetch; to get; **ewch i nôl y**
    car: go and fetch the car
nolen: *see* **dolen**
nolennau: *see* **dolen**
nolenni: *see* **dolen**
nolur: *see* **dolur**
noluriau: *see* **dolur**
nolydd: *see* **dôl**
noniau: *see* **dawn**
nos, -au: night(s) *f*; **nos da:**
    good night; **nos Lun:** Monday
    night; evening
nosbarth: *see* **dosbarth**
nosbarthau: *see* **dosbarth**
nosbarthiadau: *see* **dosbarth**
noswaith, nosweithiau: evening(s);
    night(s) *f*;
    noswaith dda: good evening
nrama: *see* **drama**
nramâu: *see* **drama**
nramodwyr: *see* **dramodydd**
nramodydd: *see* **dramodydd**
nrôr: *see* **drôr**
nrorau: *see* **drôr**
nroriau: *see* **drôr**
nŵr: *see* **dŵr**
nwrn: *see* **dwrn**
nwsin: *see* **dwsin**
nwsinau: *see* **dwsin**
nwster: *see* **dwster**
nwsteri: *see* **dwster**
nwy, -on: gas(es) *m*
nwy: *see* **dwy**
nwyd, -au: passion(s);
    emotion(s) *m*
nwydd, -au: good(s) *m*
nwyn: *see* **dwyn**

nwyrain: *see* dwyrain
nychryn: *see* dychryn
nychymyg: *see* dychymyg
nyddiad: *see* dyddiad
nyddiadau: *see* dyddiad
nyddiadur: *see* dyddiadur
nyddiaduron: *see* dyddiadur
nyddiau: *see* dydd
nyfais: *see* dyfais
nyfarniad: *see* dyfarniad
nyfarniadau: *see* dyfarniad
nyfarnwr: *see* dyfarnwr
nyfarnwyr: *see* dyfarnwyr
nyfeisiadau: *see* dyfais
nyffryn: *see* dyffryn
nyffrynnoedd: *see* dyffryn
nyfodol: *see* dyfodol
nyfroedd: *see* dŵr
nymuniad: *see* dymuniad
nymuniadau: *see* dymuniad
nyn: *see* dyn
nyni: we [emphatic]
nynion: *see* dyn
nyrnau: *see* dwrn
nyrnu: *see* dyrnu
nyrs, -ys: nurse(s) *f*
nyrsio: to nurse [*stem* nyrsi-]
nyrsiodd: he, she nursed
nysgl: *see* dysgl
nysglaid: *see* dysglaid
nysglau: *see* dysgl
nysgleidiau: *see* dysglaid
nysgu: *see* dysgu
nysgwr: *see* dysgwr
nysgwyr: *see* dysgwr
nyth, -od: nest(s) *mf*
nythu: to nest [*stem* nyth-]
nythodd: it nested

Oo

o: from; of; out of; **ohonof:** from me; **ohonot:** from you [*s*]; **ohono:** from him; **ohoni:** from her; **ohonon:** from us; **ohonoch:** from you [*pl*]; **ohonyn(t):** from them
obaith: *see* gobaith
ochenaid, ocheneidiau: sigh(s) *f*
ochr, -au: side(s) *f*
ochri: to side [*stem* ochr-] **ochrodd:** he, she sided
ocsigen: oxygen *m*
ocsiwn, ocsiynau: auction(s) *f*
od: odd; bizarre
oddi: out of; from; **oddi wrth:** from; **oddi ar:** from; since
odl, -au: rhyme(s) *f*
odli: to rhyme [*stem* odl-] **odlodd:** he, she rhymed
oed: age *m*
oed: age [after numbers]; **deg oed:** ten years of age
oedd: he, she was [*from* bod]
oeddech: you [*pl*] were [*from* bod]
oeddem, oedden: we were [*from* bod]
oeddit: you [*s*] were [*from* bod]
oeddwn: I was [*from* bod]
oeddyn(t), oedden(t): they were [*from* bod]
oedi: to delay [*stem* oed-] **oedodd:** he, she delayed
oedolyn, oedolion: adult(s) *m*

oedran, -nau: age(s) *m*
oen, ŵyn: lamb(s) *m*
oer: cold; **cyn oered:** as cold; **oerach:** colder; **oeraf:** coldest
oerfel: chill *m*
oergell, -oedd: refrigerator(s) *f*
oeri: to chill; to become cold [*stem* oer-] **oerodd:** he, she became cold; chilled
oes: is there; are there; yes [there is; there are] [*from* **bod**]
oes, -au, -oedd: age(s); lifetime(s) *f*
ofal: *see* **gofal**
ofalon: *see* **gofal**
ofalu: *see* **gofalu**
ofalus: *see* **gofalus**
ofergoel, -ion: superstition(s) *f*
offeiriad, offeiriaid: priest(s) *m*
offeryn, offer, offerynnau: instrument(s); tool(s) *m*
offerynnol: instrumental
offerynnydd, offerynwyr: instrumentalist(s) *m*
ofn, -au: fear(s) *m*
ofnadwy: terrible
ofni: to fear [*stem* ofn-] **ofnodd:** he, she feared
ofnus: timid; fearful; afraid
ofyn: *see* **gofyn**
ogledd: *see* **gogledd**
ogof, -âu: cave(s) *f*
oherwydd: because; for
ohirio: *see* **gohirio**
ôl, olion: mark(s); trace(s) *m*; **yn ôl:** according to; backwards **ar ôl:** after
ôl-nodyn, ôl-nodau: postscript(s) *m*
olaf: last
olchi: *see* **golchi**

oleuo: *see* **goleuo**
olew: oil *m*
oll: all; wholly
olwyn, -ion: wheel(s) *f*
olygfa: *see* **golygfa**
olynol: consecutive
olynydd, olynwyr: successor(s) *m*
ond: but; only
ongl, -au: angle(s) *f*
ongl: *see* **congl**
onglau: *see* **congl**
oni: unless; until
oni bai: unless
onnen, ynn: ash [tree(s)] *f*
opera, operâu: opera(s) *f*
oracl, -au: oracle(s) *m*
orau: *see* **gorau**
ordeinio: to ordain [*stem* ordeini-] **ordeiniodd:** he, she ordained
oren, -nau: orange(s) *m*
orffen: *see* **gorffen**
Orffennaf: *see* **Gorffennaf**
orffennol: *see* **gorffennol**
orfod: *see* **gorfod**
orfodi: *see* **gorfodi**
organ, -au: organ (s) *f*
organydd, -ion: organist(s) *m*
oriau: *see* **awr**
oriawr: watch [timepiece] *f*
oriel, -au: gallery, galleries *f*
oriog: fickle
orlawn: *see* **gorlawn**
orllewin: *see* **gorllewin**
ornest: *see* **gornest**
ornestau: *see* **gornest**
os: if
osgoi: to avoid [*stem* osgo-] **osgôdd:** he, she avoided
osod: *see* **gosod**

ots: difference; odds [*pl noun*];
dim ots: no difference; it
doesn't matter; **beth yw'r ots:**
what difference does it make
owns, -ys: ounce(s) *f*

pa: which [+ *soft mutation*];
pa('r) un: which one
pabell, pebyll: tent(s) *f*
pabydd, -ion: catholic(s);
papist(s) *m*
paced, -i, paceidiau: packet(s) *m*
pacio: to pack [*stem* **paci-**]
paciodd: he, she packed
padell, padelli, pedyll: pan(s) *f*
paent: paint(s) *m*
paffio: to box [sport] [*stem* **paffi-**]
paffiodd: he, she boxed
paffiwr, paffwyr: boxer(s) *m*
pafiliwn, pafiliynau: pavilion(s) *m*
pafin, -au: pavement(s) *m*
pais, peisiau: petticoat(s) *f*
palas, -au: palace(s) *m*
pallu: to refuse; fail [*stem* **pall-**]
pallodd: he, she refused;
failed [south]
palmant, palmentydd:
pavement(s) *m*
palu: to dig [*stem* **pal-**] **palodd:** he,
she dug
pam, paham: why
pan: when [+ *soft mutation*];
pan welais hi: when I saw her
panad: *see* **cwpanaid**
panaid: *see* **cwpanaid**
paned: *see* **cwpanaid**
paneidiau: *see* **cwpanaid**
panel, -au, -i: panel(s) *m*
pantomeim, -iau: pantomime(s) *m*
pantri, pantrïoedd: pantry,
pantries *m*

papur, -au: paper(s) *m*; **papur, -au newydd:** newspaper(s) *m*

papuro: to paper [*stem* **papur-**] **papurodd:** he, she papered

pâr, parau: pair(s) *m*

para: *see* **parhau**

paradwys: paradise *f*

paradwysaidd: paradisical

paraffîn: paraffin *m*

paragraff, -au: paragraph(s) *m*

parasiwt, -iau: parachute(s) *m*

paratoi: to prepare [*stem* **parato-**] **paratôdd:** he, she prepared

parc, -iau: park(s) *m*

parch: respect *m*

parchu: to respect [*stem* **parch-**] **parchodd:** he, she respected

parchus: respectful; respectable

parcio: to park [*stem* **parci-**] **parciodd:** he, she parked

pardwn: pardon; forgiveness *m*

parhau: to continue; to last [*stem* **parha-**] **parhaodd:** he, she continued; lasted

parlwr, parlyrau: parlour(s) *m*

parod: ready; willing

parsel, -i: parcel(s) *m*

parti, partïon: party, parties [celebration] *m*

partner, -iaid: partner(s) *m*

Pasg: Easter *m*

pasio: to pass [*stem* **pasi-**] **pasiodd:** he, she passed

pastai, pasteiod: pasty, pasties; pie(s) *f*

patrwm, patrymau: pattern(s) *m*

pawb: everybody

pechod, -au: sin(s) *m*

pecyn, -nau: pack(s) *m*

pedair: four [feminine]

pedal, -au: pedal(s) *m*

pedwar: four [masculine]

pedwarawd, -au: quartet(s) *m*

pedwaredd: fourth [feminine]

pedwerydd: fourth [masculine]

peg, -iau: peg(s) *m*

peidio: to stop [*stem* **peidi-**] **peidiodd:** he, she stopped; **paid!:** don' t! [*s*]; **peidiwch!:** don' t! [*pl*]

peint, -iau: pint(s) *m*

peintio: to paint [*stem* **peinti-**] **peintiodd:** he, she painted

peintiwr, peintwyr: painter(s) *m*

peiriant, peiriannau: machine(s) *m*

pêl, -i: ball(s) *f*

pêl-droed: football *f*

pelen, peli: ball(s) *f*

pell: far; **cyn belled:** as far; **pellach:** further; **pellaf:** furthest

pellter, -au, -oedd: distance(s) *m*

pelydr, -au: ray(s); beam(s) *m*

pelydr, -au-X: X-ray(s) *m*

pen, -nau: head(s); end(s); top(s); **ar ei ben ei hunan:** on his own; **pen tost:** headache [south]

pen-blwydd, -i: birthday(s); anniversary, anniversaries *m*

pencadlys: headquarters *m*

pencampwriaeth, -au: championship(s) *f*

pendant: definite; certain

penderfynu: to decide; to determine [*stem* **penderfyn-**] **penderfynodd:** he, she decided; determined

penelin, -oedd: elbow(s) *m f*

penfras, -au: cod *m*

pen-glin, -iau: knee(s) *f*
peniog: clever; intelligent; brainy
pen-lin, -iau: knee(s) *f*
pennaeth, penaethiaid: chief(s); head(s) *m*
pennill, penillion: verse(s); stanza(s) *m*
pennod, penodau: chapter(s) *f*
pennu: to determine; to appoint; to limit [*stem* **penn-**] **pennodd:** he, she determined; appointed; limited
penodi: to appoint [*stem* **penod-**] **penododd:** he, she appointed
penodiad, -au: appointment(s) [to a post] *m*
penodol: specific
pensaer, penseiri: architect(s) *m*
pensaernïaeth: architecture *f*
pensil, -iau: pencil(s) *m*
pensiwn, pensiynau: pension(s) *m*
pensiynwr, pensiynwyr: pensioner(s) *m*
pentref, -i: village(s) *m*
pentrefwr, pentrefwyr: villager(s)
penwythnos, -au: weekend(s) *m*
perchen: to own [*stem* **perchen-**] **perchenogodd:** he, she owned
perchennog, perchnogion: owner(s) *m*
perffaith: perfect
perffeithio: to perfect [*stem* **perffeithi-**] **perffeithiodd:** he, she perfected
perfformiad, -au: performance(s) *m*
perfformio: to perform [*stem* **perfformi-**] **perfformiodd:** he, she performed

perfformiwr, perfformwyr: performer(s) *m*
persawr, -au: perfume(s) *m*
person, -au: person(s) *m*
person, -iaid: parson(s) *m*
personol: personal
personoliaeth, -au: personality, personalities *f*
perswadio: to persuade [*stem* **perswadi-**] **perswadiodd:** he, she persuaded
pert: pretty; **cyn berted:** as pretty; **pertach:** prettier; **pertaf:** prettiest
perth, -i: bush(es) *f*
perthnasol: relevant
perthyn: to belong; to be related; to be a member of [*stem* **perthyn-**] **perthynai:** he, she belonged; was related; was a member
perthynas: relationship *f*
perthynas, perthnasau: relation(s) *f*
perygl, -on: danger(s) *m*
peryglus: dangerous
peswch: cough *m*
pesychu: to cough [*stem* **pesych-**] **pesychodd:** he, she coughed
peth, -au: thing(s) *m*
peth: some
petrol: petrol *m*
piano: piano *m f*
piau: owns; **ef piau'r tŷ:** he owns the house
pib, -au: pipe(s) [smoking] *f*
pibell, -i, -au: pipe(s) *f*
picio: to nip over [*stem* **pici-**] **piciodd:** he, she nipped over

picnic: picnic *m*
pictiwr, pictiyrau: picture(s) *m*
pig, -au: beak(s) *f*
pigiad, -au: sting(s); injection(s) *m*
pigo: to pick; to sting [*stem* **pig-**]
    pigodd: he, she picked; stung
pigyn: thorn; tip *m*
pili-pala, -s: butterfly, butterflies *f*
pilsen, pils: pill(s) *f*
pin, -nau: pin(s) *m*
pioden, piod: magpie(s) *f*
piso: to urinate [*stem* **pis-**] **pisodd:**
    he, she urinated [vulgar]
pistyllio: to spout; to pour
    [*stem* **pistylli-**] **pistylliodd:** he,
    she, it spouted; poured
pisyn, pishyn, pisiau: piece(s) *m*
piti: pity *m*
plaen: plain [*adj*]
plaid, pleidiau: party, parties
    [political] *f*;
    o blaid: in favour of
planced, -i: blanket(s) *f*
planed, -au: planet(s) *f*
planhigyn, planhigion: plant(s) *m*
plannu: to plant [*stem* **plann-**]
    plannodd: he, she planted
plas, -au: palace(s); mansion(s) *m*
plastig: plastic
plasty, plastai: mansion(s) *m*
plât, platiau: plate(s) *m*
platfform, -au: platform (s) *m*
pledio: to plead [*stem* **pledi-**]
    plediodd: he, she pleaded
    [courtroom]
pleidlais, pleidleisiau: vote(s) *f*
pleidleisio: to vote
    [*stem* **pleidleisi-**] **pleidleisiodd:**
    he, she voted

plentyn, plant: child, children *m*
plentyndod: childhood *m*
plentynnaidd: childish
pleser, -au: pleasure(s) *m*
pleserus: pleasant
plisman, plismyn: policeman,
    policemen *m*
plismon, plismyn: policeman,
    policemen *m*
plismones, -au: policewoman,
    policewomen *f*
plwc, plyciau: pull(s); jerk(s) *m*
plwg, plygau, plygiau: plug(s) *m*
plwyf, -i: parish(es) *m*
plwyfol: parochial
plygu: to fold; to bend [*stem* **plyg-**]
    plygodd: he, she folded, bent
plymwr, plymwyr: plumber(s) *m*
pnawn: *see* **prynhawn**
pob: every; **pob un:** every one
pobi: to bake [*stem* **pob-**] **pobodd:**
    he, she baked
pobl, -oedd: people(s) *f*
poblogaeth, -au: population(s) *f*
poblogaidd: popular
pobman: everywhere
pobydd, -ion: baker(s) *m*
poced, -i: pocket(s) *f*
pocer, -i: poker(s) *m*
poen, -au: pain(s) *m f*
poeni: to worry [*stem* **poen-**]
    poenodd: he, she worried
poenus: painful
poeth: hot
poethi: to heat; to become heated
    [argument][*stem* **poeth-**]
    poethodd: he, she heated;
    it became heated
polyn, polion: pole(s) *m*

pont, -ydd: bridge(s) *f*
popeth: everything
popty, poptai: oven(s) *m*
porc: pork *m*
porfa, porfeydd: pasture(s) *f*
porffor: purple
pori: to graze [*stem* **por-**]
    porodd: it grazed
porth, pyrth: door(s); porch(es) *m*
porthladd, -oedd: port(s);
    harbour(s) *m*
posibilrwydd: possibility *m*
posibl: possible
post (y): the mail; post office *m*
poster, -i: poster(s) *m*
postio: to post [*stem* **posti-**]
    postiodd: he, she posted
postman, postmyn: postman,
    postmen *m*
postmon, postmyn: postman,
    postmen *m*
postyn, pyst: post(s); pillar(s) *m*
potyn, potiau: pot(s) *m*
potel, -i: bottle(s) *f*
potelaid, poteleidiau: bottleful(s) *f*
powdr, powdrau: powder(s) *m*
powlen, -ni: bowl(s) *f*
praidd, preiddiau: flock(s) *m*
pranc, -iau: prank(s) *m*
prancio: to prance; to frolic
    [*stem* **pranci-**] **pranciodd:** he,
    she pranced; frolicked
prawf, profion: test(s); proof(s) *m*
pregeth, -au: sermon(s) *f*
pregethu: to preach
    [*stem* **pregeth-**] **pregethodd:**
    he, she preached
pregethwr, pregethwyr:
    preacher(s) *m*

preifat: private
pren, -nau: timber(s) *m*
pren: wooden
prentis, -iaid: apprentice(s) *m*
pres: money [north]; brass;
    bronze *m*;
    Oes y Pres: Bronze Age
presenoldeb: presence *m*
presennol: present [*adj*]
presennol (y): the present *m*
pridd, -oedd: soil(s) *m*
prif: main; chief
prifardd, prifeirdd: chief bard(s) *m*
prifathrawes, -au:
    headmistress(es) *f*
prifathro, prifathrawon:
    headmaster(s); principal(s)
    [college] *m*
prifddinas, -oedd: capital city,
    capital cities *f*
priffordd, priffyrdd: highway(s) *f*
priflythyren, priflythrennau:
    capital letter(s) *f*
prifysgol, -ion: university,
    universities *f*
prin: scarce; rare; hardly; **cyn**
    brinned: as scarce; as rare;
    prinnach: more scarce; more
    rare; **prinnaf:** most scarce;
    most rare
prinder: scarcity; shortage *m*
priod: spouse *m*
priod: married; **gŵr priod:** married
    man; **gwraig briod:** married
    woman
priodas, -au: wedding(s) *f*
priodfab, priodfeibion:
    bridegroom(s) *m*
priodferch, -ed: bride(s) *f*

priodi: to marry [*stem* **priod-**]
   priododd: he, she married
pris, -iau, -oedd: price(s) *m*
prisio: to value; to price
   [*stem* **prisi-**] **prisiodd:** he, she
   priced; valued
problem, -au: problem(s) *f*
profedigaeth, -au:
   bereavement(s) *f*
profiad, -au: experience(s) *m*
profiadol: experienced
prosiect, -au: project(s) *m*
pryd: when; **pryd y daeth hi?:**
   when did she come?
pryd: complexion *m*
pryd, -au: meal(s) *m*
pryd, -iau: time(s) *m*; **ar brydiau:**
   at times; **o bryd i'w gilydd:**
   from time to time
prydferth: beautiful; **cyn**
   brydferthed: as beautiful;
   prydferthach: more beautiful;
   prydferthaf: most beautiful
prydferthwch: beauty *m*
prydlon: punctual
pryf, -ed: insect(s) *m*
pryf copyn, pryfed cop: spider(s)
   [north] *m*
pryfocio: to provoke; to tease
   [*stem* **pryfoci-**] **pryfociodd:** he,
   she provoked; teased
pryfoclyd: provoking; provocative
prynhawn, -iau: afternoon(s) *m*
prynu: to buy [*stem* **pryn-**]
   prynodd: he, she bought
prynwr, prynwyr: buyer(s) *m*
prysur: busy
prysuro: to hurry [*stem* **prysur-**]
   prysurodd: he, she hurried

pulpud, -au: pulpit(s) *m*
pumed: fifth
pump: five [**pum** *in front of nouns*]
punt, punnau, punnoedd:
   pound(s) [money] *f*
pupur: pepper *m*
pur: pure; **cyn bured:** as pure;
   purach: purer; **puraf:** purest
purfa, purfeydd: refinery,
   refineries *f*
puro: to purify [*stem* **pur-**]
   purodd: he, she purified
pwdin, -au: pudding(s) *m*
pwdu: to sulk [*stem* **pwd-**]
   pwdodd: he, she sulked
pŵer, pwerau, pweroedd:
   power(s) *m*
pwll, pyllau: pit(s); pool(s) *m*;
   pwll glo: coal pit
pwll nofio: swimming pool *m*
pwmp, pympau, pympiau:
   pump(s) *m*
pwnc, pynciau: subject(s) *m*
pwrpas, -au: purpose(s) *m*
pwrpasol: on purpose;
   purposely made
pwrs, pyrsiau: purse(s) *m*
pwt, pytiau: bit(s) *m*
pwy: who; **pwy yw hi?:** who is she?
pwyllgor, -au: committee(s) *m*
pwynt, -iau: point(s) *m*
pwyntio: to point [*stem* **pwynti-**]
   pwyntiodd: he, she pointed
pwys, -i: pound(s) [weight] *m*
pwysau: weight
pwysig: important; **cyn bwysiced:**
   as important: **pwysicach:** more
   important; **pwysicaf:** most
   important

pwysigrwydd: importance *m*;
  o bwys: of importance
pwyslais, pwysleisiau: emphasis,
  emphases *m*
pwysleisio: to emphasize
  [*stem* **pwysleisi-**] **pwysleisiodd:**
  he, she emphasized
pwyso: to weigh; to lean; to press
  [*stem* **pwys-**] **pwysodd:** he, she
  weighed; leaned; pressed
pymtheg: fifteen
pymthegfed: fifteenth
pysen, pys: pea(s) *f*
pysgodyn, pysgod: fish *m*
pysgota: to fish [*stem* **pysgot-**]
  pysgotodd: he, she fished
pysgotwr, pysgotwyr: fisherman,
  fishermen *m*
pythefnos, -au: fortnight(s) *m f*

PH ph

pha: *see* pa
phabell: *see* pabell
phabydd: *see* pabydd
phabyddion: *see* pabydd
phaced: *see* paced
phacedi: *see* paced
phaceidiau: *see* paced
phacio: *see* pacio
phadell: *see* padell
phadelli: *see* padell
phaent: *see* paent
phaffio: *see* paffio
phaffiwr: *see* paffiwr
phaffwyr: *see* paffiwr
phafiliwn: *see* pafiliwn
phafiliynau: *see* pafiliwn
phafin: *see* pafin
phafinau: *see* pafin
phais: *see* pais
phalas: *see* palas
phalasau: *see* palas
phalmant: *see* palmant
phalmentydd: *see* palmant
phalu: *see* palu
phan: *see* pan
phanad: *see* cwpanaid
phanaid: *see* cwpanaid
phaned: *see* cwpanaid
phaneidiau: *see* cwpanaid
phanel: *see* panel
phanelau: *see* panel
phaneli: *see* panel
phantomeim: *see* pantomeim
phantomeimiau: *see* pantomeim
phantri: *see* pantri

phantrïoedd: *see* pantri
phapur: *see* papur
phapurau: *see* papur
phapuro: *see* papuro
phâr: *see* pâr
pharau: *see* pâr
pharadwys: *see* paradwys
pharadwysaidd: *see* paradwysaidd
pharaffîn: *see* paraffîn
pharagraff: *see* paragraff
pharagraffau: *see* paragraff
pharasiwt: *see* parasiwt
pharasiwtiau: *see* parasiwt
pharatoi: *see* paratoi
pharc: *see* parc
pharch: *see* parch
pharchu: *see* parchu
pharchus: *see* parchus
pharciau: *see* parc
pharcio: *see* parcio
phardwn: *see* pardwn
pharhau: *see* parhau
pharlwr: *see* parlwr
pharlyrau: *see* parlwr
pharod: *see* parod
pharsel: *see* parsel
pharseli: *see* parsel
pharti: *see* parti
phartïon: *see* parti
phartner: *see* partner
phartneriaid: *see* partner
Phasg: *see* Pasg
phasio: *see* pasio
phastai: *see* pastai
phasteiod: *see* pastai
phatrwm: *see* patrwm
phatrymau: *see* patrwm
phawb: *see* pawb
phebyll: *see* pabell

phechod: *see* pechod
phechodau: *see* pechod
phecyn: *see* pecyn
phecynnau: *see* pecyn
phedal: *see* pedal
phedalau: *see* pedal
phedwar: *see* pedwar
phedwarawd: *see* pedwarawd
phedwaredd: *see* pedwaredd
phedwerydd: *see* pedwerydd
pheg: *see* peg
phegiau: *see* peg
pheidio: *see* peidio
pheint: *see* peint
pheintiau: *see* peint
pheintio: *see* peintio
pheintiwr: *see* peintiwr
pheintwyr: *see* peintiwr
pheiriannau: *see* peiriant
pheiriant: *see* peiriant
pheisiau: *see* pais
phêl: *see* pêl
phelen: *see* pelen
pheli: *see* pêl
phell: *see* pell
phellter: *see* pellter
phelydr: *see* pelydr
phelydrau: *see* pelydr
phen: *see* pen
phenaethiaid: *see* pennaeth
phen-blwydd: *see* pen-blwydd
phen-blwyddi: *see* pen-blwydd
phencadlys: *see* pencadlys
phencampwriaeth: *see*
    pencampwriaeth
phencampwriaethau: *see*
    pencampwriaeth
phendant: *see* pendant
phenderfynu: *see* penderfynu

phenelin: *see* penelin
phenelinoedd: *see* penelin
phenfras: *see* penfras
phenfrasau: *see* penfras
phen-glin: *see* pen-glin
phen-gliniau: *see* pen-glin
phenillion: *see* pennill
pheniog: *see* peniog
phen-lin: *see* pen-lin
phen-liniau: *see* pen-lin
phennaeth: *see* pennaeth
phennau: *see* pen
phennill: *see* pennill
phennod: *see* pennod
phenodau: *see* pennod
phenodi: *see* penodi
phenodiad: *see* penodiad
phenodiadau: *see* penodiad
phenodol: *see* penodol
phensaer: *see* pensaer
phensaernïaeth: *see* pensaernïaeth
phenseiri: *see* pensaer
phensil: *see* pensil
phensiliau: *see* pensil
phensiwn: *see* pensiwn
phensiynau: *see* pensiwn
phensiynwr: *see* pensiynwr
phensiynwyr: *see* pensiynwr
phentref: *see* pentref
phentrefi: *see* pentref
phentrefwr: *see* pentrefwr
phentrefwyr: *see* pentrefwr
phenwythnos: *see* penwythnos
phenwythnosau: *see* penwythnos
pherchen: *see* perchen
pherchennog: *see* perchennog
pherchnogion: *see* perchennog
pherffaith: *see* perffaith
pherffeithio: *see* perffeithio

pherfformiad: *see* perfformiad
pherfformiadau: *see* perfformiad
pherfformio: *see* perfformio
pherfformiwr: *see* perfformiwr
pherfformwyr: *see* perfformiwr
phersawr: *see* persawr
phersawrau: *see* persawr
pherson: *see* person
phersonau: *see* person
phersoniaid: *see* person
phersonol: *see* personol
phersonoliaeth: *see* personoliaeth
phersonoliaethau: *see*
    personoliaeth
pherswadio: *see* perswadio
phert: *see* pert
pherth: *see* perth
pherthi: *see* perth
pherthnasau: *see* perthynas
pherthnasol: *see* perthnasol
pherthyn: *see* perthyn
pherthynas: *see* perthynas
pherygl: *see* perygl
pheryglus: *see* peryglus
pheswch: *see* peswch
phesychu: *see* pesychu
pheth: *see* peth
phethau: *see* peth
phetrol: *see* petrol
phiano: *see* piano
phib: *see* pib
phibau: *see* pib
phibell: *see* pibell
phibellau: *see* pibell
phibelli: *see* pibell
phicio: *see* picio
phicnic: *see* picnic
phictiwr: *see* pictiwr
phictiyrau: *see* pictiwr

phig: *see* pig
phigau: *see* pig
phigiad: *see* pigiad
phigiadau: *see* pigiad
phigo: *see* pigo
phigyn: *see* pigyn
phils: *see* pilsen
philsen: *see* pilsen
phin: *see* pin
phinnau: *see* pin
phiod: *see* pioden
phioden: *see* pioden
phisiau: *see* pisyn
phiso: *see* piso
phistyllio: *see* pistyllio
phishyn: *see* pisyn
phisyn: *see* pisyn
phlaen: *see* plaen
phlaid: *see* plaid
phlanced: *see* planced
phlancedi: *see* planced
phlaned: *see* planed
phlanedau: *see* planed
phlannu: *see* plannu
phlant: *see* plentyn
phlas: *see* plas
phlasau: *see* plas
phlastai: *see* plasty
phlastig: *see* plastig
phlasty: *see* plasty
phlât: *see* plât
phlatfform: *see* platfform
phlatfformau: *see* platfform
phledio: *see* pledio
phleidiau: *see* plaid
phlentyn: *see* plentyn
phlentyndod: *see* plentyndod
phlentynnaidd: *see* plentynnaidd
phleser: *see* pleser

phleserau: *see* pleser
phleserus: *see* pleserus
phlisman: *see* plisman
phlismon: *see* plismon
phlismones: *see* plismones
phlismonesau: *see* plismones
phlismyn: *see* plisman
phlismyn: *see* plismon
phlwc: *see* plwc
phlwg: *see* plwg
phlwyf: *see* plwyf
phlwyfi: *see* plwyf
phlwyfol: *see* plwyfol
phlycau: *see* plwc
phlyciau: *see* plwc
phlygau: *see* plwg
phlygiau: *see* plwg
phlygu: *see* plygu
phlymwr: *see* plymwr
phlymwyr: *see* plymwr
phnawn: *see* prynhawn
phob: *see* pob
phobi: *see* pobi
phobl: *see* pobl
phobloedd: *see* pobl
phoblogaeth: *see* poblogaeth
phoblogaethau: *see* poblogaeth
phoblogaidd: *see* poblogaidd
phobman: *see* pobman
phobydd: *see* pobydd
phobyddion: *see* pobydd
phoced: *see* poced
phocedi: *see* poced
phocer: *see* pocer
phoceri: *see* pocer
phoen: *see* poen
phoenau: *see* poen
phoeni: *see* poeni
phoenus: *see* poenus

phoeth: *see* poeth

phoethi: *see* poethi

pholion: *see* polyn

pholyn: *see* polyn

phont: *see* pont

phontydd: *see* pont

phopeth: *see* popeth

phoptai: *see* popty

phopty: *see* popty

phorc: *see* porc

phorfa: *see* porfa

phorfeydd: *see* porfa

phorffor: *see* porffor

phori: *see* pori

phorth: *see* porth

phorthladd: *see* porthladd

phorthladdoedd: *see* porthladd

phosibl: *see* posibl

phost: *see* post

phoster: *see* poster

phosteri: *see* poster

phostio: *see* postio

phostman: *see* postman

phostmon: *see* postmon

phostmyn: *see* postman

phostmyn: *see* postmon

phostyn: *see* postyn

phot: *see* pot

photel: *see* potel

photelaid: *see* potelaid

photeli: *see* potel

photiau: *see* potyn

photyn: *see* potyn

phowdr: *see* powdr

phowdrau: *see* powdr

phowlen: *see* powlen

phowlenni: *see* powlen

phranc: *see* pranc

phranciau: *see* pranc

phrancio: *see* prancio

phrawf: *see* prawf

phregeth: *see* pregeth

phregethau: *see* pregeth

phregethu: *see* pregethu

phregethwr: *see* pregethwr

phregethwyr: *see* pregethwr

phreifat: *see* preifat

phren: *see* pren

phrennau: *see* pren

phrentis: *see* prentis

phrentisiaid: *see* prentis

phres: *see* pres

phresennol: *see* presennol

phresenoldeb: *see* presenoldeb

phridd: *see* pridd

phriddoedd: *see* pridd

phrif: *see* prif

phrifardd: *see* prifardd

phrifeirdd: *see* prifardd

phrifathrawes: *see* prifathrawes

phrifathrawesau: *see* prifathrawes

phrifathrawon: *see* prifathro

phrifathro: *see* prifathro

phrifddinas: *see* prifddinas

phrifddinasoedd: *see* prifddinas

phrifffordd: *see* prifffordd

phriffyrdd: *see* prifffordd

phrifysgol: *see* prifysgol

phrifysgolion: *see* prifysgol

phrin: *see* prin

phrinder: *see* prinder

phriod: *see* priod

phriodas: *see* priodas

phriodasau: *see* priodas

phriodfab: *see* priodfab

phriodfeibion: *see* priodfab

phriodferch: *see* priodferch

phriodferched: *see* priodferch

phriodi: *see* priodi

phris: *see* pris

phrisiau: *see* pris

phrisio: *see* prisio

phrisoedd: *see* pris

phroblem: *see* problem

phroblemau: *see* problem

phrofedigaeth: *see* profedigaeth

phrofedigaethau: *see* profedigaeth

phrofiad: *see* profiad

phrofiadau: *see* profiad

phrofion: *see* prawf

phrosiect: *see* prosiect

phrosiectau: *see* prosiect

phryd: *see* pryd

phrydau: *see* pryd

phrydiau: *see* pryd

phrydferth: *see* prydferth

phrydferthach: *see* prydferth

phrydferthaf: *see* prydferth

phrydferthed: *see* prydferth

phrydferthwch: *see* prydferthwch

phrydlon: *see* prydlon

phryf: *see* pryf

phryf copyn: *see* pryf copyn

phryfed: *see* pryf

phryfed cop: *see* pryf copyn

phryfocio: *see* pryfocio

phryfoclyd: *see* pryfoclyd

phrynhawn: *see* prynhawn

phrynhawniau: *see* prynhawn

phrynu: *see* prynu

phrynwr: *see* prynwr

phrynwyr: *see* prynwr

phrysur: *see* prysur

phrysurdeb: *see* prysurdeb

phrysuro: *see* prysuro

phulpud: *see* pulpud

phulpudau: *see* pulpud

phum: *see* pump

phumed: *see* pumed

phump: *see* pump

phunnau: *see* punt

phunnoedd: *see* punt

phunt: *see* punt

phupur: *see* pupur

phur: *see* pur

phurach: *see* pur

phuraf: *see* pur

phured: *see* pur

phurfa: *see* purfa

phurfeydd: *see* purfa

phuro: *see* puro

phwdin: *see* pwdin

phwdinau: *see* pwdin

phwdu: *see* pwdu

phŵer: *see* pŵer

phwerau: *see* pŵer

phweroedd: *see* pŵer

phwll: *see* pwll

phwmp: *see* pwmp

phwnc: *see* pwnc

phwrpas: *see* pwrpas

phwrpasau: *see* pwrpas

phwrpasol: *see* pwrpasol

phwrs: *see* pwrs

phwt: *see* pwt

phwy: *see* pwy

phwyllgor: *see* pwyllgor

phwyllgorau: *see* pwyllgor

phwynt: *see* pwynt

phwyntiau: *see* pwynt

phwyntio: *see* pwyntio

phwys: *see* pwys

phwysau: *see* pwys

phwysi: *see* pwys

phwysig: *see* pwysig

phwysigrwydd: *see* pwysigrwydd

phwyslais: *see* pwyslais
phwyso: *see* pwyso
phyllau: *see* pwll
phympau: *see* pwmp
phympiau: *see* pwmp
phymtheg: *see* pymtheg
phymthegfed: *see* pymthegfed
phynciau: *see* pwnc
phyrsiau: *see* pwrs
phyrth: *see* porth
phys: *see* pysen
physen: *see* pysen
physgod: *see* pysgodyn
physgodyn: *see* pysgodyn
physgota: *see* pysgota
physgotwr: *see* pysgotwr
physgotwyr: *see* pysgotwr
physt: *see* postyn
phythefnos: *see* pythefnos
phythefnosau: *see* pythefnos
phytiau: *see* pwt

Rr

radd: *see* gradd
raddau: *see* gradd
raddio: *see* graddio
raddol: *see* graddol
radio: radio *f*
raffau: *see* rhaff
raffl, -au: raffle(s) *f*
ragair: *see* rhagair
rageiriau: *see* rhagair
ragfarn: *see* rhagfarn
ragfarnau: *see* rhagfarn
Ragfyr: *see* Rhagfyr
raglen: *see* rhaglen
raglenni: *see* rhaglen
ragor: *see* rhagor
ragrith: *see* rhagrith
ragrithio: *see* rhagrithio
ragrithion: *see* rhagrith
rai: *see* rhai
raid: *see* rhaid
ramadeg: *see* gramadeg
ramadegau: *see* gramadeg
ramadegol: *see* gramadegol
ramant: *see* rhamant
ramantau: *see* rhamant
ramantus: *see* rhamantus
ran: *see* rhan
ranbarth: *see* rhanbarth
ranbarthau: *see* rhanbarth
rannau: *see* rhan
rannu: *see* rhannu
ras, -ys: race(s) *f*
rasal, raselydd: razor(s) *f*
rasio: to race [*stem* rasi-]
  rasiodd: he, she raced

raw: *see* rhaw
rawiau: *see* rhaw
rawnffrwyth: *see* grawnffrwyth
rawnffrwythau: *see* grawnffrwyth
rawnwin: *see* grawnwin
real: real
realiti: reality *m*
record, -iau: record(s) *f*
recordiad, -au: recording(s) *m*
recordio: to record [*stem* recordi-]
    recordiodd: he, she recorded
recordydd, -ion: recorder(s)
    [machine] *m*; recordydd tâp:
    tape recorder
redeg: *see* rhedeg
redwr: *see* rhedwr
redwyr: *see* rhedwr
redyn: *see* rhedynen
redynen: *see* rhedynen
reg: *see* rheg
regfeydd: *see* rheg
regi: *see* rhegi
reidio: to ride [*stem* reidi-]
    reidiodd: he, she rode
reilffordd: *see* rheilffordd
reilffyrdd: *see* rheilffordd
reis: rice *m*
reithgor: *see* rheithgor
reithgorau: *see* rheithgor
rent: *see* rhent
renti: *see* rhent
rentu: *see* rhentu
reol: *see* rheol
reolaeth: *see* rheolaeth
reolau: *see* rheol
reoli: *see* rheoli
reolwr: *see* rheolwr
reolwyr: *see* rheolwr
res: *see* rhes

resi: *see* rhes
restr: *see* rhestr
restrau: *see* rhestr
restru: *see* rhestru
reswm: *see* rheswm
resymau: *see* rheswm
resymol: *see* rhesymol
resymu: *see* rhesymu
rew: *see* rhew
rewgell: *see* rhewgell
rewgelloedd: *see* rhewgell
rewi: *see* rhewi
riant: *see* rhiant
rieni: *see* rhiant
rif: *see* rhif
rifau: *see* rhif
rifo: *see* rhifo
rinwedd: *see* rhinwedd
rinweddau: *see* rhinwedd
ris: *see* gris
risiau: *see* gris
riwbob: *see* rhiwbob
roced, -i: rocket(s) *f*
rodd: *see* rhodd
roddi: *see* rhoddi
roddion: *see* rhodd
roedd: *see* oedd
roeddech: *see* oeddech
roeddem: *see* oeddem
roedden: *see* oeddem
roedden: *see* oedden(t)
roeddent: *see* oedden(t)
roeddit: *see* oeddit
roeddwn: *see* oeddwn
roeddyn: *see* oeddyn(t)
roeddynt: *see* oeddyn(t)
roi: *see* rhoi
rosod: *see* rhosyn
rost: *see* rhost

rostio: *see* **rhostio**
rosyn: *see* **rhosyn**
rosynnau: *see* **rhosyn**
rownd: round; around
rownd, -iau: round(s) *f*
   [e.g. of drinks or boxing]
ruban, -au: ribbon(s) *m*
ruddem: *see* **rhuddem**
ruddemau: *see* **ruddem**
rug: *see* **grug**
ruthro: *see* **rhuthro**
rŵan: now [*north*]
rwber, -i: rubber(s) *m*
rwbio: *see* **rhwbio**
rwden, rwdins: swede(s) *f*
rwydd: *see* **rhwydd**
rwyf: I am [*from* **bod**]
rwyf: *see* **rhwyf**
rwyfau: *see* **rhwyf**
rwyfo: *see* **rhwyfo**
rwygo: *see* **rhwygo**
rwystr: *see* **rhwystr**
rwystrau: *see* **rhwystr**
rwystro: *see* **rhwystro**
rybudd: *see* **rhybudd**
rybuddio: *see* **rhybuddio**
rybuddion: *see* **rhybudd**
ryd: *see* **rhyd**
rydau: *see* **rhyd**
rydd: *see* **rhydd**
ryddhad: *see* **rhyddhad**
ryddhau: *see* **rhyddhau**
ryddid: *see* **rhyddid**
rydych: *see* **ydych**
rydym: *see* **ydym**
rydyn: *see* **ydym**
rydyn: *see* **ydyn(t)**
rydynt: *see* **ydyn(t)**
ryfedd: *see* **rhyfedd**

ryfel: *see* **rhyfel**
ryfeloedd: *see* **rhyfel**
rygbi: rugby *m*
rysáit, rysetiau: recipe(s) *f*
rythm: *see* **rhythm**
rythmau: *see* **rhythm**
ryw: *see* **rhyw**
rywbeth: *see* **rhywbeth**
rywfaint: *see* **rhywfaint**
rywle: *see* **rhywle**
rywsut: *see* **rhywsut**
rywun: *see* **rhywun**

RH rh

rhad: cheap; **cyn rhated:** as cheap; **rhatach:** cheaper; **rhataf:** cheapest

rhaeadr, -au: waterfall(s) *f*

rhaff, -au: rope(s) *f*

rhag: lest; **rhag ofn:** in case

rhagair, rhageiriau: foreword(s) *m*

rhagbrawf, rhagbrofion: preliminary test(s) *m*

rhagfarn, -au: prejudice(s) *f*

Rhagfyr, mis Rhagfyr: December *m*

rhaglen, -ni: programme(s) *f*

rhaglennu: to programme [*stem* **rhaglenn-**] **rhaglennodd:** he, she programmed

rhaglennydd, rhaglenwyr: programmer(s) *m*

rhagolwg, rhagolygon: forecast(s) *m*; outlook(s); **rhagolygon y tywydd:** weather forecast

rhagor: more

rhagorol: excellent

rhagrith, -ion: hypocrisy, hypocrisies *m*

rhagrithio: to be hypocritical [*stem* **rhagrithi-**] **rhagrithiodd:** he, she was hypocritical

rhagrithiol: hypocritical

rhai: some

rhaid, rheidiau: necessity, necessities *m*; **rhaid iddo fynd:** he must go

rhain (y) : these

rhamant, -au: romance(s) *f*

rhamantus: romantic

rhan, -nau: part(s); section(s); share(s) *f*

rhanbarth, -au: region(s) *m*

rhannu: to share; to divide [*stem* **rhann-**] **rhannodd:** he, she shared; divided

rhaw, -iau: shovel(s); spade(s) *f*

rhedeg: to run [*stem* **rhed-**] **rhedodd:** he, she ran

rhedwr, rhedwyr: runner(s) *m*

rhedynen, rhedyn: fern(s) *f*

rheg, -feydd: curse(s); swear word(s) *f*

rhegi: to curse; to swear [*stem* **rheg-**] **rhegodd:** he, she swore; cursed

rheilffordd, rheilffyrdd: railway(s) *f*

rheithgor, -au: jury, juries *m*

rhent, -i: rent(s) *m*

rhentu: to rent [*stem* **rhent-**] **rhentodd:** he, she rented

rheol, -au: rule(s) *f*

rheolaeth: control *f*

rheolaidd: regular

rheoli: to rule [*stem* **rheol-**] **rheolodd:** he, she ruled

rheolwr, rheolwyr: ruler(s); manager(s) *m*

rhes, -i: row(s) [lines] *f*

rhestr, -au: list(s) *f*

rhestru: to list [*stem* **rhestr-**] **rhestrodd:** he, she listed

rheswm, rhesymau: reason(s) *m*

rhesymol: reasonable

rhesymu: to reason [*stem* **rhesym-**] **rhesymodd:** he, she reasoned

rhew: ice *m*
rhewgell, -oedd: freezer(s) *f*
rhewi: to freeze [*stem* **rhew-**]
   rhewodd: he, she froze
rhiant, rhieni: parent(s) *m*
rhif, -au: number(s) *m*
rhifo: to count [*stem* **rhif-**]
   rhifodd: he, she counted
rhinwedd, -au: virtue(s) *m f*
rhiw, -iau: hill(s); ascent(s) *f*
rhiwbob: rhubarb *m*
rhodd, -ion: gift(s) *f*
rhoddi: to give [*stem* **rhodd-**]
   rhoddodd: he, she gave
rhoi: to give [*stem* **rho-**]
   rhôdd: he, she gave
rhonc: arrant
rhos, -ydd: moor(s) *f*
rhost: roast [*adj*]
rhostio: to roast [*stem* **rhosti-**]
   rhostiodd: he, she roasted
rhosyn, -nau, rhosod: rose(s) *m*
rhuddem, -au: ruby, rubies *f*
rhugl: fluent
rhuthro: to rush [*stem* **rhuthr-**]
   rhuthrodd: he, she rushed
rhwbio: to rub [*stem* **rhwbi-**]
   rhwbiodd: he, she rubbed
rhwd: rust *m*
rhwng: between; **rhyngof:** between
   me; **rhyngot:** between you [*s*];
   rhyngddo: between him;
   rhyngddi: between her;
   rhyngon: between us;
   rhyngoch: between you [*pl*];
   rhyngddyn(t): between them
rhwydd: easy; **cyn rhwydded:** as
   easy; **rhwyddach:** easier;
   rhwyddaf: easiest

rhwyf, -au: oar(s) *f*
rhwyfo: to row [*stem* **rhwyf-**]
   rhwyfodd: he, she rowed
rhwygo: to tear [*stem* **rhwyg-**]
   rhwygodd: he, she tore
rhwystr, -au: hindrance(s) *m*
rhwystro: to prevent [*stem*
   rhwystr-] **rhwystrodd:**
   he, she prevented
rhy: too [+ *soft mutation*];
   rhy hwyr: too late
rhybudd, -ion: warning(s) *m*
rhybuddio: to warn [*stem*
   rhybuddi-] **rhybuddiodd:**
   he, she warned
rhyd, -au: ford(s) *f*
rhydd: free; loose
rhyddhad: relief *m*
rhyddhau: to free; to loosen [*stem*
   rhyddha-] **rhyddhaodd:** he, she
   freed, loosened
rhyddiaith: prose *f*
rhyddid: liberty; freedom *m*
rhydu: to rust [*stem* **rhyd-**]
   rhydodd: it rusted
rhyfedd: strange; **cyn rhyfedded:**
   as strange; **rhyfeddach:** more
   strange; **rhyfeddaf:** most
   strange
rhyfel, -oedd: war(s) *m*
rhyngwladol: international
rhythm, -au: rhythm(s) *m*
rhyw: some
rhyw, -iau: sex; sort *m f*
rhywbeth: something; anything
rhywbryd: sometime
rhywdro: sometime
rhywfaint: some amount
rhywiaethol: sexist

rhywiol: sexual
rhywioldeb: sexuality *m*
rhywle: somewhere
rhywsut: somehow
rhywun: someone; anyone

Ss

sach, -au: sack(s) *m f*;
    sach dyrnu: condom [vulgar]
sachaid, sacheidiau: sackful(s) *m f*
Sadwrn, dydd Sadwrn: Saturday *m*
saer, seiri: carpenter(s) *m*
saeth, -au: arrow(s) *f*
saethu: to shoot [*stem* **saeth-**]
    saethodd: he, she shot
safbwynt, -iau: standpoint(s) *m*
saff: safe [*adj*]
safio: to save [*stem* **safi-**]
    safiodd: he, she saved
safle, -oedd: position(s); site(s) *m*
safon, -au: standard(s); class(es) *m*
saib, seibiau: pause(s); rest(s) *m*
sail, seiliau: foundation(s) *m*
saim, seimiau: grease(s) *m*
sain, seiniau: sound(s); tone(s) *f*
saith: seven
sâl: ill; **cyn saled:** as ill; **salach:**
    more ill; **salaf:** most ill
salad, -au: salad(s) *m*
salm, -au: psalm(s) *f*
salw: ugly; **cyn salwed:** as ugly;
    salwach: uglier; **salwaf:** ugliest
salwch: illness *m*
sanau: *see* **hosan**
sanctaidd: holy
sandal, -au: sandal(s) *f*
sant, saint, seintiau: saint(s) *m*;
    Dewi Sant: Saint David
santes: saint [female] *f*
sarhau: to insult [*stem* **sarha-**]
    sarhaodd: he, she insulted

sathru: to trample [*stem* **sathr-**]
   sathrodd: he, she trampled
sawdl, sodlau: heel(s) *m f*
sawl: how many; several
saws: sauce *m*
sbaner, -i: spanner(s) *m*
sbâr: spare;
   olwyn sbâr: spare wheel
sbectol, -au: spectacle(s) *f*
sbeit: spite *m*
sbeitio: to spite [*stem* **sbeiti-**]
   sbeitiodd: he, she spited
sbeitlyd: spiteful
sbel: time; rest *f*
sbio: to look [*stem* **sbi-**]
   sbiodd: he, she looked
sblasio: to splash [*stem* **sblasi-**]
   sblasiodd: he, she splashed
sboncen: squash [sport] *f*
sbort: amusement *m f*
sbotyn, sbotiau: spot(s) *m*
sbri: fun *m*
sbwng: sponge *m*
sbwriel: rubbish *m*
sebon, -au: soap(s) *m*
seboni: to flatter [*stem* **sebon-**]
   sebonodd: he, she flattered
sedd, -au: seat(s) *f*
sef: namely
sefydliad,-au: institution(s) *m*
sefydlog: settled
sefydlu: to settle; to establish
   [*stem* **sefydl-**] **sefydlodd:**
   he, she settled; established
sefyll: to stand [*stem* **saf-**]
   safodd: he, she stood
sefyllfa, -oedd: situation(s) *f*
segur: idle
segura: to idle [*stem* **segur-**]

segurodd: he, she idled
segurdod: idleness *m*
seibiant, seibiannau: pause(s) *m*
seiciatrydd, -ion: psychiatrist(s) *m*
seiclo: to cycle [*stem* **seicl-**]
   seiclodd: he, she cycled
seico-analysis: psycho-analysis *m*
seicoleg: psychology *f*
seicolegydd, seicolegwyr:
   psychologist(s) *m*
seidr: cider *m*
seimllyd: greasy
seithfed: seventh
sêl: sale *f*
seler, -i, -au: cellar(s) *f*
selog: zealous; ardent; cute [north]
selsigen, selsig: sausage(s) *f*
seml: *see* **syml**
senedd, -au: parliament(s);
   senate(s) *f*
seneddol: parliamentary;
   Aelod Seneddol: Member of
   Parliament
sengl: single
serch, -iadau: affection(s); love *m*;
   serch hynny: in spite of that
seremoni, seremonïau: ceremony,
   ceremonies *f*
seren, sêr: star(s) *f*
serth: steep
seryddiaeth: astronomy *f*
seryddwr, seryddwyr:
   astronomer(s) *m*
sesiwn, sesiynau: session(s) *m*
set, -iau: set(s) *f*
sêt, seti: seat(s) *f*
setlo: to settle [*stem* **setl-**] **setlodd:**
   he, she settled
sgarff, -au, -iau: scarf, scarves *f*

sgarmes, -oedd: skirmish(es) *f*

sgerbwd, sgerbydau: skeleton(s); carcass(es) *m*

sgert, -iau: skirt(s) *f*

sgets, -ys, -au: sketch(es) *f*

sgil, -iau: skill(s) *m*

sgipio: to skip [*stem* **sgipi-**] **sgipiodd:** he, she skipped

sglefrio: to skate [*stem* **sglefri-**] **sglefriodd:** he, she skated

sgleinio: to polish; to shine [*stem* **sgleini-**] **sgleiniodd:** he, she polished; shone

sglodyn, sglodion: chip(s) *m*

sgôr, sgoriau: score(s) [points] *m*; **sgôr terfynol:** final score

sgorio: to score [*stem* **sgori-**] **sgoriodd:** he, she scored

sgrech, -iadau: shriek(s); scream(s) *f*

sgrechian: to scream [*stem* **sgrechi-**] **sgrechiodd:** he, she screamed

sgrîn, sgriniau: screen(s) *f*

sgript, -iau: script(s) *f*

sgriw, -iau: screw(s) *f*

sgriwio: to screw [*stem* **sgriwi-**] **sgriwiodd:** he, she screwed

sgwâr, sgwariau: square(s) *m*

sgwario: to square [*stem* **sgwari-**] **sgwariodd:** he, she squared

sgwarnog: *see* **ysgyfarnog**

sgwarnogod: *see* **ysgyfarnog**

sgwrs, sgyrsiau: conversation(s); chat(s) *f*

sgwrsio: to converse; to chat [*stem* **sgwrsi-**] **sgwrsiodd:** he, she conversed; chatted

shwd: how (colloquial)[south]

siaced, -i: jacket(s) *f*

siafft, -au, -iau: shaft(s) *f*

sialc, -au, -iau: chalk(s) *m*

sianel, -au, -i: channel(s) *f*

siâp, siapiau: shape(s) *m*

siapus: shapely

siarad: to speak; to talk [*stem* **siarad-**] **siaradodd:** he, she spoke, talked

siaradus: talkative

siaradwr, -wyr: speaker(s) [male] *m*

siaradwraig, siaradwragedd: speaker(s) [female] *f*

siart, -iau: chart(s) *f*

siawns: chance *m f*

sibrwd, sibrydion: whisper(s) *m*

sibrwd: to whisper [*stem* **sibrydi-**] **sibrydiodd:** he, she whispered

sicr: sure; **cyn sicred:** as sure; **sicrach:** surer; **sicraf:** surest

sicrhau: to ensure [*stem* **sicrha-**] **sicrhaodd:** he, she ensured

sicrwydd: certainty *m*

sidan, -au: silk(s) *m*

siec, -iau: cheque(s) *f*

siecio: to check [*stem* **sieci-**] **sieciodd:** he, she checked

sied, -au: shed(s) *f*

sifil: civil; **gwas, gweision sifil:** civil servant(s)

sigâr, -s: cigar(s) *f*

sigarét, sigarennau: cigarette(s) *f*

siglen, -ydd: swing(s) [playground] *f*

siglo: to shake; to swing [*stem* **sigl-**] **siglodd:** he, she shook; swung

sil, -iau: sill(s) *f*

silff, -oedd: shelf, shelves *f*

silff-ben-tân, silffoedd-pen-tân: mantlepiece(s) *f*

silindr, -au: cylinder(s) *m*

sillaf, -au: syllable(s) *f*

sillafu: to spell [*stem* **sillaf-**]
　sillafodd: he, she spelled

simnai, simneiau: chimney(s) *f*

sinc, -iau: sink(s) *m*

sinema, sinemâu: cinema(s) *f*

sioc: shock *m*

siocled, -i: chocolate(s) *m*

sioe, -au: show(s) *f*

siôl, siolau: shawl(s) *f*

siom: disappointment *m f*

siomedig: disappointing; disappointed

siomi: to disappoint [*stem* **siom-**]
　siomodd: he, she disappointed

siop, -au: shop(s) *f*

siopa, siopio: to shop [*stem* **siopi-**]
　siopiodd: he, she shopped

siopwr, siopwyr: shopkeeper(s) *m*

sipsi, sipsiwn: gipsy, gipsies *m f*

sir, -oedd: county, counties *f*

sirol: of a county

siswrn, sisyrnau: scissors *m*

siwgr, -au: sugar(s) *m*

siwmper, -i: jumper(s) *f*

siŵr: sure; certain

siwrnai, siwrneiau, siwrneion: journey, journeys *f*

siwt, -iau: suit(s) *f*

siwtio: to suit [*stem* **siwti-**]
　siwtiodd: he, she suited

slab, -iau: slab(s) *m*

sleifio: to slink [*stem* **sleifi-**]
　sleifiodd: he, she slunk

sleisen, -ni, -nau: slice(s) *f*

sliper, -au, -i: slipper(s) *f*

slogan, -au: slogan(s) *m f*

smalio: to pretend [*stem* **smali-**]
　smaliodd: he, she pretended

sment: cement *m*

smocio: to smoke [*stem* **smoci-**]
　smociodd: he, she smoked

smociwr, smocwyr: smoker(s) *m*

smotyn, smotiau: spot(s) *m*

smwddio: to iron [*stem* **smwddi-**]
　smwddiodd: he, she ironed

smygu: *see* **ysmygu**

smygwr: *see* **ysmygwr**

smygwyr: *see* **ysmygwr**

snwcer: snooker *m*

sobr: sober; serious

sobri: to sober [*stem* **sobr-**]
　sobrodd: he, she sobered

soced, -i: socket(s) *f*

soffa: sofa *f*

sôn: mention [*stem* **soni-**]
　soniodd: he, she mentioned

soned, -au: sonnet(s) *f*

sosban, -nau, sosbenni: saucepan(s) *f*

soser, -i: saucer(s) *f*

sothach: trash *m*

sownd: safe; secure

spotyn, spotiau: spot(s) *m*

stabl, -au: stable(s) *f*

stad, -au: state(s); estate(s) *f*

staen, -iau: stain(s) *m*

staer, -au: stair(s) *f*

stafell, -oedd: room(s) *f*

staff: staff *m*

stamp, -iau: stamp(s) *m*

stampio: to stamp [*stem* **stampi-**]
　stampiodd: he, she stamped

stapl, -au: staple(s) *f*

starts: starch *m*

stêm: steam *m*

sticio: to stick [*stem* **stici-**]
   sticiodd: he, she stuck

stiwdio, -s: studio(s) *f*

stof, -au: stove(s) *f*

stôl, stolau, stolion: stool(s) *f*

stôn: stone [weight] *f*

stondin, -au: stall(s) *f*

stopio: to stop [*stem* **stopi-**]
   stopiodd: he, she stopped

stordy, stordai: storeroom(s);
   warehouse(s) *m*

storfa, storfeydd: storeroom(s) *f*

stori, storïau, straeon: story,
   stories *f*

storm, stormydd: storm(s) *f*

stormus: stormy

straen: strain *m*

streic, -iau: strike(s)
   [industrial action] *f*

streicio: to strike [*stem* **streici-**]
   streiciodd: he, she striked

strwythur, -au: structure(s) *m*

stryd, -oedd: street(s) *f*

stumog, -au: stomach(s) *f*

stwffin: stuffing *m*

stwffio: to stuff [*stem* **stwffi-**]
   stwffiodd: he, she stuffed

stŵr: noise *m*

sudd: juice *m*;
   sudd oren: orange juice

suddo: to sink [*stem* **sudd-**]
   suddodd: he, she sank

sugno: to suck [*stem* **sugn-**]
   sugnodd: he, she sucked

Sul, dydd Sul: Sunday *m*

Sulgwyn: Whitsun *m*

sur: sour

sut: how

sw: zoo *m f*

swil: shy

swildod: shyness *m*

swm, symiau: sum(s); amount(s) *m*

sŵn, synau: noise(s); sound(s) *m*

swnllyd: noisy

sŵoleg: zoology *f*

sŵolegydd, sŵolegwyr:
   zoologist(s) *m*

swper, -au: supper(s) *m*

swrth: inert; drowsy

sws, -ys: kiss(es) *m f*

swydd, -i: job(s);
   post(s) [employment] *f*

swyddfa, swyddfeydd: office(s) *f*

swyddog, -ion: officer(s); official(s) *m*

swyddogol: official

swyno: to charm [*stem* **swyn-**]
   swynodd: he, she charmed

swynol: melodious

sych: dry; **cyn syched:** as dry;
   sychach: drier; **sychaf:** driest

syched: thirst *m*

sychedig: thirsty

sychu: to dry [*stem* **sych-**]
   sychodd: he, she dried

sydd: who is; which is

sydyn: sudden; **yn sydyn:** suddenly

syfrdanu: to bewilder; amaze
   [*stem* **syfrdan-**] **syfrdanodd:**
   he, she bewildered; amazed

sylfaen, sylfeini: foundation(s) *f*

sylfaenol: basic; fundamental

syllu: to gaze [*stem* **syll-**]
   syllodd: he, she gazed

sylw, -adau: attention(s);
   observation(s) *m*

sylwedd, -au: substance(s) *m*

sylweddol: substantial

sylweddoli: to realize [*stem* **sylweddol-**] **sylweddolodd:** he, she realized

sylwi: to observe; to notice [*stem* **sylw-**] **sylwodd:** he, she noticed, observed

sym, -iau: sum(s) [arithmetic] *m*

symffoni, symffonïau: symphony, symphonies *f*

syml: simple [feminine **seml**]; **cyn symled:** as simple; **symlach:** simpler; **symlaf:** simplest

symleiddio: to simplify [*stem* **symleiddi-**] **symleiddiodd:** he, she simplified

symud: to move [*stem* **symud-**] **symudodd:** he, she moved

symudiad, -au: movement(s) *m*

syn: amazed

syndod: surprise; shock *m*

synhwyro: to sense [stem **synhwyr-**] **synhwyrodd:** he, she sensed

synhwyrol: sensible

syniad, -au: idea(s) *m*

synnu: to surprise; to wonder [*stem* **synn-**] **synnodd:** he, she surprised

synnwyr, synhwyrau: sense(s) *m*; **synnwyr cyffredin:** common sense

syr: sir; **Annwyl Syr:** Dear Sir

syrcas: circus *f*

syrffedu: to surfeit [*stem* **syrffed-**] **syrffedodd:** he, she surfeited

syrthio: to fall [*stem* **syrthi-**] **syrthiodd:** he, she fell

syth: straight

sythu: to straighten [*stem* **syth-**] **sythodd:** he, she straightened

tabl, -au: table(s) [lists] *m*

tabled, -i: tablet(s) *f*

tabŵ: taboo *m*

Tachwedd, mis Tachwedd: November *m*

taclo: to tackle [*stem* **tacl-**] **taclodd:** he, she tackled

taclus: tidy; **cyn daclused:** as tidy; **taclusach:** tidier; **taclusaf:** tidiest

tacluso: to tidy [*stem* **taclus-**] **taclusodd:** he, she tidied

tacsi, -s: taxi(s) *m*

tad, -au: father(s) *m*

tad-cu, tadau-cu: grandfather(s) [south] *m*

tad-yng-nghyfraith, tadau-yng-nghyfraith: father(s)-in-law *m*

tafarn, -au: pub(s) *m f*

tafarnwr, tafarnwyr: publican(s) *m*

tafell, -au: slice(s) *f*

taflen, -ni: leaflet(s) *f*

taflu: to throw [*stem* **tafl-**] **taflodd:** he, she threw

tafod, -au: tongue(s) *m*

tafodiaith, tafodieithoedd: dialect(s) *f*

taid, teidiau: grandfather(s) [north] *m*

tair: three [feminine]

taith, teithiau: journey(s); travel(s) *f*

tal: tall; **cyn daled:** as tall; **talach:** taller; **talaf:** tallest

tâl, taliadau: payment(s) *m*

taladwy: payable

talaith, taleithiau: province(s) *f*

talcen, -nau, -ni: forehead(s) *m*

taldra: height [of person] *m*

talent, -au: talent(s) *f*

talentog: talented

talfyriad, -au: abbreviation(s); abridgement(s) *m*

taliad, -au: payment(s) *m*

talu: to pay [*stem* **tal-**] **talodd:** he, she paid

tamaid, tameidiau: piece(s); bite(s); morsel(s) *m*

tan: until

tan: under; below; **tanaf:** under; me; **tanat:** under you [*s*]; **tanddo** under him; **tanddi:** under her; **tanon:** under us; **tanoch:** under you [*pl*]; **tanddyn(t):** under them

tân, tanau: fire(s) *m*

tanc, -iau: tank(s) *m*

tanio: to fire [*stem* **tani-**] **taniodd:** he, she fired

tant, tannau: string(s) [of instrument] *m*

tanysgrifiad, -au: subscription(s) *m*

tanysgrifio: to subscribe [*stem* **tanysgrifi-**] **tanysgrifiodd:** he, she subscribed

tap,-iau: tap(s) *m*

tâp, tapiau: tape(s) *m*

tapio: to tape [*stem* **tapi-**] **tapiodd:** he, she taped

taran, -au: thunder *f*

targed, -au, -i: target (s) *m*

taro: to strike; to hit [*stem* **traw-**] **trawodd:** he, she hit, struck

tarten, -ni, -nau: tart(s) *f*

tarw, teirw: bull(s) *m*

tasg, -au: task(s) *f*

tasgu: to splash [*stem* **tasg-**] **tasgodd:** he, she splashed

taten, tatws: potato(es) *f*

taw: that it is [south]

tawel: quiet; **cyn daweled:** as quiet; **tawelach:** quieter; **tawelaf:** quietest

tawelu: to become quiet; to quieten [*stem* **tawel-**] **tawelodd:** he, she became quiet; quietened

tawelwch: silence *m*

te: tea *m*

tebot, -au: teapot(s) *m*

tebyg: like; **cyn debyced:** as like(ly); **tebycach:** more like(ly); **tebycaf:** most like

tebygol: likely

techneg, -au: technique(s) *f*

technegol: technical

technegwr, technegwyr: technician(s) [male] *m*

technegwraig, technegwragedd: technician(s) [female] *f*

technegydd, technegwyr: technician(s) *m*

technoleg, -au: technology, technologies *f*

tedi, -s: teddy, teddies *m*

teg: fair; **cyn deced:** as fair; **tecach:** fairer; **tecaf:** fairest

tegan, -au: toy(s) *m*

tegell, -au: kettle(s) *m*

tegwch: fairness *m*

tei, -s: tie(s) *f*

teiar, -s: tyre(s) *m*

teiliwr, teilwriaid: tailor(s) *m*

teilwng: worthy

teimlad, -au: feeling(s) *m*

teimlo: to feel [*stem* **teiml-**]
   teimlodd: he, she felt

teip, -iau: type(s) *m*

teipiadur, -on: typewriter(s) *m*

teipio: to type [*stem* **teipi-**]
   teipiodd: he, she typed

teipydd, -ion: typist(s) *m*

teipyddes, -au: typist(s) [female] *f*

teirgwaith: three times

teisen, -ni, -nau cake(s) *f*

teithio: to travel [*stem* **teithi-**]
   teithiodd: he, she travelled

teithiwr, teithwyr: traveller(s) *m*

teitl, -au: title(s) *m*

teledu, teledydd, -ion:
   television(s) *m*

teleffon, -au: telephone(s) *m*

teliffon, -au: telephone(s) *m*

teligraff, -au: telegraph(s) *m*

teligram, -au: telegram(s) *m*

telyn, -au: harp(s) *f*

tenau: thin; **cyn deneued:** as thin;
   teneuach: thinner; **teneuaf:**
   thinnest

tenis: tennis *m*

terfyn, -au: end(s); boundary,
   boundaries *m*

terfysg: thunder; riot *m*

terfysgaeth: terrorism *f*

terfysgwr, terfysgwyr: rioter(s);
   terrorist(s) *m*

testun, -au: subject(s); text(s);
   theme(s) *m*

teulu, -oedd: family, families *m*

tew: fat; **cyn dewed:** as fat; **tewach:**
   fatter; **tewaf:** fattest

teyrnas, -oedd: kingdom(s) *f*

teyrnged, -au: tribute(s) *f*

ti: you [*s*]

ticed, -au, -i: ticket(s) *m*

tician: to tick [*stem* **tici-**]
   ticiai: it ticked; was ticking

tîm, timau: team(s) *m*

tipyn: a little; some

tir, -oedd: land(s) *m*

tithau: you [*s*] too;
   you [*s*] on your part

tiwb, -iau: tube(s) *m*

tiwmor, -au: tumour(s) *m*

tiwn, -iau: tune(s) *f*

tiwtor, -iaid: tutor(s) *m*

tlawd: poor; **cyn dloted:** as poor;
   tlotach: poorer; **tlotaf:** poorest

tlodion (y): the poor
   [people] [*pl noun*]

tlos: *see* **tlws**

tlws, tlysau: jewel(s); gem(s) *m*

tlws: beautiful; pretty
   [feminine **tlos**];
   cyn dlysed: as beautiful; pretty;
   tlysach: more beautiful; prettier;
   tlysaf: most beautiful; prettiest

to, -eau, -eon: roof(s) *m*

toc: soon; in a short while

tocyn, -nau: ticket(s) *m*

toddi: to melt [*stem* **todd-**]
   toddodd: it melted

toes: dough *m*

toi: to roof [*stem* **to-**]
   tôdd: he, she roofed

toiled, -au, -i: toilet(s) *m*

tolc, -au, -iau: dent(s) *m*

tolcio: to dent [*stem* **tolci-**]
   tolciodd: he, she dented

toll, -au: toll(s); custom(s) *f*

tomato, -s: tomato(es) *m*

ton, -nau: wave(s) *f*

tôn, tonau: tune(s) *f*

torf, -eydd: crowd(s) *f*

torheulo: to sunbathe [*stem* **torheul-**] **torheulodd:** he, she sunbathed

toriad, -au: break(s); cut(s) *m*

torri: to cut; to break [*stem* **torr-**] **torrodd:** he, she cut, broke

torth, -au: loaf, loaves *f*

torts: torch *f*

tost: toast *m*

tost: ill; sore; **cyn dosted:** as ill; sore; **tostach:** more ill; sore; **tostaf:** most ill; sore

tra: very; while; **tra diolchgar:** very grateful; **tra oedd yno:** while he, she was there

tractor, -au: tractor(s) *m*

traddodiad, -au: tradition(s) *m*

traddodiadol: traditional

traeth, -au: beach(es) *m*

traethawd, traethodau: essay(s); thesis, theses *m*

trafaelu: to travel [*stem* **trafael-**] **trafaelodd:** he, she travelled

trafferth, -ion: trouble(s) *m*

traffig: traffic *m*

traffordd, traffyrdd: motorway(s) *f*

trafod: to discuss [*stem* **trafod-**] **trafododd:** he, she discussed

trafodaeth, -au: discussion(s) *f*

tram, -iau: tram(s) *m*

tramor: foreign; **mynd dramor:** to go abroad

tramorwr, tramorwyr: foreigner(s) *m*

trannoeth: next day

trasiedi, trasiedïau: tragedy, tragedies *f*

traws: across; **mynd ar draws y cae:** going across the field; **traws gwlad:** cross country

trawsblannu: to transplant [*stem* **trawsblann-**] **trawsblannodd:** he, she transplanted

trawst, -iau: rafter(s) *m*

tref, -i: town(s) *f*

trefn, -au: sequence(s); arrangement(s); system(s) *f*

trefniant, trefniadau: arrangement(s) *m*

trefnu: to arrange; to organize [*stem* **trefn-**] **trefnodd:** he, she arranged; organized

trefnus: orderly

trefnydd, -ion: organizer(s) *m*

trefol: urban

treigl(i)ad, -au: mutation(s) *m*

treiglo: to mutate [*stem* **treigl-**] **treiglodd:** he, she mutated

trên, trenau: train(s) *m*

treth, -i: tax(es) *f*; **treth incwm:** income tax

treuliau: expenses [*pl noun*]

treulio: to spend [time] [*stem* **treuli-**] **treuliodd:** he, she spent

tri: three [masculine]

triawd, -au: trio(s) *m*

trin: to treat [*stem* **trini-**] **triniodd:** he, she treated

triniaeth, -au: treatment(s) *f*

trio: to try [*stem* **tri-**] **triodd:** he, she tried

triongl, -au: triangle(s) *m*

trip, -iau: trip(s) *m*

trist: sad; **cyn dristed:** as sad;

tristach: sadder; **tristaf:** saddest

tristáu: to become sad [*stem* **trista-**] **tristaodd:** he, she became sad

tristwch: sadness *m*

tro, -eon: turn(s) *m*; **mynd am dro:** to go on an outing; for a walk

troad, -au: turning(s); bend(s) *m*

troed, traed: foot, feet *f*

troedfedd, -i: foot, feet [measurement] *f*

troi: to turn [*stem* **tro-**] **trôdd:** he, she turned

trom: *see* **trwm**

trôns, tronsiau: underpants *m*

tros: over; for; on behalf of; **trosof:** on my behalf; **trosot:** on your behalf [*s*]; **trosto:** on his behalf; **trosti:** on her behalf; **troson:** on our behalf; **trosoch:** on your behalf [*pl*]; **trostyn(t):** on their behalf

trosedd, -au: crime(s) *m f*

trosodd: over

trowsus, -au: trousers *m*

truan, trueiniaid: wretch(es) *m*

trueni: wretchedness; pity *m*

trugaredd, -au: mercy, mercies *f*

trwchus: thick

trwm: heavy [feminine **trom**]; **cyn drymed:** as heavy; **trymach:** heavier; **trymaf:** heaviest

trwsio: to mend; to repair [*stem* **trwsi-**] **trwsiodd:** he, she mended; repaired

trwy: through; **trwof:** through me; **trwot:** through you [*s*]; **trwyddo:** through him;

trwyddi: through her; **trwon:** through us; **trwoch:** through you [*pl*]; **trwyddyn(t):** through them

trwydded, -au: licence(s) *f*

trwyn, -au: nose(s) *m*

trychineb, -au: disaster(s) *f*

trydan: electricity *m*

trydanol: electrical

trydanwr, trydanwyr: electrician(s) *m*

trydedd: third [feminine]; **trydedd ar ddeg:** thirteenth

trydydd: third [masculine]; **trydydd ar ddeg:** thirteenth

trysor, -au: treasure(s) *m*

trysorydd, -ion: treasurer(s) *m*

tu: side *m*; **tu allan:** outside; **tu mewn:** inside

tua: towards; approximately [**tuag** *in front of a vowel*]

tudalen, -nau: page(s) *m f*

tun, -iau: tin(s) *m*

tunnell, tunelli: ton(s) *f*

twlc, tylcau, tylciau: sty, sties *m*

twll, tyllau: hole(s) *m*

twmpath, -au: pile(s) *m*; **twmpath dawns:** barn dance

twnnel, twnelau: tunnel(s) *m*

twp: stupid; **cyn dwped:** as stupid; **twpach:** more stupid; **twpaf:** most stupid

twpsyn, twpsod: stupid person(s) *m*

twr, tyrrau: heap(s) *m*

tŵr, tyrau: tower(s) *m*

twrci, twrcïod: turkey(s) *m*

twrnai, twrneiod: attorney(s); lawyer(s) *m*

twrw: noise *m*

twt: tidy

twtio: to tidy [*stem* **twti-**]
twtiodd: he, she tidied

twyll: deceit *m*

twyllo: to cheat; to deceive
[*stem* **twyll-**] **twyllodd:** he, she
cheated

twym: warm; **cyn dwymed:** as
warm; **twymach:** warmer;
twymaf: warmest

twymo: to warm [*stem* **twym-**]
twymodd: he, she warmed

twymyn, -au: fever(s) *f*

tŷ, tai: house(s) *m*; **tŷ bach,
tai bach:** toilet(s) *m*

tybaco: tobacco *m*

tybed: I wonder

tybio: to suppose [*stem* **tybi-**]
tybiodd: he, she supposed

tyddyn, -nod: smallholding(s) *m*

tydi: you [*s*] [*emphatic*]

tyfu: to grow [*stem* **tyf-**]
tyfodd: he, she grew

tylluan, -od: owl(s) *f*

tymer: temper, temperament *f*

tymheredd, tymheroedd:
temperature(s) *m*

tymhorol: seasonal

tymor, tymhorau: season(s);
term(s) *m*

tyn: tight; **yn dynn:** tightly

tyndra: tension *m*

tyner: gentle; tender

tynhau: to tighten [*stem* **tynha-**]
tynhaodd: he, she tightened

tynnu: to pull [*stem* **tynn-**]
tynnodd: he, she pulled

tynnu llun: to draw [a picture]

[*stem* **tynn-**] **tynnodd lun:**
he, she drew a picture

tyrfa, -oedd: crowd(s) *f*

tyst, -ion: witness(es) *m*

tystysgrif, -au: certificate(s) *f*

tywallt: to pour [*stem* **tywallt-**]
tywalltodd: he, she poured

tywel, -i: towel(s) *m*

tywod: sand *m*

tywydd: weather *m*; **rhagolygon y
tywydd:** weather forecast

tywyll: dark; **cyn dywylled:** as dark;
tywyllach: darker; **tywyllaf:**
darkest

tywyllu: to darken [*stem* **tywyll-**]
tywyllodd: it darkened

tywynnu: to shine [*stem* **tywynn-**]
tywynnodd: it shone

tywysog, -ion: prince(s) *m*

tywysogaidd: princely

tywysoges, -au: princess(es) *f*

TH th

thabl: *see* tabl

thablau: *see* tabl

thabled: *see* tabled

thabledi: *see* tabled

Thachwedd: *see* Tachwedd

thaclo: *see* taclo

thaclus: *see* taclus

thacluso: *see* tacluso

thacsi: *see* tacsi

thacsis: *see* tacsi

thad: *see* tad

thad-cu: *see* tad-cu

thadau: *see* tad

thadau-cu: *see* tad-cu

thad-yng-nghyfraith: *see* tad-yng-nghyfraith

thadau-yng-nghyfraith: *see* tad-yng-nghyfraith

thafarn: *see* tafarn

thafarnau: *see* tafarn

thafarnwr: *see* tafarnwr

thafarnwyr: *see* tafarnwr

thafell: *see* tafell

thafellau: *see* tafell

thaflen: *see* taflen

thaflenni: *see* taflen

thaflu: *see* taflu

thafod: *see* tafod

thafodau: *see* tafod

thafodiaith: *see* tafodiaith

thafodieithoedd: *see* tafodiaith

thaid: *see* taid

thair: *see* tair

thaith: *see* taith

thal: *see* tal

thâl: *see* tâl

thalaith: *see* talaith

thalcen: *see* talcen

thalcennau: *see* talcen

thalcenni: *see* talcen

thaldra: *see* taldra

thaleithiau: *see* talaith

thalent: *see* talent

thalentau: *see* talent

thalentog: *see* talentog

thaliad: *see* taliad

thaliadau: *see* taliad

thaliadau: *see* tâl

thalu: *see* talu

thamaid: *see* tamaid

thameidiau: *see* tamaid

than: *see* tan

thân: *see* tân

thanau: *see* tân

thanc: *see* tanc

thanciau: *see* tanc

thanio: *see* tanio

thannau: *see* tant

thant: *see* tant

thanysgrifiad: *see* tanysgrifiad

thanysgrifiadau: *see* tanysgrifiad

thanysgrifio: *see* tanysgrifio

thap: *see* tap

thâp: *see* tâp

thapiau: *see* tap

thapiau: *see* tâp

thapio: *see* tapio

tharan: *see* taran

tharanau: *see* taran

tharged: *see* targed

thargedau: *see* targed

thargedi: *see* targed

tharo: *see* taro

tharten: *see* tarten

thartennau: *see* tarten
thartenni: *see* tarten
tharw: *see* tarw
thasg: *see* tasg
thasgau: *see* tasg
thaten: *see* taten
thatws: *see* taten
thawel: *see* tawel
thawelu: *see* tawelu
thawelwch: *see* tawelwch
the: *see* te
theatr, -au: theatre(s) *f*
theatrig: theatrical
thebot: *see* tebot
thebotau: *see* tebot
thebyg: *see* tebyg
thebygol: *see* tebygol
thechneg: *see* techneg
thechnegau: *see* techneg
thechnegol: *see* technegol
thechnegwr: *see* technegwr
thechnegwyr: *see* technegwr
thechnegwyr: *see* technegydd
thechnegydd: *see* technegydd
thechnoleg: *see* technoleg
thedi: *see* tedi
theg: *see* teg
thegan: *see* tegan
theganau: *see* tegan
thegell: *see* tegell
thegellau: *see* tegell
thegwch: *see* tegwch
thei: *see* tei
theiar: *see* teiar
theiars: *see* teiar
theidiau: *see* taid
theiliwr: *see* teiliwr
theilwng: *see* teilwng
theilwrlaid: *see* teiliwr

theimlad: *see* teimlad
theimladau: *see* teimlad
theimlo: *see* teimlo
theip: *see* teip
theipiadur: *see* teipiadur
theipiaduron: *see* teipiadur
theipiau: *see* teip
theipio: *see* teipio
theipydd: *see* teipydd
theipyddes: *see* teipyddes
theipyddesau: *see* teipyddes
theipyddion: *see* teipydd
theirgwaith: *see* teirgwaith
theirw: *see* tarw
theis: *see* tei
theisen: *see* teisen
theisennau: *see* teisen
theisenni: *see* teisen
theithiau: *see* taith
theithio: *see* teithio
theithiwr: *see* teithiwr
theithwyr: *see* teithiwr
theitl: *see* teitl
theitlau: *see* teitl
theledu: *see* teledu
theledydd: *see* teledu
theledyddion: *see* teledu
theleffon: *see* teleffon
theleffonau: *see* teleffon
thelerau: *see* telerau
theliffon: *see* teliffon
theliffonau: *see* teliffon
theligraff: *see* teligraff
theligraffau: *see* teligraff
theligram: *see* teligram
theligramau: *see* teligram
thelyn: *see* telyn
thelynau: *see* telyn
thema, themâu: theme(s) *f*

thenau: *see* tenau
thenis: *see* tenis
therfyn: *see* terfyn
therfynau: *see* terfyn
therfysg: *see* terfysg
therfysgaeth: *see* terfysgaeth
therfysgwr: *see* terfysgwr
therfysgwyr: *see* terfysgwr
thestun: *see* testun
thestunau: *see* testun
theulu: *see* teulu
theuluoedd: *see* teulu
thew: *see* tew
theyrnas: *see* teyrnas
theyrnasoedd: *see* teyrnas
thi: *see* ti
thiced: *see* ticed
thicedau: *see* ticed
thicedi: *see* ticed
thician: *see* tician
thîm: *see* tîm
thimau: *see* tîm
thipyn: *see* tipyn
thir: *see* tir
thiroedd: *see* tir
thithau: *see* tithau
thiwb: *see* tiwb
thiwbiau: *see* tiwb
thiwmor: *see* tiwmor
thiwmorau: *see* tiwmor
thiwn: *see* tiwn
thiwniau: *see* tiwn
thiwtor: *see* tiwtor
thiwtoriaid: *see* tiwtor
thlawd: *see* tlawd
thlos: *see* tlws
thlws: *see* tlws
thlysau: *see* tlws
tho: *see* to
thocyn: *see* tocyn
thocynnau: *see* tocyn
thoeau: *see* to
thoeon: *see* to
thoes: *see* toes
thoi: *see* toi
thoiled: *see* toiled
thoiledau: *see* toiled
thoiledi: *see* toiled
tholc: *see* tolc
tholcau: *see* tolc
tholciau: *see* tolc
tholcio: *see* tolcio
tholl: *see* toll
thollau: *see* toll
thomato: *see* tomato
thomatos: *see* tomato
thon: *see* ton
thôn: *see* tôn
thonau: *see* tôn
thonnau: *see* ton
thorf: *see* torf
thorfeydd: *see* torf
thorheulo: *see* torheulo
thoriad: *see* toriad
thoriadau: *see* toriad
thorri: *see* torri
thorth: *see* torth
thorthau: *see* torth
thorts: *see* torts
thost: *see* tost
thra: *see* tra
thractor: *see* tractor
thractorau: *see* tractor
thraddodiad: *see* traddodiad
thraddodiadau: *see* traddodiad
thraddodiadol: *see* traddodiadol
thraed: *see* troed
thraeth: *see* traeth

thraethau: *see* traeth

thraethawd: *see* traethawd

thraethodau: *see* traethawd

thrafaelu: *see* trafaelu

thrafferth: *see* trafferth

thrafferthion: *see* trafferth

thraffig: *see* traffig

thraffordd: *see* traffordd

thraffyrdd: *see* traffordd

thrafod: *see* trafod

thrafodaeth: *see* trafodaeth

thrafodaethau: *see* trafodaeth

thram: *see* tram

thramiau: *see* tram

thramor: *see* tramor

thrannoeth: *see* trannoeth

thrasiedi: *see* trasiedi

thraseďïau: *see* trasiedi

thraws: *see* traws

thrawsblannu: *see* trawsblannu

thrawst: *see* trawst

thrawstiau: *see* trawst

thref: *see* tref

threfi: *see* tref

threfn: *see* trefn

threfnau: *see* trefn

threfniadau: *see* trefniant

threfniant: *see* trefniant

threfnu: *see* trefnu

threfnus: *see* trefnus

threfnydd: *see* trefnydd

threfnyddion: *see* trefnydd

threfol: *see* trefol

threigl(i)ad: *see* treigl(i)ad

threigl(i)adau: *see* treigl(i)ad

threiglo: *see* treiglo

thrên: *see* trên

threnau: *see* trên

threth: *see* treth

threthi: *see* treth

threuliau: *see* treuliau

threulio: *see* treulio

thri: *see* tri

thriawd: *see* triawd

thriawdau: *see* triawd

thrin: *see* trin

thriniaeth: *see* triniaeth

thriniaethau: *see* triniaeth

thrio: *see* trio

thriongl: *see* triongl

thrionglau: *see* triongl

thrip: *see* trip

thripiau: *see* trip

thrist: *see* trist

thristáu: *see* tristáu

thristwch: *see* tristwch

thro: *see* tro

throad: *see* troad

throadau: *see* troad

throed: *see* troed

throedfedd: *see* troedfedd

throedfeddi: *see* troedfedd

throeon: *see* tro

throi: *see* troi

throm: *see* trwm

thrôns: *see* trôns

thros: *see* tros

throsedd: *see* trosedd

throseddau: *see* trosedd

throsodd: *see* trosodd

throwsus: *see* trowsus

throwsusau: *see* trowsus

thrwm: *see* trwm

thrwsio: *see* trwsio

thrwy: *see* trwy

thrwydded: *see* trwydded

thrwyddedau: *see* trwydded

thrwyn: *see* trwyn

thrychineb: *see* trychineb
thrychinebau: *see* trychineb
thrydan: *see* trydan
thrydanol: *see* trydanol
thrydanwr: *see* trydanwr
thrydanwyr: *see* trydanwr
thrydedd: *see* trydedd
thrydydd: *see* trydydd
thrysor: *see* trysor
thrysorau: *see* trysor
thrysorydd: *see* trysorydd
thrysoryddion: *see* trysorydd
thu: *see* tu
thua: *see* tua
thudalen: *see* tudalen
thudalennau: *see* tudalen
thun: *see* tun
thunelli: *see* tunnell
thuniau: *see* tun
thunnell: *see* tunnell
thwlc: *see* twlc
thwll: *see* twll
thwmpath: *see* twmpath
thwmpathau: *see* twmpath
thwnelau: *see* twnnel
thwnnel: *see* twnnel
thwp: *see* twp
thwr: *see* twr
thŵr: *see* tŵr
thwrci: *see* twrci
thwrcïod: *see* twrci
thwrnai: *see* twrnai
thwrneiod: *see* twrnai
thwrw: *see* twrw
thwt: *see* twt
thwtio: *see* twtio
thwyll: *see* twyll
thwyllo: *see* twyllo
thwym: *see* twym

thwymo: *see* twymo
thwymyn: *see* twymyn
thŷ: *see* tŷ
thybaco: *see* tybaco
thybed: *see* tybed
thybio: *see* tybio
thyddyn: *see* tyddyn
thyddynnod: *see* tyddyn
thydi: *see* tydi
thyfu: *see* tyfu
thylcau: *see* twlc
thylciau: *see* twlc
thyllau: *see* twll
thylluan: *see* tylluan
thylluanod: *see* tylluan
thymer: *see* tymer
thymheredd: *see* tymheredd
thymheroedd: *see* tymheredd
thymhorau: *see* tymor
thymhorol: *see* tymhorol
thymor: *see* tymor
thyn: *see* tyn
thyndra: *see* tyndra
thyner: *see* tyner
thynhau: *see* tynhau
thyrau: *see* tŵr
thyrfa: *see* tyrfa
thyrfaoedd: *see* tyrfa
thyrrau: *see* twr
thyst: *see* tyst
thystion: *see* tyst
thystysgrif: *see* tystysgrif
thystysgrifau: *see* tystysgrif
thywallt: *see* tywallt
thywel: *see* tywel
thyweli: *see* tywel
thywod: *see* tywod
thywydd: *see* tywydd
thywyll: *see* tywyll

thywyllu: *see* tywyllu
thywynnu: *see* tywynnu
thywysog: *see* tywysog
thywysogaidd: *see* tywysogaidd
thywysoges: *see* tywysoges
thywysogesau: *see* tywysoges
thywysogion: *see* tywysog

uchafbwynt, -iau: climax(es) *m*
uchafrif: maximum *m*
uchafswm: maximum *m*
uchder: height *m* [of objects]
uchel: high; **cyn uched:** as high;
    uwch: higher; **uchaf:** highest
uchelgais, uchelgeisiau:
    ambition(s) *m f*
uchelgeisiol: ambitious
uchelwydd: mistletoe *m*
ufudd: obedient
ugain: twenty
ugeinfed: twentieth
un: one; **un ar ddeg:** eleven
unawd, -au: solo(s) *m f*
unawdydd, unawdwyr: soloist(s) *m*
unben, -iaid: dictator(s);
    tyrant(s) *m*
undeb, -au: unity, unities;
    union(s); trade union(s) *m*
undod, -au: unity, unities *m*
undonedd: monotony *m*
undonog: monotonous
undydd: one day;
    cwrs undydd: day course
uned, -au: unit(s) *f*
unedig: united
unfrydol: unanimous
uniad, -au: union(s) [joining] *m*
uniaith: monoglot
unig: lonely; only;
    yr unig blentyn: the only child;
    y plentyn unig: the lonely child
unigol: singular

unigolyn, unigolion:
    individual(s) *m*
unigrwydd: loneliness *m*
union: straight;
    yn union: precisely
uniongyrchol: directly
unman: anywhere *m*
uno: to unite; to join [*stem* un-]
    unodd: he, she united; joined
unol: united; yn unol â:
    in accordance with
unrhyw: any
unrhywbeth: anything
unrhywun: anyone
unwaith: once; ar unwaith: at once
urdd, -au: order(s) *f*
ustus, -iaid: magistrate(s) *m*
utgorn, utgyrn: trumpet(s) *m*
uwchben: above
uwchradd: upper; higher grade;
    Ysgol Uwchradd: Secondary
    School

wadu: *see* gwadu
waed: *see* gwaed
waedd: *see* gwaedd
waeddau: *see* gwaedd
waedu: *see* gwaedu
wael: *see* gwael
waelod: *see* gwaelod
waeth: *see* gwaeth
wag: *see* gwag
wagio: *see* gwagio
wahaniaeth: *see* gwahaniaeth
wahaniaethau: *see* gwahaniaeth
wahanol: *see* gwahanol
wahanu: *see* gwahanu
wahardd: *see* gwahardd
wahodd: *see* gwahodd
wahoddiad: *see* gwahoddiad
wahoddiadau: *see* gwahoddiad
wair: *see* gwair
waith: *see* gwaith
wal, -iau: wall(s) *f*
waled, -i: wallet(s) *f*
wall: *see* gwall
wallau: *see* gwall
wallt: *see* gwallt
walltiau: *see* gwallt
wan: *see* gwan
wanhau: *see* gwanhau
wanwyn: *see* gwanwyn
wanwynau: *see* gwanwyn
waraidd: *see* gwaraidd
warchod: *see* gwarchod
wared: *see* gwared
wario: *see* gwario

wartheg: *see* gwartheg
was: *see* gwas
wasanaeth: *see* gwasanaeth
wasanaethau: *see* gwasanaeth
wasg: *see* gwasg
wasgod: *see* gwasgod
wasgodau: *see* gwasgod
wasgu: *see* gwasgu
wastad: always (colloquial)
wastad: *see* gwastad
wastadedd: *see* gwastadedd
wastadeddau: *see* gwastadedd
wastraff: *see* gwastraff
wastraffu: *see* gwastraffu
wats, -ys: watch(es) *f*
wau: *see* gwau
wawr: *see* gwawr
wawrio: *see* gwawrio
weddi: *see* gweddi
weddïau: *see* gweddi
weddill: *see* gweddill
weddillion: *see* gweddill
weddol: *see* gweddol
weddw: *see* gweddw
weddwon: *see* gweddw
wedi: after;
    wedi hynny: thereafter
wedyn: afterwards
wefus: *see* gwefus
wefusau: *see* gwefus
weiddi: *see* gweiddi
weindio: to wind [*stem* weindi-]
    weindiodd: he, she wound
weinidog: *see* gweinidog
weinidogion: *see* gweinidog
weinydd: *see* gweinydd
weinyddes: *see* gweinyddes
weinyddesau: *see* gweinyddes
weinyddol: *see* gweinyddol

weinyddwr: *see* gweinyddwr
weinyddwyr: *see* gweinyddwr
weinyddwyr: *see* gweinydd
weisg: *see* gwasg
weision: *see* gwas
weithfeydd: *see* gwaith
weithgar: *see* gweithgar
weithgaredd: *see* gweithgaredd
weithgareddau: *see* gweithgaredd
weithgarwch: *see* gweithgarwch
weithio: *see* gweithio
weithiau: sometimes
weithiau: *see* gwaith
weithiwr: *see* gweithiwr
weithwragedd: *see* gweithwraig
weithwraig: *see* gweithwraig
weithwyr: *see* gweithiwr
weld: *see* gweld
well: *see* gwell
wella: *see* gwella
welliant: *see* gwelliant
wellt: *see* gwelltyn
welltyn: *see* gwelltyn
wely: *see* gwely
welyau: *see* gwely
wen: *see* gwyn
wên: *see* gwên
wenau: *see* gwên
Wener: *see* Gwener
wennol: *see* gwennol
wenoliaid: *see* gwennol
wenu: *see* gwenu
wenwyn: *see* gwenwyn
wenwynau: *see* gwenwyn
wenwynig: *see* gwenwynig
wenyn: *see* gwenynen
wenynen: *see* gwenynen
werdd: *see* gwyrdd
werin: *see* gwerin

werinoedd: *see* gwerin
wers: *see* gwers
wersi: *see* gwers
wersyll: *see* gwersyll
wersylla: *see* gwersylla
wersylloedd: *see* gwersyll
werth: *see* gwerth
werthoedd: *see* gwerth
werthu: *see* gwerthu
werthwr: *see* gwerthwr
werthwyr: *see* gwerthwr
westai: *see* gwesty
westai: *see* gwestai
westeion: *see* gwestai
westy: *see* gwesty
wiced, -au: wicket(s) *f*
wicedwr, wicedwyr:
    wicket-keeper(s) *m*
wifrau: *see* gwifren
wifren: *see* gwifren
win: *see* gwin
winoedd: *see* gwin
winwns: *see* wniwn
wir: *see* gwir
wirfoddolwr: *see* gwirfoddolwr
wirfoddolwyr: *see* gwirfoddolwr
wirion: *see* gwirion
wirionedd: *see* gwirionedd
wirioneddau: *see* gwirionedd
wirioneddol: *see* gwirioneddol
wirod: *see* gwirod
wirodydd: *see* gwirod
wisg: *see* gwisg
wisgo: *see* gwisgo
wisgoedd: *see* gwisg
wiwer: *see* gwiwer
wiwerod: *see* gwiwer
wlad: *see* gwlad
wladgarwr: *see* gwladgarwr

wladgarwyr: *see* gwladgarwr
wlân: *see* gwlân
wlanoedd: *see* gwlân
wledd: *see* gwledd
wleddoedd: *see* gwledd
wledydd: *see* gwlad
wleidydd: *see* gwleidydd
wleidyddiaeth: *see* gwleidyddiaeth
wleidyddion: *see* gwleidydd
wlyb: *see* gwlyb
wlychu: *see* gwlychu
wn: *see* gwn
wn: *see* gwn
wna: *see* gwna
wnaech: *see* gwnaech
wnaem: *see* gwnaem
wnaen: *see* gwnaem
wnaen: *see* gwnaen(t)
wnaent: *see* gwnaen(t)
wnaeth: *see* gwnaeth
wnaethan: *see* gwnaethan(t)
wnaethant: *see* gwnaethan(t)
wnaethoch: *see* gwnaethoch
wnaethom: *see* gwnaethom
wnaethon: *see* gwnaethom
wnaethost: *see* gwnaethost
wnaf: *see* gwnaf
wnâi: *see* gwnâi
wnaiff: *see* gwnaiff
wnait: *see* gwnait
wnân: *see* gwnân(t)
wnânt: *see* gwnân(t)
wnawn: *see* gwnawn
wnei: *see* gwnei
wnes: *see* gwnes
wnest: *see* gwnest
wneud: *see* gwneud
wnewch: *see* gwnewch
wnïo: *see* gwnïo

wniwn, wynwyn, winwns: onion(s) [south] *m*

wobr: *see* **gwobr**

wobrau: *see* **gwobr**

wobrwyo: *see* **gwobrwyo**

ŵr: *see* **gŵr**

wragedd: *see* **gwraig**

wraig: *see* **gwraig**

wrando: *see* **gwrando**

wreiddiol: *see* **gwreiddiol**

wres: *see* **gwres**

wresogi: *see* **gwresogi**

wresogydd: *see* **gwresogydd**

wresogyddion: *see* **gwresogydd**

wrth: by; with; **wrthyf:** by me; **wrthyt:** by you [*s*]; **wrtho:** by him; **wrthi:** by her ; **wrthyn:** by us; **wrthoch:** by you [*pl*]; **wrthyn(t):** by them; **oddi wrth:** from; **wrth gwrs:** of course; **wrth lwc:** luckily

wrth-: *see* **gwrth-**

wrthod: *see* **gwrthod**

wrych: *see* **gwrych**

wrychau: *see* **gwrych**

wrychoedd: *see* **gwrych**

wrywaidd: *see* **gwrywaidd**

wthio: *see* **gwthio**

wy, wyau: egg(s) *m*

wybod: *see* **gwybod**

wybodaeth: *see* **gwybodaeth**

wych: *see* **gwych**

ŵydd: *see* **gŵydd**

wyddan: *see* **gwyddan(t)**

wyddant: *see* **gwyddan(t)**

wyddau: *see* **gŵydd**

wyddech: *see* **gwyddech**

wyddem: *see* **gwyddem**

wydden: *see* **gwyddem**

wydden: *see* **gwydden(t)**

wyddent: *see* **gwydden(t)**

wyddit: *see* **gwyddit**

wyddoch: *see* **gwyddoch**

wyddom: *see* **gwyddom**

wyddon: *see* **gwyddom**

wyddoniaeth: *see* **gwyddoniaeth**

wyddonwyr: *see* **gwyddonydd**

wyddonydd: *see* **gwyddonydd**

wyddor (yr): the alphabet

wyddost: *see* **gwyddost**

wyddwn: *see* **gwyddwn**

wydr: *see* **gwydr**

wydrau: *see* **gwydr**

ŵyl: *see* **gŵyl**

wylan: *see* **gwylan**

wylanod: *see* **gwylan**

wyliau: *see* **gŵyl**

wylio: *see* **gwylio**

wyliwr: *see* **gwyliwr**

wyllt: *see* **gwyllt**

wylltio: *see* **gwylltio**

wylo: to cry; to weep [*stem* **wyl-**] **wylodd:** he, she cried, wept

wylwyr: *see* **gwyliwr**

wymon: *see* **gwymon**

wyn: *see* **gwyn**

ŵyn: *see* **oen**

wyneb, -au: face(s) *m*

wynebu: to face [*stem* **wyneb-**] **wynebodd:** he, she faced

wynt: *see* **gwynt**

wyntoedd: *see* **gwynt**

wyntog: *see* **gwyntog**

wynwyn: *see* **wniwn**

wŷr: *see* **gŵr**

ŵyr, -ion: grandson(s) *m*

ŵyr: *see* **gŵyr**

wyrdd: *see* **gwyrdd**

wyres, -au: granddaughter(s) *f*
wyth: eight
wythfed: eighth
wythnos, -au: week(s) *f*
wythnosol: weekly
wythnosolyn, wythnosolion:
    weekly edition(s) [magazine] *m*

y: the [*before a consonant*]
ych, -en: ox(en) *m*
ychwaneg: more
ychwanegiad, -au: addition(s);
    supplement(s) *m*
ychwanegu: to add
    [*stem* **ychwaneg-**]
    ychwanegodd: he, she added
ychydig: a little; **cyn lleied:** as
    little; **llai:** less; **lleiaf:** least
ŷd, ydau: corn, cereal(s) *m*
ydw(yf): I am [*from* **bod**]
ydych: you [*pl*] are [*from* **bod**]
ydym, ydyn: we are [*from* **bod**]
ydyn(t): they are [*from* **bod**]
ydy(w): he, she is [*from* **bod**]
yfed: to drink [*stem* **yf-**]
    yfodd: he, she drank
yfory: tomorrow
ym: in [+ *nasal mutation*];
    ym Mangor: in Bangor
yma: here; this;
    y dyn yma: this man
ymadrodd, -ion: saying(s);
    phrase(s) *m*
ymaelodi: to join; become a
    member [*stem* **ymaelod-**]
    ymaelododd: he, she joined;
    became a member
ymarfer: to practise; exercise
    [*stem* **ymarfer-**] **ymarferodd:**
    he, she practised; exercised
ymarfer, -ion: exercise(s);
    practice(s) *m*
ymarferol: practical

ymatal: to refrain; restrain oneself [*stem* **ymatali-**] **ymataliodd:** he, she refrained; restrained himself, herself

ymateb, -ion: reaction(s); response(s) *m*

ymbarél, ymbarelau: umbrella(s) *m*

ymbelydredd: radioactivity *m*

ymbincio: to put on make up [*stem* **ymbinci-**] **ymbinciodd:** he, she put on make up

ymchwil: research *m f*

ymchwiliad, -au: investigation(s); inquiry, inquiries *m*

ymchwilio: to research [*stem* **ymchwili-**] **ymchwiliodd:** he, she researched

ymchwilydd, ymchwilwyr: researcher(s) *m*

ymddangos: to appear [*stem* **ymddangos-**] **ymddangosodd:** he, she appeared

ymddangosiad, -au: appearance(s) *m*

ymddeol: to retire [*stem* **ymddeol-**] **ymddeolodd:** he, she retired

ymddiheuriad, -au: apology, apologies *m*

ymddiheuro: to apologize [*stem* **ymddiheur-**] **ymddiheurodd:** he, she apologized

ymddiried: to confide; trust [*stem* **ymddiried-**] **ymddiriedodd:** he, she confided; trusted

ymddiriedolwr, ymddiriedolwyr: trustee(s) *m*

ymddiswyddo: to resign [*stem* **ymddiswydd-**] **ymddiswyddodd:** he, she resigned

ymddygiad, -au: behaviour(s) *m*

ymdopi: to cope [*stem* **ymdop-**] **ymdopodd:** he, she coped

ymdrech, -ion: effort(s) endeavour(s) *f*

ymdrechu: to endeavour [*stem* **ymdrech-**] **ymdrechodd:** he, she endeavoured

ymdrin â: to deal with [*stem* **ymdrini-**] **ymdriniodd â:** he, she dealt with

ymennydd, ymenyddiau: brain(s) *m*

ymenyn: butter *m*

ymestyn: to extend; to stretch [*stem* **ymestynn-**] **ymestynnodd:** he, she extended

ymffrostio: to boast; swagger [*stem* **ymffrosti-**] **ymffrostiodd:** he, she boasted; swaggered

ymfudo: to emigrate [*stem* **ymfud-**] **ymfudodd:** he, she emigrated

ymgais, ymgeision: attempt(s); endeavour(s) *f*

ymgeisio: to attempt; endeavour [*stem* **ymgeisi-**] **ymgeisiodd:** he, she attempted; endeavoured

ymgeisydd, ymgeiswyr: applicant(s); candidate(s) *m*

ymgyrch, -oedd: campaign(s) *m f*

ymhelaethu: to elaborate [*stem* **ymhelaeth-**] **ymhelaethodd:** he, she elaborated

ymhell: far; afar

ymhellach: further

ymhen: within
ymhobman: everywhere
ymholiad, -au: inquiry,
   inquiries *m*
ymlacio: to relax [*stem* ymlaci-]
   ymlaciodd: he, she relaxed
ymladd: to fight [*stem* ymladd-]
   ymladdodd: he, she fought
ymlaen: onwards; forward
ymofyn: to want; seek; ask [*stem*
   ymofynn-] **ymofynnodd:** he,
   she wanted; sought; asked
ymolchi: to wash oneself
   [*stem* ymolch-] **ymolchodd:** he,
   she washed himself, herself
ymosod: to attack [*stem* ymosod-]
   ymosododd: he, she attacked
ymosodiad, -au: attack(s) *m*
ympryd, -iau: fast(s) *m*
ymprydio: to fast [*stem* ymprydi-]
   ymprydiodd: he, she fasted
ymuno: to join [*stem* ymun-]
   ymunodd: he, she joined
ymweld â: to visit [*stem* ymwel-]
   ymwelodd â: he, she visited
ymweliad, -au: visit(s) *m*
ymwelydd, ymwelwyr: visitor(s) *m*
ymwneud â: connected with
ymwybodol: conscious
ymyl, -on: edge(s); side(s);
   brink(s) *f*; **wrth ymyl; yn ymyl:**
   near
ymyrryd: to interfere
   [*stem* ymyrr-] **ymyrrodd:** he,
   she interfered
ymysg: among
yn: in [+ *nasal mutation*];
   yn Ninbych: in Denbigh
yn ôl: according to; back

yna: there; then
ynad, -on: magistrate(s) *m*
yng: in [+ *nasal mutation*];
   yng Nghymru: in Wales
ynganiad, -au: pronunciation(s) *m*
ynganu: to pronounce
   [*stem* yngan-] **ynganodd:** he,
   she pronounced
ynghanol: in the middle
ynghyd: together
ynghylch: concerning
ynglŷn â: concerning
ynni: energy *m*
yno: there
yntau: he, him too;
   he, him on his part
ynteu: or; then!
ynys, -oedd: island(s) *f*
yr: [particle used before present
   and imperfect tenses of the
   verb **bod**]; **yr ydw i (rydw i):**
   I am; **yr oeddech chi**
   (roeddech chi): you [*pl*] were
yr: the [*in front of vowel and* **h**];
   yr afal: the apple; **yr haul:** the
   sun
yrfa: *see* **gyrfa**
yrru: *see* **gyrru**
ysbryd, -ion: spirit(s); ghost(s) *m*
ysbrydol: spiritual
ysbrydoliaeth: inspiration *f*
ysbwriel: rubbish *m*
ysbyty, ysbytai: hospital(s) *m*
ysgafn: light [weight]; **cyn**
   ysgafned: as light; **ysgafnach:**
   lighter; **ysgafnaf:** lightest
ysgariad, -au: divorce(s) *m*
ysgaru: to divorce [*stem* ysgar-]
   ysgarodd: he, she divorced

ysgol, -ion: school(s); ladder(s) *f*

ysgrif, -au: article(s); essay(s) *f*

ysgrifennu: to write
[*stem* **ysgrifenn-**]
    ysgrifennodd: he, she wrote

ysgrifennydd, ysgrifenyddion:
secretary, secretaries *m*

ysgrifenyddes, -au: secretary,
secretaries [female] *f*

ysgrythur, -au: scripture(s) *f*

ysgwyd: to shake [*stem* **ysgwyd-**]
    ysgwydodd: he, she shook

ysgwydd, -au: shoulder(s) *f*

ysgyfarnog, -od: hare(s) *m*

ysmygu: to smoke [*stem* **ysmyg-**]
    ysmygodd: he, she smoked

ysmygwr, ysmygwyr: smoker(s) *m*

ystafell, -oedd: room(s) *f*

ystod, -au: range(s) [limits] *f*

ystod (yn) : during

ystordy, ystordai: storeroom(s);
warehouse(s) *m*

ystyfnig: stubborn

ystyr, -on: meaning(s) *m f*

yw: he, she is [*from* **bod**]

GAIR I GALL

ENGLISH – WELSH

Aa

abbreviation, -s: talfyriad, -au *m*
ability, abilities: gallu, -oedd *m*
able: galluog; medrus; **to be able:**
   medru; gallu
abortion, -s: erthyliad, -au *m*
about: tua; tuag
above: uwchben
abridgement, -s: talfyriad, -au *m*
absent: absennol
academic: academaidd [*adj*]
accelerate (to): cyflymu
accent, -s: acen, -ion *f*
accept (to): derbyn
acceptable: derbyniol
access: mynediad *m*
accident, -s: damwain,
   damweiniau *f*
accommodation: llety *m*
according to: yn ôl; **in accordance**
   with: yn unol â
account, -s: cyfrif, -on *m*
accountant, -s: cyfrifydd, -ion
   [male] *m*; cyfrifwraig,
   cyfrifwragedd [female] *f*
accustom (to): arfer
ache, -s : dolur, -iau *m*
acid, -s: asid, -au *m*
acre, -s: erw, -au *f*
across: tros; ar draws
act, -s: act, -au *f*
act (to): actio
activity, activities: gweithgarwch,
   gweithgareddau *m*
actor, -s: actor, -ion *m*

actress, -es: actores, -au *f*
add (to): ychwanegu
addition, -s: ychwanegiad, -au *m*
address, -es: cyfeiriad, -au *m*
address (to): cyfeirio [letter]
administrative: gweinyddol
administrator, -s: gweinyddwr,
   gweinyddwyr *m*
admiration: edmygedd *m*
admire (to): edmygu
admirer, -s: edmygydd, edmygwyr *m*
adopt (to): mabwysiadu
adult, -s: oedolyn, oedolion *m*
advantage, -s: mantais, manteision *f*
advert, -s: hysbyseb, -ion *f*
advertise (to): hysbysebu
advertisement, -s: hysbyseb, -ion *f*
advice: cyngor *m*
advise (to): cynghori
adviser, -s: cynghorwr,
   cynghorwyr *m*
aeroplane, -s: awyren, awyrennau *f*
afar: ymhell
affection, -s: serch, -iadau *m*
afford (to): fforddio
afraid: ofnus; **to be afraid:** ofni
after: ar ôl; wedi
afternoon, -s: prynhawn,
   prynhawniau *m*
afterwards: wedyn
again: eto
against: yn erbyn
age, -s: oedran, oedrannau *m*;
   oed [*after numbers*] *m*;
   oes, -au, -oedd [time] *f*
agree (to): cytuno
agreement, -s: cytundeb, -au *m*
agreement (in): cytûn
agriculture: amaethyddiaeth *f*

ahead: ymlaen

aid: cymorth *m*

ailment, -s: dolur, -iau *m*

aim, -s: nod, -au *m*

air: aer *m*

airport, -s: maes awyr, meysydd awyr *m*

alarm: larwm *m*

alive: byw

all: cwbl; cyfan; oll; i gyd; **at all:** o gwbl; **all right:** iawn

almost: bron

alphabet: yr wyddor *f*

already: eisoes

also: hefyd

always: gwastad; o hyd; bob amser

amaze (to): syfrdanu

amazed: syn

ambition, -s: uchelgais, uchelgeisiau *m f*

ambitious: uchelgeisiol

ambulance, -s: ambiwlans, -ys *m*

amendment, -s: gwelliant, gwelliannau *m*

among: ymysg

amount, -s: swm, symiau *m*; nifer, -oedd *m f*

amuse (to): diddanu; diddori; difyrru

amusement: sbort *m*

amusing: doniol; digrif; difyr; diddan

anchor: angor *m*

and: a; ac [*in front of vowel*]

angel, -s: angel, angylion *m*

anger: dicter *m*

angle, -s: ongl, -au *f*

angry: dig; **to become angry:** digio; gwylltio

animal, -s: anifail, anifeiliaid *m*

ankle, -s: ffêr, fferau *f*

anniversary, anniversaries: pen-blwydd, -i *m*; **wedding anniversary:** pen-blwydd priodas

annoint (to): iro

announcement, -s: hysbysiad, -au *m*

announcer, -s: cyhoeddwr, cyhoeddwyr *m*

annual: blynyddol

another: arall

answer, -s: ateb, -ion *m*

answer (to): ateb

anthem, -s: anthem, -au *f*

anti-: gwrth-; **anti-nuclear:** gwrth-niwclear

any: unrhyw

anyone: unrhywun; rhywun

anything: unrhywbeth; rhywbeth

anywhere: unman

apart: ar wahân

apart from: heblaw

ape, -s: epa, -od *m*

apologize (to): ymddiheuro

apology, apologies: ymddiheuriad, -au *m*

apostle, -s: apostol, -ion *m*

appeal, -s: apêl, apelau, apelion *m f*

appeal (to): apelio

appear (to): ymddangos

appearance, -s: golwg, golygon *m f*; ymddangosiad, -au *m*

apple, -s: afal, -au *m*

applicant, -s: ymgeisydd, ymgeiswyr *m*

application, -s: cais, ceisiadau *m*

appoint (to): penodi; pennu

appointment, -s: apwyntiad, -au *m;* penodiad, -au *m*

apprentice, -s: prentis, -iaid *m*

approach (to): agosáu; nesáu; dynesu; nesu

approximately: tua [tuag *in front of vowel*]

April: Ebrill, mis Ebrill *m*

apron, -s: ffedog, -au *f*; brat, -iau *m*

architect, -s: pensaer, penseiri *m*

architecture: pensaernïaeth *f*

ardent: eiddgar; selog

are: yw; oes; ydynt etc.

area, -s: ardal, -oedd *f*; arwynebedd *m*

argue (to): dadlau

argument, -s: dadl, -euon *f*

arm, -s: braich, breichiau *f*; arf, -au *m*

army, armies: byddin, -oedd *f*

around: o amgylch; o gwmpas; rownd

arrange (to): trefnu

arrangement, -s: trefniant, trefniadau *m*

arrant: rhonc

arrive (to): cyrraedd

arrow, -s: saeth, -au *f*

art, -s: celf, -au *m*; celfyddyd, -au *m*

article, -s: erthygl, -au *f*; ysgrif, -au *f*

artist, -s: arlunydd, arlunwyr *m*

as: fel; ag; mor; **as far as:** hyd

ascend (to): esgyn

ascent, -s: rhiw, -iau *f*

ash [tree(s)]: onnen, ynn *f*

ashamed: wedi cywilyddio

ashes: lludw *m*

ask (to): holi; gofyn

aspirin: asbrin *m f*

ass, -es: asyn, -nod *m*

assembly, assemblies: cymanfa, -oedd *f*

assess (to): asesu

assist (to): cynorthwyo

assistance: cymorth *m*

assistant, -s: cynorthwy-ydd, cynorthwywyr *m f*

association, -s: cymdeithas, -au *f*

astronomer, -s: seryddwr, seryddwyr *m*

astronomy: seryddiaeth *f*

athletic: athletig; athletaidd

athletics: mabolgampau; athletau

atlas, -es: atlas, -au *m*

atom, -s: atom, -au *m f*

atomic: atomig

attack, -s: ymosodiad, -au *m*

attack (to): ymosod

attempt, -s: cais, ceisiadau *m*; ymgais, ymgeision *f*

attempt (to): ceisio; ymgeisio

attendant, -s: gweinydd, -wyr [male] *m*; gweinyddes, -au [female] *f*

attention, -s: sylw, -adau *m*

attorney, -s: twrnai, twrneiod *m*

attract (to): denu

attractive: deniadol

auction, -s: ocsiwn, ocsiynau *f*

auctioneer, -s: arwerthwr, arwerthwyr *m*

audience, -s: cynulleidfa, -oedd *f*

August: Awst, mis Awst *m*

aunt, -s: modryb, -edd *f*

author, -s: awdur, -on [male] *m*; awdures, -au [female] *f*

authority, authorities: awdurdod, -au *m*

authorize (to): awdurdodi
autumn, -s: hydref, -au *m*
autumnal: hydrefol
avenge (to): dial
avoid (to): osgoi
awake: effro
away: i ffwrdd; bant
awful: ofnadwy
axle, -s: echel, -au *f*

baby, babies: babi *m*; baban, -od *m*
babyish: babanaidd
back, -s: cefn, -au *m*
background, -s: cefndir, -oedd *m*
backwards: yn ôl
bacon: bacwn *m*; cig moch *m*
bad: drwg
badge, -s: bathodyn, -nau *m*
bag, -s: bag, -iau *m*; cod, -au *f*
bagful, -s: bagaid, bageidiau *m*
bake (to): pobi
baker, -s: pobydd, -ion *m*
bald: moel
ball, -s: pêl, pelen, peli *f*
balloon, -s: balŵn, balwnau *m f*
bamboo: bambŵ *m*
band, -s: band, -iau *m*
bank, -s: banc, -iau *m*; glan, -nau *m*
bank (to): bancio
banker, -s: bancwr, bancwyr *m*
banner, -s: baner, -i *f*
baptism: bedydd *m*
baptize (to): bedyddio
bar, -s: bar, -rau *m*
barber, -s: barbwr, barbwyr *m*
bard, -s: bardd, beirdd *m*
bargain, -s: bargen, bargeinion, bargeiniau *f*
bargain (to): bargeinio
bark (to): cyfarth
barrel, -s: baril, -au *f*
basic: sylfaenol
basin, -s: basn, -au *m*
basket, -s: basged, -i *f*

bass: bas
bath, -s: baddon, -au *m*
bathroom, -s: ystafell, -oedd
ymolchi *f*
battle, -s: brwydr, -au *f*
battle (to): brwydro
bay, -s: bae, -au *m*
be (to): bod
beach, -es: traeth, -au *m*
beak, -s: pig, -au *f*
beam, -s pelydr, -au *m*
bean, -s: ffeuen, ffa *f*
bear, -s: arth, eirth *m f*
beard, -s: barf, -au *f*
beastly: anifeilaidd
beat, -s: curiad, -au *m*
beat (to): curo; gorchfygu;
maeddu
beautiful: hardd; prydferth; tlws
beauty: harddwch *m*;
prydferthwch *m*
because: achos; oherwydd; am
bed, -s: gwely, -au *m*
bedroom, -s: ystafell wely,
ystafelloedd gwely *f*; llofft,
llofftydd *f*
bee, -s: gwenynen, gwenyn *f*
beer, -s: cwrw *m*
before: cyn
beginner, -s: dechreuwr,
dechreuwyr *m*
behave (to): ymddwyn
behaviour, -s: ymddygiad, -au *m*
behind: tu ôl
belief, -s: daliad, -au *m*
believe (to): credu
bell, -s: cloch, clychau *f*
belly, bellies: bol, -iau *m*
belong (to): perthyn

below: isod
bend, -s: troad, -au *m*
bend (to): plygu
benefit: lles *m*
bent: cam
bereavement, -s: profedigaeth, -au *f*
best: gorau
better: gwell
between: rhwng
bewilder (to): syfrdanu
beyond: heibio
bible, -s: beibl, -au *m*
big: mawr
bike, -s: beic, -iau *m*
bilingual: dwyieithog
hilingualism: dwyieithrwydd *m*
bill, -s: bil, -iau *m;* mesur, -au *m*
bin, -s: bin, -iau *m*
biology: bioleg *f*; bywydeg *f*
bird, -s: aderyn, adar *m*
birth: genedigaeth *f*; **to give birth:**
geni; **to be born:** cael ei eni
birthday, -s: pen-blwydd, -i *m*
biscuit, -s: bisgïen; bisged, -i *f*
bishop, -s: esgob, -ion *m*
bit, -s: tamaid, tameidiau *m*; pwt,
pytiau *m*
bite, -s: brathiad, -au *m*; tamaid,
tameidiau *m*
bite (to): cnoi; brathu
bitter: chwerw
black: du
blackberry, blackberries: mwyaren
ddu, mwyar duon *f*
blackbird, -s: mwyalchen,
mwyalchod *f*
blacksmith, -s: gof, -aint *m*
blame: bai *m*
blame (to): beio

blanket, -s: planced, -i *f*;
  blanced, -i *f*
blaze (to): fflamio
bleed (to): gwaedu
blessed: bendigedig
blind: dall
block, -s: bloc, -iau *m*
blood: gwaed *m*
blouse, -s: blows, -ys *f*
blow (to): chwythu
blue: glas
board, -s: bwrdd, byrddau *m*;
  bord, -ydd *f*
boast (to): ymffrostio
boat, -s: cwch, cychod *m*; bad, -au *m*
body, bodies: corff, cyrff *m*
boil (to): berwi
bold: hy
bomb, -s: bom, -iau *m*
bone, -s: asgwrn, esgyrn *m*
bonnet, -s: bonet, -au *f*
book, -s: llyfr, -au *m*
booklet, -s: llyfryn, -nau *m*
border, -s: ffin, -iau *f*
boredom: diflastod *m*
boring: diflas
born: genedigol
born (to be): geni
borrow (to): benthyca; benthyg
botany: botaneg *f*
bother: ffwdan *f*
bottle, -s: potel, -i *f*
bottleful, -s: potelaid, poteleidiau *f*
bottom: gwaelod *m*
boundary, boundaries: ffin, -iau *f*;
  terfyn, -au *m*
bowl, -s: powlen, -ni *f*
bowl (to): bowlio
bowler, -s: bowliwr, bowlwyr *m*

box, -es: bocs, -iau, -ys *m*; blwch,
  blychau *m*
box (to): paffio; bocsio
boxer, -s: paffiwr, paffwyr *m*
boy, -s: bachgen, bechgyn *m*; crwt,
  cryts *m*; hogyn, hogiau *m*
brain, -s: ymennydd, ymenyddiau *m*
brainy: peniog; galluog
brake, -s: brêc, breciau *m*
brake (to): brecio
branch, -es: cangen, canghennau *f*
brandy: brandi *m*
brass: pres; efydd *m*
brave: dewr
bread: bara *m*
break, -s: toriad, -au *m*
break (to): torri
breakfast, -s: brecwast, -au *m*
breast, -s: bron, -nau *f*
breath: anadl *m f*
breathe (to): anadlu
breed (to): magu
breeze, -s: awel, -on *f*
brick, -s: bricsen, brics *f*
bride, -s: priodferch -ed *f*
bridegroom, -s: priodfab,
  priodfeibion *m*
bridge, -s: pont, -ydd *f*
brigade, -s: brigâd, brigadau *f*
bright: llachar; disglair
brightness: disgleirdeb *m*;
  eglurdeb *m*
brilliant: disglair; gwych; llachar
bring (to): dod â
brink: ymyl *f*; min *m*
broadcast, -s: darllediad, -au *m*
broadcast (to): darlledu
brook, -s: nant, nentydd *f*
brother, -s: brawd, brodyr *m*

Cc

brown: brown
brush, -es: brws, -ys *m*
brush (to): brwsio
bucket, -s: bwced, -i *m*
bucketful: bwcedaid, bwcedeidiau *f*
build (to): adeiladu
builder, -s: adeiladydd,
  adeiladwyr *m*
building, -s: adeilad, -au *m*
bull, -s: tarw, teirw *m*
bullet, -s: bwled, -i *f*
bulletin, -s: bwletin, -au *m*
bungalow, -s: byngalo, -s *m*
burn (to): llosgi
bury (to): claddu
bus, -es: bws, bysiau, bysys *m*
bush, -es: llwyn, -i *m*; perth, -i *f*
business, -es: busnes, -au *m*
bustle: ffwdan *f*
busy: prysur
but: ond
butcher, -s: cigydd, -ion *m*
butter: ymenyn *m*
butterfly, butterflies: iâr fach yr
  haf, ieir bach yr haf *f*;
  pili-pala, -s *f*; glöyn byw,
  glöynnod byw *m*
button, -s: botwm, botymau *m*
buy (to): prynu
by: wrth; yn ymyl; erbyn; gan;
  gerllaw

cabbage, -s: bresychen, bresych *f*;
  cabetsen, cabaets *f*
cabin, -s: caban, -au *m*
cafe, -s: caffi, -s *m*
cake, -s: cacen, -nau, -ni *f*;
  teisen, -nau, -ni *f*
calendar, -s: calendr, -au *m*
calf, calves: llo, lloi *m*
call, -s: galwad, -au *f*
call (to): galw
calm: llonydd
camera, -s: camera, camerâu *m*
camp, -s: gwersyll, -oedd *m*
camp (to): gwersylla
campaign, -s: ymgyrch, -oedd *m f*
candidate, -s: ymgeisydd,
  ymgeiswyr *m*
canoe: canŵ, canŵod *m*
canoe (to): canŵio
cap, -s: cap, -iau *m*
capable: galluog
capital city, capital cities:
  prifddinas, -oedd *f*
captain, -s: capten, capteiniaid *m*
captive: caeth
car, -s: car, ceir *m*
caravan, -s: carafán, carafanau *f*
carcass, -es: sgerbwd, sgerbydau *m*
card, -s: cerdyn, cardiau *m*;
  carden, cardiau *f*
care, -s: gofal, -on *m*; **to take care:**
  gofalu
care(to): gofalu; malio
career, -s: gyrfa, -oedd *f*

careful: gofalus

careless: diofal

caretaker, -s: gofalwr, gofalwyr *m*

carnival, -s: carnifal, -au *m*

carol, -s: carol, -au *f*

carpenter, -s: saer, seiri *m*

carpet, -s: carped, -i *m*

carriage, -s: cerbyd, -au *m*

carrot, -s: moronen, moron *f*

carry (to): cario

cart, -s: cart, -iau *m f*

cartoon, -s: cartŵn, cartwnau *m*

case, -s: achos, -ion [court] *m*

cassette, -s: casét, casetiau *m*

castle, -s: castell, cestyll *m*

cat, -s: cath, -od *f*

catalogue, -s: catalog, -au *m*

catalogue (to): catalogio

catch (to): dal

catholic, -s: pabydd, -ion *m*

cattle: gwartheg [*pl noun*]

cauliflower, -s: blodfresychen, blodfresych *f*

cause, -s: achos, -ion *m*

cause (to): achosi

cave, -s: ogof, -âu *f*

ceiling, -s: nenfwd, nenfydau *m*

celebrate (to): dathlu

celebration, -s: dathliad, -au *m*

cell, -s: cell, -oedd *f*

cellar, -s: seler, -i,-au *f*

cement: sment *m*

census, -es : cyfrifiad, -au *m*

centimetre, -s: centimetr, -au *m*

centre, -s: canol, -au *m*; canolfan, -nau *f*

century, centuries: canrif, -oedd *f*

cereal, -s: ŷd, ydau [corn] *m*

ceremony, ceremonies: seremoni, seremonïau *f*

certain: pendant

certainty: sicrwydd *m*

chair, -s: cadair, cadeiriau *f*

chair (to): cadeirio

chairperson, -s: cadeirydd, -ion *m*; llywydd, -ion *m*

chalk, -s: sialc, -au, -iau *m*

championship, -s: pencampwriaeth, -au *f*

chance, -s: cyfle, -oedd *m*; siawns *m*

change, -s: newid, -iadau *m*

channel, -s: sianel, -i, -au *f*

chapel, -s: capel, -i *m*

chapter, -s: pennod, penodau *f*

character, -s: cymeriad, -au *m*

charity, charities: elusen, -nau *f*

charm (to): swyno

chart, -s: siart, -iau *f*

chat, -s: sgwrs, sgyrsiau *f*

chat (to): sgwrsio

chatter (to): clebran

cheap: rhad

cheat (to): twyllo

check (to): siecio

cheek, -s: boch, -au *f*

cheese: caws, -iau *m*

chemical, -s: cemegyn, cemegau *m*

chemist, -s: fferyllydd, -ion *m*

chemistry: cemeg *f*

cheque, -s: siec, -iau *f*

cherish (to): meithrin

cherry, cherries: ceiriosen, ceirios *f*

chew (to): cnoi

chicken, -s: ffowlyn, ffowls *m*; cyw iâr, cywion ieir *m*

chief, -s: pennaeth, penaethiaid *m*

chief: prif [*adj*]

child, -ren: plentyn, plant *m*
childhood: plentyndod *m*
childish: plentynnaidd; babanaidd
chill: oerfel *m*
chill (to): oeri
chimney, -s: simnai, simneiau *f*
chin, -s: gên, genau *f*
chip, -s: sglodyn, sglodion *m*
chocolate, -s: siocled, -i *m*
choice, -s: dewis, -iadau *m*
choir, -s: côr, corau *m*
choose (to): dewis; ethol
chord, -s: cord, -iau *m*
Christ: Crist *m*
christen (to): bedyddio
christening: bedydd *m*
Christian, -s: Cristion,
     Cristnogion *m*;
     christian: cristnogol [*adj*]
Christmas: Nadolig *m*
church, -es: eglwys, -i *f*; llan, -nau *f*
churchman, churchmen:
     eglwyswr, eglwyswyr *m*
churchwoman, churchwomen:
     eglwyswraig, eglwyswragedd *f*
chute: llithren *f*
cider: seidr *m*
cigar, -s: sigâr, -s *f*
cigarette, -s: sigarét, sigarennau *f*
cinema, -s: sinema, sinemâu *f*
circle, -s: cylch, -au, -oedd *m*
circuit, -s: cylch, -au, -oedd *m*;
     cylchdaith, cylchdeithiau *f*
circus: syrcas *f*
citizen, -s: dinesydd,
     dinasyddion *m*
city, cities: dinas, dinasoedd *f*
civic: dinesig
civil: sifil

civil servant, -s: gwas sifil,
     gweision sifil *m*
civilized: gwaraidd
class, -es: dosbarth, -au, -iadau *m*;
     safon, -au *m*
classify (to): dosbarthu
clean: glân
clean (to): glanhau
clear: eglur; clir
clear (to): clirio
clerical: clerigol
clerk, -s: clarc, -od; clerc, -od *m*
clever: peniog; galluog
climax, -es: uchafbwynt, -iau *m*
climb (to): dringo
climber, -s: dringwr, dringwyr *m*
cloak, -s: mantell, mentyll *f*;
     coban, -au *f*
clock, -s: cloc, -iau *m*
close: agos
close (to): cau
closed: ar gau; wedi cau
cloth, -s: cadach, -au *m*; brethyn, -
     nau *m*; lliain, llieiniau *m*
clothes: dillad [*pl noun*]
cloud, -s: cwmwl, cymylau *m*
cloudy: cymylog
clown, -s: clown, -iau *m*
club, -s: clwb, clybiau *m*
coal: glo *m*
coarse: garw
coast, -s: arfordir, -oedd *m*
coat, -s: cot, côt, cotiau *f*
cockerel, -s: ceiliog, -od *m*
cod: penfras, -au *m*
coffee: coffi *m*
coil, -s: cylch, -au, -oedd *m*
cold: oer [*adj*]; to **become cold:** oeri
cold, -s: annwyd, anwydon *m*

collar, -s: coler, -i *m f*
collect (to): casglu
college, -s: coleg, -au *m*
collier, -s: glöwr, glowyr *m*
colliery, collieries: glofa, glofeydd *f*
colour, -s: lliw, -iau *m*
colour (to): lliwio
colourful: lliwgar
column, -s: colofn, -au *f*
comb, -s: crib, -au *m f*
comb (to): cribo
come (to): dod
comedy, comedies: comedi, comedïau *f*
comfortable: cyfforddus; cyffyrddus; cysurus; esmwyth
comic: doniol; comig
command, -s: gorchymyn, gorchmynion *m*
commandment, -s: gorchymyn, gorchmynion *m*
commence (to): dechrau
commerce: masnach *f*
committee, -s: pwyllgor, -au *m*
common: cyffredin
community, communities: cymuned, -au *f*
company, companies: cwmni, cwmnïau *m*
compass: cwmpas, -au, -oedd *m*
compel (to): gorfodi
compensation, -s: iawndal, -iadau *m*
compete (to): cystadlu
competition, -s: cystadleuaeth, cystadlaethau *f*
competitor, -s: cystadleuydd, cystadleuwyr *m*
complain (to): cwyno

complaint, -s: cwyn, -ion *m f*
complete: cyfan; cyflawn
complete (to): cwblhau; gorffen
complexion: pryd *m*
composition, -s: gwaith, gweithiau *m*; cyfansoddiad, -au *m*
comprehensive: cyfun
compulsion: gorfodaeth *f*
computer, -s: cyfrifiadur, -on *m*
concerning: ynghylch; ynglŷn â
concert, -s: cyngerdd, cyngherddau *m f*
condition, -s: amod, -au *m*; cyflwr, cyflyrau *m*
conditional: amodol
condom, -s: condom, -au *m*; sach dyrnu, sachau dyrnu [vulgar] *f*
conduct (to): arwain [orchestra]
conductor, -s: arweinydd, -ion *m*
confide (to): ymddiried
confidence: hyder *m*
congratulate (to): llongyfarch
congratulations: llongyfarchiadau [*pl noun*]
congregation, -s: cynulleidfa, -oedd *f*
connect (to): cysylltu; **connected with:** ymwneud â
conquer (to): gorchfygu
conquest, -s: concwest, -au *f*
conscious: ymwybodol
consecutive: olynol
consent: caniatâd *m*
consent (to): caniatáu
constable, -s: cwnstabl, -iaid *m*
constant: gwastad; cyson
constitution, -s: cyfansoddiad, -au *m*
contain (to): cynnwys

contemplate (to): myfyrio
contemporary: cyfoes
content, -s: cynnwys, cynhwysion *m*
contented: bodlon
contest, -s: gornest, -au *f*
continent, -s: cyfandir, -oedd *m*
continue (to): dal; parhau
control: rheolaeth *f*
controversial: dadleuol
convenience, -s: cyfleuster, -au *m*
convenient: cyfleus; hwylus
conversation, -s: sgwrs, sgyrsiau *f*
converse (to): sgwrsio
cook, -s: cog, -au *m*;
    cogydd, -ion [male] *m*;
    cogyddes, -au [female] *f*
cook (to): coginio
cope (to): ymdopi
copper: copr *m*
copy, copies: copi, copïau *m*
copy (to): copïo
copyright, -s: hawlfraint,
    hawlfreintiau *f*
cord, -s: cordyn, -nau; cortyn,
    -nau *m*
cork, -s: corcyn, -nau *m*
corn: ŷd *m*
corner, -s: cornel, -i, -au *m f*;
    congl, -au *f*
corpse, -s: corff, cyrff *m*
correct: cywir; iawn
correct (to): cywiro
correspond (to): gohebu
correspondent, -s: gohebydd,
    gohebwyr *m*
corridor, -s: coridor, -au *m*
cosmetic: cosmetig
cost, -s: cost, -au *f*
cost (to): costio

costume, -s: gwisg, -oedd *f*
cosy: clyd
cottage, -s: bwthyn, bythynnod *m*
cotton, -s: cotwm, cotymau *m*
cough: peswch *m*
cough (to): pesychu
council, -s: cyngor, cynghorau *m*
councillor, -s: cynghorydd,
    cynghorwyr *m*
count (to): cyfrif; rhifo
counter, -s: cownter, -i *m*
country, countries: gwlad,
    gwledydd *f*
county, counties: sir, -oedd *f*;
    of a county: sirol
course, -s: cwrs, cyrsiau *m*
court, -s: llys, -oedd *m*; cwrt,
    cyrtiau *m*
courteous: boneddigaidd;
    bonheddig
cousin, -s: cefnder, -oedd,
    cefndyr [male] *m*;
    cyfnither, -od [female] *f*
cover, -s: clawr, cloriau *m*
cow, -s: buwch, buchod *f*
crab(s): cranc, -od *m*
crack, -s: crac, -iau *m*
crack (to): cracio
craft, -s: crefft, -au *f*; celf, -au *f*
craftsman, craftsmen: crefftwr,
    crefftwyr [male] *m*; crefftwraig,
    crefftwragedd [female] *f*
cream: hufen *m*
crew, -s: criw, -iau *m*
cricket: criced *m*
cricketer, -s: cricedwr, cricedwyr *m*
crime, -s: trosedd, -au *m f*
crisps: creision [*pl noun*]
cross, -es: croes, -au *f*

cross (to): croesi
crossing, -s: croesfan, -nau f
crossroad, -s: croesffordd, croesffyrdd f
crossword, -s: croesair, croeseiriau m
crow, -s: brân, brain f
crowd, -s: tyrfa, -oedd f; torf, -eydd f
crown, -s: coron, -au f
crown (to): coroni
cruel: creulon; brwnt
crumb, -s: briwsionyn, briwsion m
crust, -s: crystyn, crystau, crystiau m
cry (to): crio; llefain; wylo
cuckoo, -s: cog, -au f
culture, -s: diwylliant, diwylliannau m
cup, -s: cwpan, -au m f
cupboard, -s: cwpwrdd, cypyrddau m
cupful, -s: cwpanaid, cwpaneidiau m
cure: iachâd m
cure (to): iacháu
curly: cyrliog
currant, -s: cwrensen, cwrens f
curse, -s: rheg, -feydd f
curse (to): rhegi
curtain, -s: llen, -ni f; cyrten, -ni m
cushion, -s: clustog, -au f
custom, -s: arfer, -ion m; toll, -au f
customer, -s: cwsmer, -iaid m
cut, -s: toriad, -au m; cwt, cytau m
cut (to): torri
cute: selog
cycle (to): beicio; seiclo
cyclist, -s: beiciwr, beicwyr m
cylinder, -s: silindr, -au m

Dd

dale, -s: dôl, dolydd f
dance, -s: dawns, -feydd f
dance (to): dawnsio
danger, -s: perygl, -on m
dangerous: peryglus
dark: tywyll
darken (to): tywyllu
dart, -s: dart, -iau f
date, -s: dyddiad, -au m
daughter, -s: merch, -ed f
daughter-in-law, daughters-in-law: merch-yng-nghyfraith, merched-yng-nghyfraith f
dawn: gwawr f
dawn (to): gwawrio
day, -s: dydd, -iau m; diwrnod, -au m;
    day before yesterday: echdoe
deacon, -s: diacon, -iaid m
deaf: byddar
deal with (to): ymdrin â; delio â
dear: annwyl; drud
death, -s: marwolaeth, -au f
debate, -s: dadl, -euon f
debate (to): dadlau
deceit: twyll m
deceive (to): twyllo
December: Rhagfyr; mis Rhagfyr m
decide (to): penderfynu
decimal, -s: degol, -ion m
decorate (to): addurno
decoration: addurn m
deep: dwfn
deer: carw, ceirw m

defect, -s: nam, -au *m*

defend (to): amddiffyn

definite: pendant

degree, -s: gradd, -au *f*

delay (to): gohirio; oedi

denomination, -s: enwad, -au *m*

dent, -s: tolc, -au, -iau *m*

dent (to): tolcio

dentist, -s: deintydd, -ion *m*

deny (to): gwadu

department, -s: adran, adrannau *f*

depend (to): dibynnu

deposit, -s: blaendal, -iadau *m*

depressed: digalon

deputy, deputies: dirprwy, -on *m*

descend (to): disgyn

describe (to): disgrifio

description, -s: disgrifiad, -au *m*

deserve (to): haeddu

desk, -s: desg, -iau *f*

despite: er; er gwaethaf

destroy (to): difetha; dinistrio

detail, -s: manylyn, manylion *m*

detailed: manwl

detective, -s: ditectif, -au *m*

determine (to): penderfynu; pennu

develop (to): datblygu

development, -s: datblygiad, -au *m*

device, -s: dyfais, dyfeisiadau *f*

devil, -s: diafol, -iaid *m*; diawl, -iaid *m*

dial, -s: deial, -au *m*

dial (to): deialu

dialect, -s: tafodiaith, tafodieithoedd *f*

dialogue, -s: deialog, -au *f*

diary, diaries: dyddiadur, -on *m*

dictator, -s: unben, -iaid *m*

dictionary, dictionaries: geiriadur, -on *m*

die (to): marw

difference, -s: gwahaniaeth, -au *m*

different: gwahanol

difficult: anodd

dig (to): palu

diligence: diwydrwydd *m*

diligent: gweithgar; diwyd

dinner, -s: cinio, ciniawau *m f*

diocese, -s: esgobaeth, -au *f*

direct (to): cyfarwyddo; cyfeirio

direction, -s: cyfeiriad, -au *m*; cyfarwyddyd, cyfarwyddiadau *m*

directly: uniongyrchol

director, -s: cyfarwyddwr, cyfarwyddwyr [male] *m*; cyfarwyddwraig, cyfarwyddwragedd [female] *f*

dirt: baw *m*

dirty: budr; brwnt

disabled: anabl

disadvantage, -s: anfantais, anfanteision *m*

disagree (to): anghytuno

disappear (to): diflannu

disappoint (to): siomi

disappointed: siomedig

dissapointing: siomedig

disappointment: siom *m*

disaster, -s: trychineb, -au *f*

discipline, -s: disgyblaeth, -au *f*

disco, -s: disgo, -s *m*

discontented: anfodlon

discover (to): darganfod

discuss (to): trafod

discussion, -s: trafodaeth, -au *f*

disease, -s: afiechyd, -on *m*

disgusting: ffiaidd; afiach

dish, -es: dysgl, -au *f*; llestr, -i *m*

disheartened: digalon

dishful, -s: dysglaid, dysgleidiau *f*

dishonest: anonest

disorder: anhrefn *m*

distance, -s: pellter, -au, -oedd *m*

distribute (to): dosbarthu

district, -s: ardal, -oedd *f*

divide (to): rhannu

division, -s: cynghrair, cynghreiriau [ranking] *f*

divorce, -s: ysgariad, -au *m*

divorce (to): ysgaru

do (to): gwneud

dock, -s: doc, -iau *m*

doctor, -s: meddyg, -on *m*; doctor, -iaid *m*

document, -s: dogfen, -nau, -ni *f*

dog, -s: ci, cŵn *m*

doll, -s: dol, -iau *f*

donkey, -s: mul, -od *m*

door, -s: drws, drysau *m*; porth, pyrth *m*

doubt, -s: amheuaeth, amheuon *f*

doubt (to): amau

dough: toes *m*

down: i lawr

dozen, -s: dwsin, -au *m*

drag (to): llusgo

dragon, -s: draig, dreigiau *f*

drama, -s: drama, dramâu *f*

dramatist, -s: dramodydd, dramodwyr *m*

draw (to): tynnu; arlunio; tynnu llun

drawer, -s: drôr, drorau, droriau *m*

dream, -s: breuddwyd, -ion *m f*

dream (to): breuddwydio

dress, -es: ffrog, -au, -iau *f*

dress (to): gwisgo

dresser, -s: dresel, -i *f*

drill, -s: dril, -iau *m f*

drink, -s: diod, -ydd *f*

drink (to): yfed

drive (to): gyrru

driver, -s: gyrrwr, gyrwyr *m*

drop, -s: diferyn, diferion *m*

drown (to): boddi

drum, -s: drwm, drymiau *m*

drunk: meddw [*adj*]; **become drunk:** meddwi

drunkard, -s: meddwyn, meddwon *m*

dry: sych

dry (to): sychu

duck, -s: hwyaden, hwyaid *f*

dull: dwl

during: yn ystod

dust: llwch *m*

duster, -s: dwster, -i *m*

Ee

each other: ei gilydd

eagle, -s: eryr, -od *m*

ear, -s: clust, -iau *m f*

early: cynnar; buan

earnest: difrif; **in earnest:** o ddifrif; difrifol

earth, -s: daear -oedd *f*

ease (to): esmwytho

east: dwyrain

Easter: Pasg *m*

eastern: dwyreiniol

easy: hawdd; hwylus; rhwydd

eat (to): bwyta

echo, -s: atsain, atseiniau; eco *m*

economic: economaidd

economics: economeg *f*

economist, -s: economegydd, economegwyr *m*

economy, economies: economi, economïau *f*

edge, -s: ymyl, -on *f*; min, -ion *m*

edit (to): golygu

editor, -s: golygydd, -ion *m*

educate (to): addysgu

education: addysg *f*

effect, -s: effaith, effeithiau *f*

effective: effeithiol

effort, -s: ymdrech, -ion *f*

egg, -s: wy, wyau *m*

eight: wyth

eighteen: deunaw

eighth: wythfed

either: naill ai; chwaith; un o'r ddau

elaborate (to): ymhelaethu

elastic: elastig *m*

elbow, -s: penelin, -oedd *m f*

elect (to): ethol

election, -s: etholiad, -au *m*

elector, -s; etholwr, etholwyr *m*

electrical: trydanol

electrician, -s: trydanwr, trydanwyr *m*

electricity: trydan *m*

electronic: electroneg

element, -s: elfen, -nau *f*

elementary: elfennol

embarrassed: teimlo cywilydd

embarrassment: cywilydd *m*

emergency, emergencies: argyfwng, argyfyngau *m*

emigrate (to): ymfudo

emphasis, emphases: pwyslais, pwysleisiau *m*

emphasize (to): pwysleisio

employ (to): cyflogi

empty: gwag

empty (to): gwagio

enclose (to): amgáu

end (the): y diwedd *m*

end (to): dibennu; gorffen

end, -s: pen, -nau *m*; terfyn, -au *m*

endeavour, -s: ymdrech, -ion *f*; ymgais, ymgeision *f*

endeavour (to): ymdrechu; ymgeisio

endless: di-ben-draw; diddiwedd

energetic: egnïol

energy: egni *m*; ynni *m*

engaged (to become): dyweddïo

engine: injan *f*

enjoy (to): mwynhau; enjoio; joio

enlighten (to): goleuo

enough: digon
enrage (to): gwylltio
ensure (to): sicrhau
entertain (to): difyrru
entertaining: difyr
entertainment: adloniant *m*
enthusiasm: brwdfrydedd *m*
enthusiastic: brwdfrydig
entirely: hollol; llwyr
entrance, -s: mynedfa,
   mynedfeydd *f*
envelope, -s: amlen, -ni *f*
environment: amgylchedd *f*
envy (to): eiddigeddu
equal: cyfartal; hafal
escape (to): dianc; ffoi
escort (to): danfon
essay, -s: traethawd,
   traethodau *m*; ysgrif, -au *f*
establish (to): sefydlu
estate, -s: stad, -au *f*
estuary, estuaries: aber, -oedd *m f*
Europe: Ewrop *f*
evangelical: efengylaidd
evangelist, -s: efengylydd,
   efengylwyr *m*
evangelize (to): efengylu
evening, -s: noswaith,
   nosweithiau *f*;
   good evening: noswaith dda
event, -s: digwyddiad, -au *m*
ever: byth; erioed
every: pob
everybody: pawb
everyone: pob un
everything: popeth; y cwbl
everywhere: pobman; ymhobman
evident: eglur
evil, -s: drwg, drygau *m*

ewe: dafad, defaid *f*
exact: manwl
examination, -s: arholiad, -au *m*
examiner, -s: arholwr, arholwyr *m*
example, -s: enghraifft,
   enghreifftiau *f*
excellent: ardderchog; rhagorol
except (to): eithrio
exception, -s: eithriad, -au *m*
exceptional: eithriadol
exchange (to): ffeirio
exciting: cyffrous
excuse, -s: esgus, -odion *m*
excuse (to): esgusodi
exercise, -s: ymarfer, -ion *m*
exercise (to): ymarfer
exhibit (to): arddangos
exhibition, -s: arddangosfa,
   arddangosfeydd *f*
exist (to): bod; bodoli
exit, -s: allanfa, allanfeydd *f*
expand (to): lledu
expanse, -s: ehangder,
   eangderau *m*
expansive: eang
expect (to): disgwyl; erfyn
expectation, -s: disgwyliad, -au *m*
expenses: treuliau [*pl noun*]
expensive: drud; costus
experience, -s: profiad, -au *m*
experienced: profiadol
explain (to): egluro; esbonio
explanation, -s: esboniad, -au *m*
explode (to): ffrwydro
explosion, -s: ffrwydriad, -au *m*
explosive, -s: ffrwydryn,
   ffrwydron *m*
export (to): allforio
express (to): mynegi**

extension, -s: estyniad, -au *m*
extensive: helaeth
extinguish (to): diffodd
extreme: eithafol
extremity, extremities:
    eithaf, -ion *m*
eye, -s: llygad, llygaid *m f*

fable, -s: chwedl, -au *f*
face, -s: wyneb, -au *m*
face (to): wynebu
fact, -s: ffaith, ffeithiau *f*
factor, -s: ffactor, -au *m*
factory, factories: ffatri,
    ffatrïoedd *f*
factual: ffeithiol
fail (to): methu; ffaelu
faint (to): llewygu
fair, -s: ffair, ffeiriau *f*
fair: gweddol; teg; golau
fairly: gweddol; eithaf
fairness: tegwch *m*
faithful: ffyddlon
faithful (the):
    y ffyddloniaid [*pl noun*]
fall: cwymp *m*
fall (to): disgyn; cwympo; syrthio
false: ffug
falsify (to): ffugio
fame: enwogrwydd *m*
familiar: cyfarwydd
familiarize (to): cyfarwyddo
family, families: teulu, -oedd *m*
famine: newyn *m*
famous: enwog; famous people:
    enwogion [*pl noun*]
fancy: ffansi *m*
fancy (to): ffansïo
far: pell; ymhell
farewell: ffarwél *m*;
    to say farewell: ffarwelio
farm, -s: ffarm, fferm, ffermydd *f*
farm (to): ffarmio, ffermio

farmer, -s: ffarmwr, ffermwr, ffermwyr *m*

fashion, -s: ffasiwn, ffasiynau *m f*

fast: cyflym; **to go faster:** cyflymu

fast, -s: ympryd, -iau *m*

fast (to): ymprydio

fat: tew

fatal: marwol

fate, -s: ffawd, ffodion *f*

father, -s: tad, -au *m*

father-in-law, fathers-in-law: tad-yng-nghyfraith, tadau-yng-nghyfraith *m*

fault, -s: bai, beiau *m*; ffaeledd, -au *m*

favour, -s: ffafr, -au *f*; cymwynas, -au *f*

favour (to): ffafrio

favourable: ffafriol

favourite: hoff [*adj*]

favourite, -s: ffefryn, -nau *m*

fear, -s: ofn, -au *m*

fear (to): ofni

fearful: ofnus

fearless: eofn

feast, -s: gwledd, -oedd *f*

feat, -s: camp, -au *f*

February: Chwefror, mis Chwefror *m*

federal: ffederal

feeble: eiddil

feed (to): bwydo

feel (to): teimlo

feeling, -s: teimlad, -au *m*

female, -s: benyw, -od *f*

feminine: benywaidd

fern, -s: rhedynen, rhedyn *f*

ferocity: ffyrnigrwydd *m*

fertile: ffrwythlon

festival, -s: gŵyl, gwyliau *f*

fetch (to): nôl

feudal: ffiwdal

fever, -s: twymyn, -au *f*

few: ychydig; ambell

fiddle, -s: ffidil, -au *f*

field, -s: cae, -au *m*; maes, meysydd *m*

fierce: ffyrnig

fifth: pumed

fight, -s: brwydr, -au *f*; gornest, -au *f*

fight (to): ymladd

figure, -s: ffigur, -au *m*

file, -s: ffeil, -iau *f*

file (to): ffeilio

fill (to): llanw; llenwi

film, -s: ffilm, -iau *f*

film (to): ffilmio

finance: cyllid *m*

financial: ariannol

find (to): ffeindio; dod o hyd i

fine, -s: dirwy, -on *f*

finger, -s: bys, -edd *m*

finger (to): byseddu

finish (to): gorffen; cwblhau; dibennu

fire, -s: tân, tanau *m*

fireplace, -s: grât, gratiau, gratau *m f*

firm: cadarn

first: cyntaf

fish: pysgodyn, pysgod *m*

fish (to): pysgota

fisherman, fishermen: pysgotwr, pysgotwyr *m*

fist, -s: dwrn, dyrnau *m*

fit: ffit

fit (to): ffitio

fitness: ffitrwydd *m*
five: pump
flag, -s: baner, -i *f*
flame, -s: fflam, -au *f*;
    flame torch, -es: ffagl, -au *f*
flash, -es: fflach, -iadau *f*
flash (to): fflachio
flat, -s: fflat, -iau *m*
flat: gwastad
flatter (to): seboni
flee (to): ffoi
fleet, -s: fflyd, -oedd *f*
flesh: cnawd *m*
flint, -s: fflint, -iau *m*
flock, -s: praidd, preiddiau *m*
flood, -s: llif, -ogydd *m*
floor, -s: llawr, lloriau *m*
flour: blawd *m*
flow (to): llifo
flower, -s: blodyn, blodau *m*
flu: ffliw *f*
fluent: rhugl
fly, flies: pryf, pryfed *m*; cleren,
    clêr *f*
fly (to): hedfan; fflio
foal, -s: ebol, -ion *m*
foam: ewyn *m*
foaming: ewynog
fog: niwl *m*
foggy: niwlog
fold (to): plygu
folk-dance, -s: dawns werin,
    dawnsiau gwerin *f*
folk-song, -s: cân werin, caneuon
    gwerin *f*
follow (to): canlyn; dilyn
fond: hoff
food, -s: bwyd, -ydd *m*
fool, -s: ffŵl, ffyliaid *m*

foolish: gwirion; ffôl
foolishness: ffolineb *m*
foot, feet: troed, traed *m f*;
    troedfedd, -i [measurement] *f*
football: pêl-droed *m*
for: oherwydd; tros; er; i; am
ford, -s: rhyd, -au *f*
forecast, -s: rhagolwg,
    rhagolygon *m*
forehead, -s: talcen, -nau, -ni *m*
foreign: estron; tramor
foreigner, -s: estron, -iaid *m*;
    tramorwr, tramorwyr *m*
forest, -s: coedwig, -oedd *f*;
    fforest, -ydd *f*
foreword, -s: rhagair,
    rhageiriau *m*
forget (to): anghofio
forgive (to): maddau
forgiveness: pardwn *m*;
    maddeuant *m*
fork, -s: fforc, ffyrc *f*; fforch, -au,
    ffyrch *f*
form, -s: ffurf, -iau *f*; ffurflen, -ni *f*
form (to): ffurfio
formal: ffurfiol
former: cyn [prefix][+ *soft*
    mutation]
fort, -s: caer, -au, ceyrydd *f*
fortnight, -s: pythefnos, -au *m f*
forward: ymlaen
forward, -s: blaenwr, blaenwyr *m*
foundation, -s: sylfaen, sylfeini *m f*;
    sail, seiliau *m*
fountain, -s: ffynnon, ffynhonnau *f*
four: pedwar [masculine];
    pedair [feminine]
fourth: pedwerydd [masculine];
    pedwaredd [feminine]

fowl, -s: ffowlyn, ffowls *m*

fox, -es: cadno, -id *m*;
llwynog, -od *m*

foyer, -s: cyntedd, -au *m*

fraction, -s: ffracsiwn,
ffracsiynau *m*

frail: eiddil

frame, -s: ffrâm, fframiau *f*

frame (to): fframio

framework: fframwaith *m*

free: di-dâl; aṁ ddim; rhydd

free (to): rhyddhau

freedom: rhyddid *m*

freeze (to): rhewi

freezer, -s: rhewgell, -oedd *f*

frequent: aml;
frequently: yn aml

fresh: ffres; ir

Friday: Gwener, dydd Gwener *m*

fridge, -s: oergell, -oedd *f*

friend, -s: cyfaill, cyfeillion *m*;
cyfeilles, -au [female] *f*;
ffrind, -iau *m*

friendliness: cyfeillgarwch *m*

friendly: cyfeillgar

friendship: cyfeillgarwch *m*

fright: braw *m*; dychryn *m*

frighten (to): dychryn

frightening: dychrynllyd

frightful: erchyll

frog, -s: broga, -od *m*; llyffant, -od *m*

frolic (to): prancio

from: o; gan; oddi wrth; wrth

front, -s: blaen, -au *m*

froth: ewyn *m*

frothing: ewynnog

fruit, -s: ffrwyth, -au *m*

fruitful: ffrwythlon

fry (to): ffrio

fugitive, -s: ffoadur, -iaid *m*

full: llawn; llond [*in front of noun*]

full back, -s: cefnwr, cefnwyr *m*

fun: hwyl *f*; sbri *m*

fundamental: sylfaenol

fungus, fungi: ffwng, ffyngau *m*

funny: doniol; digrif

fur, -s: ffwr, ffyrrau *m*

furnace, -s: ffwrnais, ffwrneisiau *f*

furniture: celficyn, celfi *m*;
dodrefnyn, dodrefn *m*

further: pellach; ymhellach;
further on: yn nes ymlaen

furze: eithin [*pl noun*]

fuss: ffwdan *f*

future: dyfodol *m*

Gg

gain: elw *m*

gain (to): ennill; elwa

gallery, galleries: oriel, -au *f*

gallon, -s: galwyn, -i *m*

gallop, -s: carlam, -au *m*

gallop (to): carlamu

game, -s: camp, -au *f*; gêm, gemau *f*

gap, -s: bwlch, bylchau *m*

garage, -es: modurdy, modurdai *m*; garej *f*

garden, -s: gardd, gerddi *f*

garden (to): garddio

gardener, -s: garddwr, garddwyr *m*

garlic: garlleg [*pl noun*]

garment, -s: dilledyn, dillad *m*

gas, -es: nwy, -on *m*

gate, -s: clwyd, -i *f*; gât, gatiau *f*; giât, giatiau *f*

gather (to): hel

gaze (to): syllu

gem, -s: tlws, tlysau *m*; gem, -au *m f*

general: cyffredinol

generally: yn gyffredinol

gentle: tyner

gentleman, gentlemen: bonheddwr, bonheddwyr *m*

geography: daearyddiaeth *f*

geology: daeareg *f*

get (to): cael; nôl

ghost, -s: ysbryd, -ion *m*

giant, -s: cawr, cewri *m*

gift, -s: anrheg, -ion *f*; rhodd, -ion *f*

gipsy, gipsies: sipsi, sipsiwn *m f*

girl, -s: merch, -ed *f*; geneth, -od *f*; hogan, genod *f*; croten, crotesi *f*

give (to): rhoi

glad: balch

gladness: llawenydd *m*

glass, -es: gwydr, -au *m*; sbectol, -au *f*

glassful, -s: gwydraid *m*; glasaid, glaseidiau *m*

glittering: llachar

glove, -s: maneg, menig, menyg *f*

glue: glud *m*

glue (to): gludo

glutton, -s: bolgi, bolgwn *m*

go (to): mynd

goal, -s: gôl, goliau *f*

goat, -s: gafr, geifr *f*

god, -s: duw, -iau *m*

goddess, -es: duwies, -au *f*

godly: duwiol

gold: aur *m*

golden: euraid; euraidd

golf: golff *m*

good: da

goodness: daioni *m*

goods: nwyddau [*pl noun*]

goose, geese: gŵydd, gwyddau *f*

gorse: eithin [*pl noun*]

gospel, -s: efengyl, -au *f*

govern (to): llywodraethu

government, -s: llywodraeth, -au *f*

governor, -s: llywodraethwr, llywodraethwyr *m*

grade, -s: gradd, -au *f*

gradual: graddol

graduate (to): graddio

grammar, -s: gramadeg, -au *m*

grammatical: gramadegol
granddaughter, -s: wyres, -au *f*
grandfather, -s: taid, teidiau *m*;
   tad-cu, tadau-cu *m*
grandmother, -s: nain, neiniau *f*;
   mamgu, mamau-cu *f*
grandson, -s: ŵyr, wyrion *m*
grapefruit, -s: grawnffrwyth, -au *m*
grapes: grawnwin [*pl noun*]
grasp (to): gafael; cydio
grass: glaswelltyn, glaswellt *m*;
   gwelltyn, gwellt *m*; gwair *m*
grate, -s: grât, gratau, gratiau *f*
grateful: diolchgar
gratitude: diolchgarwch *m*
grave, -s: bedd, -au *m*
graveyard, -s: mynwent, -ydd *f*
gravy: grefi *m*
graze (to): pori
grease, -s: saim, seimiau *m*
grease (to): iro
greasy: seimllyd
greatness: mawredd *m*
green: gwyrdd
greet (to): cyfarch
greeting, -s: cyfarchiad,
   cyfarchion *m*
grey: llwyd
grid, -s: grid, -iau *m*
group, -s: grŵp, grwpiau *m*
grow (to): tyfu
guard (to): gwarchod
guess (to): dyfalu
guest, -s: gwestai, gwesteion *m*
guest-house, -s: gwesty, gwestai *m*
guidance, -s: cyfarwyddyd,
   cyfarwyddiadau *m*
guideline, -s: canllaw, -iau *m*
guilt: euogrwydd *m*

guilty: euog
guitar, -s: gitâr, gitarau *m f*
gulp, -s: llwnc, llynciau *m*
gun, -s: dryll, -iau *m*; gwn,
   gynnau *m*
gymnasium: campfa *f*

Hh

hailstones: cesair [pl noun];
  cenllysg [pl noun] m
hair, -s: blewyn, blew m;
  gwallt, -iau m
hairy: blewog
half, halves: hanner, haneri m
hall, -s: neuadd, -au f
halve (to): haneru
ham: ham m
hand, -s: llaw, dwylo f
handkerchief, -s: hances, -i f
handle, -s: dolen, -nau, -ni f
handsome: golygus
happen (to): digwydd
happiness: hapusrwydd m
happy: hapus; llawen
harbour, -s: porthladd, -oedd m;
  harbwr m
hard: caled; anodd
hard-working: gweithgar
hardly: prin
hare, -s: ysgyfarnog, -od m
harm: niwed, niweidiau m
harm (to): niweidio
harmless: diniwed
harp, -s: telyn, -au f
harsh: garw
harvest, -s: cynhaeaf, cynaeafau m
harvest (to): cynaeafu
haste: brys m
hasten (to): brysio
hat, -s: het, -iau f
hate (to): casáu
hateful: atgas

have (to): cael; gan [+ bod]
hay: gwair m
hazel [tree(s)]: collen, cyll f
he: fe, fo, ef
head, -s: pen, -nau m; pennaeth,
  penaethiaid m
headache: pen tost m; cur pen m
headmaster, -s: prifathro,
  prifathrawon m
headmistress, -es: prifathrawes,
  -au f
headquarters: pencadlys m
health: iechyd m
healthy: iach; iachus
heap, -s: twr, tyrrau m
hear (to): clywed
heart, -s: calon, -nau f
hearth, -s: aelwyd, -ydd f
heat: gwres m
heat (to): gwresogi; poethi
heater, -s: gwresogydd, -ion m
heather: grug m
heaven, -s: nef, -oedd f
heavenly: nefolaidd
heavy: trwm
hedge, -s: gwrych, -au, -oedd m;
  clawdd, cloddiau m
hedgehog, -s: draenog, -od m
heed (to): malio
heel, -s: sawdl, sodlau m f
height: taldra; uchder m
heir, -s: etifedd, -ion m
helicopter, -s: hofrennydd,
  hofrenyddion m
hello: helo
helmet, -s: helmed, -au f
help: cymorth; help m
help (to): cynorthwyo; helpu
hen, -s: iâr, ieir f

her: hi; ei [+ *aspirate mutation*]
here: yma
here is, are: dyma [+ *soft mutation*]
hers: ei hun hi
hide, -s: croen, crwyn *m*
hide (to): cuddio
hideous: erchyll
high: uchel
hill, -s: bryn, -iau *m*; rhiw, -iau *f*
him: ef; fe; fo
hindrance, -s: rhwystr, -au *m*
hire (to): llogi
his: ei [+ *soft mutation*]
history: hanes *m*
hit (to): bwrw; taro
hobby, hobbies: diddordeb, -au *m*
hockey: hoci *m*
hold (to): dal; gafael; cydio; cynnal
hole, -s: twll, tyllau *m*
holiday, -s: gŵyl, gwyliau *f*
hollol: completely
holly: celynnen, celyn *f*
holy: sanctaidd
home, -s: cartref, -i *m*; aelwyd, -ydd *f*; **at home:** gartref; **go home:** mynd adref
homework: gwaith cartref *m*
homely: cartrefol
honest: gonest
honesty: gonestrwydd *m*
honey: mêl *m*
honeymoon: mis mêl *m*
hook, -s: bachyn, bachau *m*
hoop, -s: cylch, -au, -oedd *m*
hope, -s: gobaith, gobeithion *m*
hope (to): gobeithio
hopeful: gobeithiol
hopeless: anobeithiol
horrible: erchyll

horse, -s: ceffyl, -au *m*
hospitable: lletygar; croesawgar
hospital, -s: ysbyty, ysbytai *m*
hospitality: lletygarwch *m*
hostel, -s: hostel, -au *m*
hot: poeth
hotel, -s: gwesty, gwestai *m*
hour, -s: awr, oriau *f*
house, -s: tŷ, tai *m*
how: sut; shwd; mor; **how [many, much]:** faint; sawl
humour: hiwmor *m*
hundred, -s: cant, cannoedd *m*
hundredth: canfed
hunt (to): hela
hurdle, -s: clwyd, -i *f*
hurry (to): brysio; prysuro
hurt (to): brifo
husband, -s: gŵr, gwŷr *m*
hut, -s: cwt, cytiau *m*; caban, -au *m*
hymn, -s: emyn, -au *m f*
hymnist, -s: emynwr, emynydd, emynwyr *m*
hypocrisy, hypocrisies: rhagrith, -ion *m*
hypocritical: rhagrithiol; **to be hypocritical:** rhagrithio

Ii

ice: iâ *m*; rhew *m*
ice cream: hufen iâ *m*
idea, -s: syniad, -au *m*
ideal: delfrydol
ideal, -s: delfryd, -au *m f*
idiom, -s: idiom, -au *f*
idle: segur
idle (to): diogi; segura
idleness: segurdod *m*
idler: diogyn *m*
idol, -s: eilun, -od *m*
if: os; pe
ill: gwael; sâl; tost; claf
illness: salwch *m*
illustrative: enghreifftiol
image, -s: darlun, -iau *m*;
    eilun, -od *m*
imagination: dychymyg *m*
imagine (to): dychmygu
imitate (to): efelychu
immigrant, -s: mewnfudwr,
    mewnfudwyr *m*
impersonate (to): dynwared
imply (to): awgrymu
import (to): mewnforio
importance: pwysigrwydd *m*;
    of importance: o bwys
important: pwysig
impossible: amhosibl
improve (to): gwella
improvement, -s: gwelliant,
    gwelliannau *m*
in: yn; yng; mewn
inch, -es: modfedd, -i *f*

incident, -s: digwyddiad, -au *m*
incite (to): ennyn
include (to): cynnwys
income: incwm *m*
income tax: treth incwm *f*
incomer, -s: mewnfudwr,
    mewnfudwyr *m*
incorrect: anghywir
individual, -s: unigolyn,
    unigolion *m*
industrial: diwydiannol
industrious: diwyd
industry, industries: diwydiant,
    diwydiannau *m*
inert: swrth
inferior: israddol
influenza: ffliw *f*
inform (to): hysbysu
information: gwybodaeth *f*
infrequent: anaml
ingredients: cynhwysion [*pl noun*]
inherit (to): etifeddu
injection, -s: pigiad, -au *m*
injure (to): anafu; brifo; niweidio
injury, injuries: anaf, -iadau *m*;
    dolur, -iau *m*;
    niwed, niweidiau *m*
ink: inc *m*
innocent: diniwed; dieuog
inquire (to): holi
inquiry, inquiries: ymholiad, -au *m*
insect, -s: pryf, -ed *m*; cleren, clêr *f*
inside: tu mewn; i mewn
insist (to): mynnu
inspector, -s: arolygwr, arolygwyr *m*
inspiration: ysbrydoliaeth *f*
institution, -s: sefydliad, -au *m*
instruction, -s: cyfarwyddyd,
    cyfarwyddiadau *m*

instrument, -s: offer, offeryn, -nau *m*

instrumental: offerynnol

instrumentalist, -s: offerynnydd, offerynwyr *m*

insult (to): sarhau

intelligent: deallus

intend (to): bwriadu

intent: bryd *m*

intention, -s: bwriad, -au *m*

interest, -s: diddordeb, -au *m*; llog, -au *m*

interest (to): diddanu; diddori

interest rate, -s: graddfa llog, graddfeydd llog *f*

interesting: diddorol; diddan

interfere (to): ymyrryd

international: rhyngwladol

interval, -s: egwyl, -iau *f*

interview, -s: cyfweliad, -au *m*

intimacy: agosatrwydd *m*

introduction, -s: cyflwyniad, -au *m*

invitation, -s: gwahoddiad, -au *m*

invite (to): gwahodd

iron, -s: haearn, heyrn *m*

iron (to): smwddio

is: mae; ydy; yw; sydd; oes

island, -s: ynys, -oedd *f*

it: fe; ef; fo; hi

itch (to): crafu

item, -s: eitem, -au *f*

ivy: eiddew *m*

jacket, -s: siaced, -i *f*

jam: jam *m*

January: Ionawr, mis Ionawr *m*

jar, -s: jar, -iau *f*

jaw, -s: gên, genau *f*

jealousy: eiddigedd *m*

jelly: jeli *m*

jerk, -s: plwc, plyciau *m*

Jesus: Iesu;
    Jesus Christ: Iesu Grist

jewel, -s: tlws, tlysau *m*: gem, -au *f*

jeweller, -s: gemydd, gemwyr *m*

job, -s: swydd, -i *f*; job *f*

jog (to): loncian

join (to): uno; cysylltu; ymuno; ymaelodi

joke, -s: jôc, jôcs *f*

joke (to): jocian

journalism: newyddiaduraeth *f*

journalist, -s: newyddiadurwr, newyddiadurwyr [male] *m*; newyddiadurwraig, newyddiadurwragedd [female] *f*

journey, -s: siwrnai, siwrneiau, siwrneion *f*; taith, teithiau *f*

joy: llawenydd *m*

judge, -s: beirniad, beirniaid *m*; barnwr, barnwyr *m*

judge (to): beirniadu

judgement, -s: barn, -au *f*; dyfarniad, -au *m*

jug, -s: jwg, jygiau *f*

juice: sudd *m*

July: Gorffennaf, mis Gorffennaf *m*

jump, -s: naid, neidiau *f*
jump (to): neidio
jumper, -s: siwmper, -i *f*
junction, -s: cyffordd, cyffyrdd *f*
June: Mehefin, mis Mehefin *m*
jury, juries: rheithgor, -au *m*

keep (to): cadw
kennel, -s: cenel, -au *m*
kettle, -s: tegell, -au *m*
key, -s: allwedd, -i, -au *f*; goriad, -au *m*; agoriad, -au *m*
kick, -s: cic, -iau *f*
kick (to): cicio
kill (to): lladd
kind: caredig [*adj*]
kind, -s: math, -au *m*
king, -s: brenin, brenhinoedd *m*
kingdom, -s: teyrnas, -oedd *f*
kiss, -es: cusan, -au *m f*; sws, swsys *m*
kiss (to): cusanu
kitchen, -s: cegin, -au *f*
knee, -s: pen-glin, -au *f*; pen-lin, -au *f*
knife, knives: cyllell, cyllyll *f*
knit (to): gwau
knock: cnoc, -iau *m*
knock (to): cnocio
know (to): gwybod; adnabod
knowledge: gwybodaeth *f*

label, -s: label, -i *f*
label (to): labelu
laboratory, laboratories: labordy, labordai *m*
labourer, -s: labrwr, labrwyr *m*
lad, -s: crwt, cryts *m*; hogyn, hogiau *m*; bachgen, bechgyn *m*
ladder, -s: ysgol, -ion *f*
lady, ladies: boneddiges, -au *f* arglwyddes, -au *f*
lake, -s: llyn, -noedd *m*
lamb, -s: oen, ŵyn *m*
lamp, -s: lamp, -au *f*
land, -s: tir, -oedd *m*
land (to): glanio
lane, -s: lôn, lonydd *f*
language, -s: iaith, ieithoedd *f*
large: mawr
lass, -es: croten, crotesi *f*; geneth, -od *f*; hogan, genod *f*; lodes, -i *f*
last: diwethaf; olaf; **last night:** neithiwr; **last year:** y llynedd
last (to): parhau
late: diweddar; hwyr
later: hwyrach; yn nes ymlaen
latest: diwethaf; hwyraf; diweddaraf
laugh (to): chwerthin
law, -s: cyfraith, cyfreithiau *f*; deddf, -au *f*
lawful: cyfreithlon
lawn, -s: lawnt, -iau *f*
lawyer, -s: cyfreithiwr, cyfreithwyr [male] *m*; cyfreithwraig, cyfreithwragedd [female] *f*
lay (to): gosod

lazy: diog
lead (to): arwain
leader, -s: arweinydd, -ion *m*
leaf, leaves: deilen, dail *f*
leaflet, -s: taflen, -ni *f*
league, -s: cynghrair, cynghreiriau *f*
lean: main
lean (to): pwyso
leap, -s: naid, neidiau *f*
leap (to): neidio
learn (to): dysgu
learner, -s: dysgwr, dysgwyr *m*
leave (to): gadael
lecturer, -s: darlithydd, darlithwyr *m*
leek, -s: cenhinen, cennin *f*
left: chwith; ar ôl
leftover, -s: gweddill, -ion *m*
leg, -s: coes, -au *f*
leisure: hamdden *f*
leisurely: hamddenol
lemonade: lemonêd *m*
lend (to): benthyg; rhoi benthyg i
length, -s: hyd, -au, -oedd *m*
less: llai
lesson, -s: gwers, -i *f*
lest: rhag; rhag ofn
letter, -s: llythyren, llythrennau *f*; llythyr, -au, -on *m*
lettuce, -s: letysen, letys *f*
level, -s: lefel, -au *f*
level: gwastad [*adj*]
level place, -s: gwastadedd, -au *m*
libel, -s: enllib, -ion *m*
libel (to): enllibio
liberty: rhyddid *m*
librarian, -s: llyfrgellydd, llyfrgellwyr *m*
library, libraries: llyfrgell, -oedd *f*
licence, -s: trwydded, -au *f*

lid, -s: caead, -au *m*; clawr, cloriau *m*

lie, -s: celwydd, -au *m*

lie (to): dweud celwydd

lie down (to): gorwedd

life, lives: bywyd, -au *m*

lifetime, -s: oes, -au, -oedd *f*

lift, -s: lifft, -iau *f*

light: ysgafn [*adj*]

light, -s: golau, goleuadau *m*

light (to): goleuo; golau

lighthouse, -s: goleudy, goleudai *m*

lightning: mellten, mellt *f*

like: fel; tebyg i

like (to): hoffi; licio

likeable: hoffus

likely: tebygol

liking: hoffter *m*

lime: calch *m*

line, -s: llinell, -au *f*; lein, -iau *f*

linguist, -s: ieithydd, -ion *m*

link, -s: dolen, nau, -ni *f*

lion, -s: llew, -od *m*

lip, -s: gwefus, -au *f*

lipstick, -s: minlliw, -iau *m*

list, -s: rhestr, -au *f*

list (to): rhestru

listen (to): gwrando

literature, -s: llenyddiaeth, -au *f*

litre, -s: litr, -au *m*

little: bach; bychan; **a little:** ychydig; tipyn

live: byw [*adj*]

live (to): byw

livelihood, -s: bywoliaeth, -au *f*

lively: bywiog

liver, -s: iau, ieuau *m*; afu *m f*

loaf, loaves: torth, -au *f*

loathsome: ffiaidd

lobster, -s: cimwch, cimychiaid *m*

local: lleol

location, -s: lleoliad, -au *m*

lock, -s: clo, -eau, -eon *m*

lock (to): cloi

lodge (to): lletya

lodgings: llety *m*

loft, -s: lloft, -ydd *f*

lollypop: lolipop *m*

loneliness: unigrwydd *m*

lonely: unig

long: hir; maith

long (to): hiraethu

longing: hiraeth *m*

look, -s: golwg, golygon *f*

look (to): edrych; sbio

loose: rhydd

loosen (to): rhyddhau

lord, -s: arglwydd, -i *m*

lorry, lorries: lori, lorïau *f*

lose (to): colli

loss, -es: colled, -ion *f*

lounge: lolfa *f*

lounge (to): lolian

love: cariad *m*

love (to): caru

loveable: hoffus

lover, -s: cariad, -on *m f*

low: isel

lower: is

lowest: isaf

loyal: ffyddlon; **the loyal ones:** y ffyddloniaid [*pl noun*]

luck: lwc *f*

lucky: ffodus; lwcus

lull, -s: egwyl, -iau *f*

lullaby, lullabies: hwiangerdd, -i *f*

lump, -s: lwmp, lympiau *m*

lunch, -es: cinio, ciniawau *m*

luxurious: moethus

Mm

machine, -s: peiriant, peiriannau *m*

mackerel, -s: macrell, mecryll *m f*

magazine, -s: cylchgrawn, cylchgronau *m*

magi: doethion [*pl noun*]

magic: hud *m*

magistrate, -s: ynad, -on *m*; ustus, -iaid *m*

magnet, -s: magned, -au *m*

magpie, -s: pioden, piod *f*

maid, -s: morwyn, morynion *f*

mail (the): post *m*

main: prif

majesty: mawredd *m*

majority, majorities: mwyafrif, -oedd *m*

make (to): gwneud

make-up: colur *m*; **to make oneself up:** coluro; ymbincio

male, -s: gwryw, -od *m*

man, men: dyn, -ion *m*; gŵr, gwŷr *m*

manager, -s: rheolwr, rheolwyr *m*

manner, -s: ffordd, ffyrdd *f*; dull, -iau *m*; modd, -au *m*

mansion, -s: plasty, plastai *m*; plas, -au *m*

mantlepiece, -s: silff-ben-tân, silffoedd-pen-tân *f*

many: llawer; lot; **as many:** cymaint; **so many:** cymaint

map, -s: map, -iau *m*

marble: marmor *m*

March: Mawrth, mis Mawrth *m*

mare, -s: caseg, cesig *f*

margarine: margarîn *m*

mark, -s: ôl, olion *m*; marc, -iau *m*

mark (to): marcio

market, -s: marchnad, -oedd *f*

marmalade: marmalêd *m*

married: priod; wedi priodi

marry (to): priodi

martyr, -s: merthyr, -on *m*

masculine: gwrywaidd

master, -s: meistr, -i *m*

mat, -s: mat, -iau *m*

match, -es: matsien, matsys *f*

material, -s: defnydd, -iau *m*

mathematics: mathemateg *f*

matter, -s: mater, -ion *m*

mature: aeddfed

mature (to): aeddfedu

maximum: uchafswm *m*; uchafrif *m*

May: Mai, mis Mai *m*

mayor, -s: maer, meiri *m*

me: fi; mi

mead: medd *m*

meadow, -s: dôl, dolydd *f*

meal, -s: pryd, -au *m*

mean (to): golygu

meaning, -s: ystyr, -on *m f*

means: modd *m*

measure, -s: mesur, -au *m*

measure (to): mesur

measurement, -s: mesuriad, -au *m*

meat, -s: cig, -oedd *m*

medal, -s: medal, -au *f*

meddle (to): ymyrryd

mediator, -s: canolwr, canolwyr *m*

medicine: moddion [*pl noun*]; ffisig *m*

meet: cwrdd; cyfarfod â

meeting, -s: cyfarfod, -ydd *m*;
   cwrdd, cyrddau *m*
melodious: swynol
melt (to): toddi
member, -s: aelod, -au *m*
memory, memories: cof, -ion *m*;
   atgof, -ion *m*
mend (to): trwsio
mention (to): sôn; crybwyll
menu, -s: bwydlen, -ni *f*
mercy, mercies: trugaredd, -au *f*
merriment: miri *m*
merry: llon; llawen
mess: llanast *m*; annibendod *m*
message, -s: neges, -euon, -euau *f*
metal, -s: metel, -au *m*
meter, -s: mesurydd, -ion *m*
Methodist, -s: Methodist, -iaid *m*
metre, -s: metr, -au *f*; mesur, -au *m*
mew (to): mewian
microphone, -s: meicroffon, -au *m*
middle: canol -au; **in the middle**
   of: ynghanol
mile, -s: milltir, -oedd *f*
milk: llefrith *m*; llaeth *m*
milky: llaethog
mill, -s; melin, -au *f*
million, -s: miliwn, miliynau *f*
mind: cof *m*; meddwl *m*
mind (to): gwarchod; malio
miner, -s: glöwr, glowyr *m*
mineral, -s: mwyn, -au *m*
mining: glofaol
minister, -s: gweinidog, -ion *m*
minority, minorities: lleiafrif, -au,
   -oedd *m*
minute, -s: munud, -au *m f*
mirror, -s: drych, -au *m*
mischief: direidi *m*

mischievous: direidus
miserable: diflas
misfortune: anlwc *m*
mist, -s: niwl, -oedd *m*
mistake, -s: camgymeriad, -au *m*;
   gwall, -au *m*
mistletoe: uchelwydd *m*
mistress, -es: meistres, -i *f*
misty: niwlog
mix (to): cymysgu
moan (to): cwyno
model, -s: model, -au *m*
modern: modern *m*
moment, -s: moment, -au *f*
Monday: Llun, dydd Llun *m*
money: arian *m*; pres *m*
monotonous: undonog
monotony: undonedd *m*
monster, -s: anghenfil, -od *m*
month, -s: mis, -oedd *m*
mood, -s: hwyl, -iau *f*
moon, -s: lleuad, -au *f*; lloer, -au *f*
moor, -s: rhos, -ydd *f*
moral, -s: moes, -au *f*
more: mwy; rhagor; ychwaneg
morning, -s: bore, -au *m*
morsel, -s: tamaid, tameidiau *m*
mortgage, -s: morgais, morgeisi *m*
moss: mwsogl *m*
mother, -s: mam, -au *f*
mother-in-law, mothers-in-law:
   mam-yng-nghyfraith, mamau-
   yng-nghyfraith *f*
motor, -s: modur, -on *m*
motor (to): moduro
motorway, -s: traffordd, traffyrdd *f*
mount (to): esgyn
mountain, -s: mynydd, -oedd *m*
mountainous: mynyddig

mouse, mice: llygoden, llygod *f*
moustache, -s: mwstás, mwstasys *m*
mouth, -s: ceg, -au *f*; genau, geneuon *m*
move (to): symud
movement, -s: symudiad, -au *m*; mudiad, -au *m*
much: llawer; **as much:** cymaint; **so much:** cymaint; **too much:** gormod
mule, -s: mul, -od *m*
murder, -s: llofruddiaeth, -au *f*
murder (to): llofruddio
murderer, -s: llofrudd, -ion *m*
museum, -s: amgueddfa, amgueddfeydd *f*
mushroom, -s: madarchen, madarch *f*
music: cerddoriaeth *f*; miwsig *m*
musician, -s: cerddor, -ion *m*
mutate (to): treiglo
mutation, -s: treigl(i)ad, -au *m*
mute: mud
muteness: mudandod *m*
my: fy [+ *nasal mutation*]

nail, -s: ewin, -edd *m*; hoelen, hoelion *f*
naïve: diniwed
naked: noeth
name, -s: enw, -au *m*
name (to): enwi
namely: sef
nappy, nappies: clwt, clytiau *m*; cewyn, -nau *m*
narrative: naratif *m*
narrow: cul
nasty: cas
nation, -s: cenedl, cenhedloedd *f*
national: cenedlaethol
nationalist, -s: cenedlaetholwr, cenedlaetholwyr [male] *m*; cenedlaetholwraig, cenedlaetholwragedd [female] *f*
native: genedigol
natural: naturiol
nature: natur *f*
near: gerllaw; ger
nearer: nes; agosach
nearest: nesaf; agosaf
nearly: bron
necessary: angenrheidiol
necessity, necessities: : rhaid, rheidiau *m*
neck, -s: gwddf, gyddfau *m*
need, -s: angen, anghenion *m*
needle, -s: nodwydd, -au *f*
negative: negyddol
neglect (to): esgeuluso
neighbour, -s: cymydog, cymdogion *m*

nephew, -s: nai, neiaint *m*

nerve, -s: nerf, -au *m*

nervous: nerfus

nest, -s: nyth, -od *m f*

nest (to): nythu

never: byth [*with future tense*];
erioed [*with past tense*]

new: newydd

news: newydd, -ion *f*

newspaper, -s: papur, -au newydd *m*

next: nesaf

nice: neis

niece, -s: nith, -oedd *f*

night, -s: nos, -au *f*; noswaith,
nosweithiau *f*;
last night: neithiwr;
night before last: echnos

nightdress, -es: coban, -au *f*

nine: naw

ninth: nawfed

no: na; naddo etc.

noble: bonheddig

nobody: neb

noise, -s: sŵn, synau *m*; stŵr *m*;
twrw *m*

noisy: swnllyd

nonsense: lol; dwli;
to talk nonsense: lolian; siarad
dwli; malu awyr

north: gogledd *m*

northerner, -s: gogleddwr,
gogleddwyr [male] *m*;
gogleddwraig, gogleddwragedd
[female] *f*

nose, -s: trwyn, -au *m*

nostalgia: hiraeth *m*

nostril, -s: ffroen, -au *f*

not: nid

note, -s: nodyn, nodau *m*; nodyn,
nodiadau *m*

note (to): nodi

nothing: dim

notice, -s: arwydd, -ion *m f*

notice (to): sylwi

nourish (to): meithrin

novel, -s: nofel, -au *f*

novelist, -s: nofelydd, nofelwyr *m*

November: Tachwedd,
mis Tachwedd *m*

now: nawr; rŵan

nuclear: niwclear

number, -s: nifer, -oedd *m f*; rhif, -
au *m*

nurse, -s: nyrs, -ys *f*; gweinyddes, -
au [female] *f*

nurse (to): nyrsio; magu

nursery, nurseries: meithrinfa,
meithrinfeydd *f*

nut, -s: cneuen, cnau *f*

nylon: neilon *m*

oak: derw [*adj*]

oaktree, -s: derwen, derw *f*

obedient: ufudd

obligation: gorfodaeth *f*

obliged: gorfod

observation, -s: sylw, -adau *m*

observe (to): sylwi

obvious: amlwg; eglur

occasion, -s: achlysur, -on *m*

occasional: ambell

occasionally: yn achlysurol

occupation, -s: galwedigaeth, -au *f*

occur (to): digwydd

October: Hydref, mis Hydref *m*

odd: od; rhyfedd

odour, -s: arogl, -au *m*

of: o

off: i ffwrdd

offend (to): digio

offer, -s: cynnig, cynigion *m*

offer (to): cynnig

office, -s: swyddfa, swyddfeydd *f*

officer, -s: swyddog, -ion *m*

official, -s: swyddog, -ion *m*

official: swyddogol [*adj*]

offspring, -s: epil, -iaid *m*

often: aml

oil: olew *m*

ointment: eli, elïau *m*

old: hen; **to grow old:** heneiddio

old age: henaint *m*

on: ar

once: unwaith

one: un; **one-day:** undydd

onion, -s: nionyn, nionod *m*; wniwn, wynwyn *m*

only: ond; unig

onwards: ymlaen

open: agored

open (to): agor

opening, -s: agoriad, -au *m*; genau, geneuon *m*

opera, -s: opera, operâu *f*

operation, -s: llawdriniaeth, -au [surgical] *f*

opinion, -s: barn, -au *f*

opportunity, opportunities: cyfle, -oedd *m*

opposite: gyferbyn â

or: neu; ynteu

oracle, -s: oracl, -au *m*

oral: llafar

orange, -s: oren, -nau *m*; **orange juice:** sudd oren *m*

orchestra, -s: cerddorfa, cerddorfeydd *f*

ordain (to): ordeinio

order, -s: archeb, -ion *f*; urdd, -au *f*

order (to): archebu; gorchymyn

orderly: trefnus

ordinary: cyffredin

organ, -s: organ, -au *f*

organist, -s: organydd, -ion *m*

organize (to): trefnu

organizer, -s: trefnydd, -ion *m*

original: gwreiddiol

originally: yn wreiddiol

other, -s: arall, eraill; llall, lleill

otter, -s: dyfrgi, dyfrgwn *m*

ounce, -s: owns, -ys *f*

our: ein

out: allan; mas

out of: o; oddi

outlook, -s: rhagolwg, rhagolygon *m*
outside: allan; tu allan
oven, -s: popty, poptai *m*; ffwrn, ffyrnau *f*
over: tros; trosodd
overflow (to): gorlifo
overflowing: gorlawn
owl, -s: tylluan, -od *f*
own (to): perchen
owner, -s: perchennog, perchnogion *m*
owns: piau
ox, -en: ych, -en *m*
oxygen: ocsigen *m*

pack, -s: pecyn, -nau *m*
pack (to): pacio
packet, -s: paced, -i, paceidiau *m*
page, -s: tudalen, -nau *m f*
pain, -s: poen, -au *m*; dolur, iau *m*
painful: poenus
paint, -s: paent *m*
paint (to): arlunio; peintio
painter, -s: arlunydd, arlunwyr *m*; peintiwr, peintwyr *m*
pair, -s: pâr, parau *m*
palace, -s: palas, -au *m*; plas, -au *m*
pan, -s: padell, -i, pedyll *f*
pancake, -s: crempog, -au *f*; ffroesen, ffroes *f*
panel, -s: panel, -au, -i *m*
pantomime, -s: pantomeim, -iau *m*
pantry, pantries: pantri, pantrïoedd *m*
paper, -s: papur, -au *m*; **newspaper, -s:** papur, -au newydd
paper (to): papuro
papist, -s: pabydd, -ion *m*
parachute, -s: parasiwt -iau *m*
paradise: paradwys *f*
paradisical: paradwysaidd
paraffin: paraffîn *m*
paragraph, -s: paragraff, -au *m*
parcel, -s: parsel, -i *m*
pardon: pardwn *m*
parent, -s: rhiant, rhieni *m*
parish, -es: plwyf, -i *m*; llan, -nau *f*
park, -s: parc, -iau *m*

park (to): parcio
parliament, -s: senedd, -au *m*
parliamentary: seneddol
parlour, -s: parlwr, parlyrau *m*
parochial: plwyfol
parson, -s: person, -iaid *m*
part, -s: rhan, -nau *f*
partner, -s: partner, -iaid *m*
party, parties: parti, partïon *m*;
plaid, pleidiau *f*
pass, -es: bwlch, bylchau *m*
pass (to): pasio; mynd heibio
passion, -s: nwyd, -au *m*
past: heibio
past (the): y gorffennol *m*
pastoral: bugeiliol
pasture, -s: porfa, porfeydd *f*
pasty, pasties: pastai, pasteiod *f*
patch, -es: llain, lleiniau
[of land] *m*
path, -s: llwybr, -au *m*
patient, -s: claf, cleifion *m*
patriot, -s: gwladgarwr,
gwladgarwyr *m*
patron saint, -s: nawddsant,
nawddseintiau *m*
pattern, -s: patrwm, patrymau *m*
pause, -s: saib, seibiau *m*; seibiant,
seibiannau *m*
pavement, -s: palmant,
palmentydd *m*; pafin, -au *m*
pavilion, -s: pafiliwn, pafiliynau *m*
pay: tâl *m*
pay (to): talu
pay rise: codiad cyflog *m*
payable: taladwy
payment, -s: tâl, taliad, -au *m*
pea, -s: pysen, pys *f*
peace: heddwch *m*

peach, -es: eirinen wlanog, eirin
gwlanog *f*
peak, -s: copa, -on *m*
pear, -s: gellygen, gellyg *f*
pedal, -s: pedal, -au *f*
peg, -s: peg, -iau *m*
penalize (to): cosbi
penalty, penalties: cosb, -au *f*
pencil, -s: pensil, -au *m*
penitent: edifar
penny, pennies: ceiniog, -au *f*
pension, -s: pensiwn, pensiynau *m*
pensioner, -s: pensiynwr,
pensiynwyr *m*
people, -s: pobl, -oedd *f*
pepper: pupur *m*
perfect: perffaith
perfect (to): perffeithio
perform (to): perfformio
performance, -s: perfformiad, -au *m*
performer, -s: perfformiwr,
perfformwyr *m*
perfume, -s: persawr, -au *m*
perhaps: efallai; hwyrach
period, -s: cyfnod, -au *m*; adeg, -au *f*
permission: caniatâd *m*
permit (to): caniatáu
persecute (to): erlid
person, -s: person, -au *m*
personal: personol
personality, personalities:
personoliaeth, -au *f*
perspiration: chwys *m*
perspire (to): chwysu
persuade (to): perswadio
petrol: petrol *m*
petticoat, -s: pais, peisiau *f*
pharmacy, pharmacies: fferyllfa,
fferyllfeydd *f*

pheasant, -s: ffesant, -od *m*

phone, -s: ffôn, ffonau *f*

phone (to): ffonio

photocopy, photocopies: llungopi, llungopïau *m*

photocopy (to): llungopïo

photograph, -s: llun, -iau *m*; ffotograff, -au *m*

photographer, -s: ffotograffydd, ffotograffwyr *m*

photography: ffotograffiaeth *f*

phrase, -s: ymadrodd, -ion *m*

physics: ffiseg *f*

piano: piano *m*

pick (to): pigo

picnic: picnic *m*

picture, -s: llun, -iau *m*; darlun, -iau *m*; pictiwr, pictiyrau *m*

pie, -s: pastai, pasteiod *f*

piece, -s: darn, -au *m*; tamaid, tameidiau *m*; pisyn, pisiau *m*

pig, -s: mochyn, moch *m*

pigeon, -s: colomen, -nod *f*

pile, -s: twmpath, -au *m*

pill, -s: pilsen, pils *f*

pillar, -s: postyn, pyst *m*; colofn, -au *f*

pillow, -s: clustog, -au *f*

pin, -s: pin, pinnau *m*

pincers: gefel, gefeiliau *f*

pint, -s: peint, -iau *m*

pipe, -s: pibell, -au, -i *f*; pib, -au *f*

pit, -s: pwll, pyllau *m*

pity: trueni *m*; piti *m*

place, -s: lle, -oedd *m*; man, mannau *m f*

place (to): gosod; dodi

plaice: lleden, lledod *f*

plain: plaen [*adj*]

plain, -s: gwastadedd, -au *m*

plan, -s: cynllun, -iau *m*

planet, -s: planed, -au *f*

plant, -s: planhigyn, planhigion *m*

plant (to): plannu

plastic: plastig

plate, -s: plât, platiau *m*

platform, -s: platfform, -au *m*; llwyfan, -au *m f*

play, -s: drama, dramâu *f*

play (to): chwarae

player, -s: chwaraewr, chwaraewyr *m*

playful: chwareus

plead (to): pledio; erfyn

pleasant: hyfryd; dymunol; braf; pleserus

please (if you): os gweli di'n dda [*s*], os gwelwch chi'n dda [*pl*]

pleasure, -s: pleser, -au *m*; bodd *m*

plenty: digon

plug, -s: plwg, plygau, plygiau *m*

plum, -s: eirinen, eirin *f*

plumber, -s: plymwr, plymwyr *m*

pocket, -s: poced, -i *f*

poem, -s: cerdd, -i *f*

poet, -s: bardd, beirdd *m*

poetry: barddoniaeth *f*; **to write poetry:** barddoni

point, -s: pwynt, -iau *m*

point (to): pwyntio

poison, -s: gwenwyn, -au *m*

poisonous: gwenwynig

poker, -s: pocer, -i *m*

pole, -s: polyn, polion *m*

police force, -s: heddlu, -oedd *m*

policeman, policemen: plismon, plisman, plismyn *m*; heddwas, heddweision *m*; cwnstabl, -iaid *m*

policewoman, policewomen:
plismones, -au *f*;
heddferch, -ed *f*

polish (to): gloywi; rhoi sglein

politician, -s: gwleidydd, -ion *m*

politics: gwleidyddiaeth *f*

pony, ponies: merlyn *m*, merlen *f*,
merlod

ponytrekking: merlota

pool, -s: pwll, pyllau *m*; **swimming
pool, -s:** pwll, pyllau nofio *m*

poor: tlawd

popular: poblogaidd

population, -s: poblogaeth, -au *f*

porch, -es: porth, pyrth *m*;
cyntedd, -au *m*

pork: porc *m*

port, -s: porthladd, -oedd *m*

position, -s: safle, -oedd *m*

possibility: posibilrwydd *m*

possible: posibl

post, -s: swydd, -i *f*; post, pyst *m*

post (to): postio

postal order: archeb bost *f*

postcard, -s: cerdyn post, cardiau
post *m*

poster, -s: poster, -i *m*

postman, postmen: postmon,
postman, postmyn *m*

postpone (to): gohirio

postscript, -s: ôl-nodyn,
ôl-nodau *m*

pot, -s: potyn, potiau *m*

potato, -es: taten, tatws *f*

pouch, es: cod, -au *f*

pound, -s: pwys, -i *m*; punt,
punnau, punnoedd *f*

pour (to): arllwys; tywallt; pistyllio

powder: powdr, -au *m*

power, -s: nerth, -oedd *f*; pŵer,
pwerau, pweroedd *m*; grym, -
oedd *m*

powerful: grymus; cadarn

practical: ymarferol

practice, -s: ymarfer, -ion *m*

practise (to): ymarfer

praise (to): canmol

prance (to): prancio

prank, -s: pranc, -iau *m*

prawn, -s: corgimwch,
corgimychiaid *m*

pray (to): gweddïo

prayer, -s: gweddi, gweddïau *f*

preach (to): pregethu

preacher, -s: pregethwr,
pregethwyr *m*

precisely: yn union

pregnant: beichiog; **to become
pregnant:** beichiogi

prejudice, -s: rhagfarn, -au *f*

preliminary test, -s: rhagbrawf,
rhagbrofion *m*

prepare (to): paratoi

presence: presenoldeb

present, -s: anrheg, -ion *f*

present: presennol [*adj*]

present (the): y presennol

present (to): cyflwyno

presentation, -s: cyflwyniad, -au *m*

presenter, -s: cyflwynydd,
cyflwynwyr *m*

president, -s: llywydd, -ion *m*;
arlywydd, -ion *m*

press, -es: gwasg, gweisg *f*

press (to): gwasgu; pwyso

pretend (to): ffugio; smalio

pretty: pert; del

prevent (to): atal; rhwystro

price, -s: pris, -iau, -oedd *m*
price (to): prisio
priest, -s: offeiriad, offeiriaid *m*
primary: cynradd
prince, -s: tywysog, -ion *m*
princely: tywysogaidd
princess, -es: tywysoges, -au *f*
principal, -s: prifathro, prifathrawon *m*
principle, -s: egwyddor, -ion *f*
print (to): argraffu
printer, -s: argraffydd, argraffwyr [people]; argraffydd [machine] *m*
prison, -s: carchar, -au *m*; carchardy, carchardai *m*
prisoner, -s: carcharor, -ion *m*
private: preifat
prize, -s: gwobr, -au *f*
problem, -s: problem, -au *f*
produce (to): cynhyrchu
producer, -s: cynhyrchydd, cynhyrchwyr *m*
profession, -s: galwedigaeth, -au *f*
professor, -s: athro, athrawon *m*
profit: elw *m*
profit (to): elwa
programme, -s: rhaglen, -ni *f*
programme (to): rhaglennu
programmer, -s: rhaglennydd, rhaglenwyr *m*
prohibit (to): gwahardd
project, -s: prosiect, -au *m*
prominent: amlwg
promise, -s: addewid, -ion *m*
promise (to): addo
pronounce: ynganu
pronunciation: ynganiad *m*
proof, -s: prawf, profion *m*

property: eiddo *m*
propose (to): cynnig
prose: rhyddiaith *f*
prosper (to): ffynnu
prosperity: ffyniant *m*
prosperous: ffyniannus
proud: balch
provocative: pryfoclyd
provoke (to): pryfocio
provoking: pryfoclyd [*adj*]
psalm, -s: salm, -au *f*
psychiatrist, -s: seiciatrydd, -ion *m*
psycho-analysis: seico-analysis *m*
psychologist, -s: seicolegydd, seicolegwyr *m*
psychology: seicoleg *f*
pub, -s: tafarn, -au *m f*
public: cyhoeddus
public (the): y cyhoedd *m*
publican, -s: tafarnwr, tafarnwyr *m*
publicity: cyhoeddusrwydd *m*
publisher, -s: cyhoeddwr, cyhoeddwyr [male] *m*; cyhoeddwraig, cyhoeddwragedd [female] *f*
pudding, -s: pwdin, -au *m*
pull, -s: plwc, plyciau *m*
pull (to): tynnu
pulpit, -s: pulpud, -au *m*
pulse, -s: curiad, -au [heart] *m*
pump, -s: pwmp, pympau, pympiau *m*
punctual: prydlon
punish (to): cosbi
punishment, -s: cosb, -au *f*
pupil, -s: disgybl, -ion [student] *m*
pure: pur
purify (to): puro
purple: porffor

purpose, -s: pwrpas, -au *m*; diben, -ion *m*

purse, -s: pwrs, pyrsiau *m*

push (to): gwthio

put (to): dodi; rhoi

Qq

quake (to): crynu

quarrel, -s: cweryl, -on *f*; ffrae, -on *f*

quarrel (to): cweryla; ffraeo

quarry, quarries: chwarel, -i *f*

quarter, -s: chwarter, -i *m*

quartet, -s: pedwarawd, -au *m*

quay, -s: cei, -au *m*

queen, -s: brenhines, breninesau *f*

question, -s: cwestiwn, cwestiynau *m*

quicken (to): cyflymu

quickly: yn fuan

quiet: distaw; tawel

quieten (to): tawelu;

quite: eithaf

Rr

rabbit, -s: cwningen, cwningod *f*

race, -s: ras, -ys *f*; cenedl, cenhedloedd *f*

race (to): rasio

radio: radio *f*

radioactivity: ymbelydredd *m*

raffle, -s: raffl, -au *f*

rafter, -s: trawst, -iau *m*

rag, -s: clwt, clytiau *m*

railway, -s: rheilffordd, rheilffyrdd *f*

rain, -s: glaw, -ogydd *m*

rain (to): bwrw glaw; glawio

rainbow, -s: enfys, -au *f*

rainy: glawog

raise (to): codi

range, -s: ystod, -au *f*

rare: prin

raspberry, raspberries: mafonen, mafon *f*

rather: braidd; go; lled; tra; hytrach; **rather than:** yn hytrach na

ray, -s: pelydr, -au *m*

razor, -s: rasal, raselydd *f*

reach (to): cyrraedd; estyn

reaction, -s: ymateb, -ion *m*

read (to): darllen

reader, -s: darllenwr, darllenwyr [male] *m*; darllenwraig, darllenwragedd [female] *f*; darllenydd, darllenwyr *m*

ready: parod

real: real; gwirioneddol

reality: realiti *m*; gwirionedd *m*

realize (to): sylweddoli

reap (to): medi

reason, -s: rheswm, rhesymau *m*

reason (to): rhesymu

reasonable: rhesymol

receive (to): derbyn

receiver, -s: derbynnydd, derbynwyr *m*

reception: derbynfa *f*

receptionist: derbynnydd *m*

recipe, -s: rysáit, rysetiau *f*

recitation, -s: adroddiad, -au *m*

recite (to): adrodd

recognize (to): adnabod

record, -s: record, -iau *f*

record (to): recordio

recorder, -s: recordydd, -ion *m*

recording, -s: recordiad, -au *m*

recuperate (to): gwella

red: coch

refer (to): cyfeirio

referee, -s: dyfarnwr, dyfarnwyr *m*; canolwr, canolwyr *m*

refinery, refineries: purfa, purfeydd *f*

refrain (to): ymatal

refrigerator, -s: oergell, -oedd *f*

refugee, -s: ffoadur, -iaid *m*

refuse: gwastraff *m*

refuse (to): gwrthod; pallu

region, -s: bro, bröydd *f*; ardal -oedd *f*; rhanbarth, -au *m*

register, -s: cofrestr, -au *m f*

register (to): cofrestru

regular: rheolaidd; cyson

rejoice (to): llawenhau

related: perthyn; **related to:** yn perthyn i

relation, -s: perthynas, perthnasau *m*
relationship: perthynas *f*
relax (to): ymlacio
release (to): gollwng
relevant: perthnasol
relief: rhyddhad *m*
religion, -s: crefydd, -au *f*
religious: crefyddol
remain, -s: gweddill, -ion *m*
remember (to): cofio
remind (to): atgoffa
reminiscence, -s: atgof, -ion *m*
remote: anghysbell
renown: enwogrwydd *m*
renowned: enwog
rent, -s: rhent, -i *m*
rent (to): rhentu
repair (to): trwsio
repeat (to): ailadrodd
repent (to): edifarhau
repetitive: ailadroddus
reply, replies: ateb, -ion *m*
report, -s: adroddiad, -au *m*
report (to): gohebu
reporter, -s: gohebydd, gohebwyr *m*
represent (to): cynrychioli
request, -s: cais, ceisiadau *m*
research: ymchwil *m f*
research (to): ymchwilio
researcher, -s: ymchwilydd, ymchwilwyr *m*
rescue (to): achub
resign (to): ymddiswyddo
respect: parch *m*
respect (to): parchu
respectable: parchus
respectful: parchus
response, -s: ymateb, -ion *m*

responsible: cyfrifol
rest, -s: saib, seibiau *f*; sbel *f*;
  the rest: y gweddill
rest (to): gorffwys
restaurant, -s: bwyty, bwytai *m*
restrain (to): ymatal
result, -s: canlyniad, -au *m*
retire (to): ymddeol
return (to): dychwelyd
revenge: dialedd *m*; dial *m*
review, -s: adolygiad, -au *m*
review (to): adolygu
reviewer, -s: adolygydd, adolygwyr *m*
revise (to): adolygu
revolve (to): cylchdroi
reward, -s: gwobr, -au *f*
reward (to): gwobrwyo
rhubarb: rhiwbob *m*
rhyme, -s: odl, -au *f*
rhythm, -s: rhythm, -au *m*
ribbon, -s: ruban, -au *m*
rice: reis *m*
rich: cyfoethog
riches: cyfoeth *m*
rid (to): gwared
ride (to): reidio; marchogaeth
right: de
right, -s: hawl, -iau *f*
ring, -s: modrwy, -au, -on *f*
riot: terfysg *m*
rioter, -s: terfysgwr, terfysgwyr *m*
ripe: aeddfed
rise, -s: codiad, -au *m*
rise (to): codi
river, -s: afon, -ydd *f*;
  river bank, -s: glan, glannau *f*;
  river mouth, -s: aber, -oedd *m f*
road, -s: ffordd, ffyrdd *f*; heol, -ydd;
  lôn, lonydd *f*

Ss

roam (to): crwydro
roast: rhost
roast (to): rhostio
rock, -s: craig, creigiau *f*
rocket, -s: roced, -i *f*
romance, -s: rhamant, -au *f*
romantic: rhamantus
roof, -s: to, -eau, -eon *m*
roof (to): toi
room, -s: ystafell, -oedd *f*;
    room space,-s: lle, -oedd *m*
rope, -s: rhaff, -au *f*
rose, -s: rhosyn, -nau, rhosod *m*
rotate (to): cylchdroi
rough: garw
round: crwn; rownd
round, -s: rownd, -iau *f*
rounders: rownderi
row, -s: rhes, -i *f*
row (to): rhwyfo
royal: brenhinol
rub (to): rhwbio
rubber, -s: rwber, -i *m*
rubbish: ysbwriel; sbwriel *m*
ruby, rubies: rhuddem, -au *f*
rudder, -s: llyw, -iau *m*
rugby: rygbi *m*
rule, -s: rheol, -au *f*
rule (to): rheoli
ruler, -s: rheolwr, rheolwyr *m*
run (to): rhedeg
runner, -s: rhedwr, rhedwyr *m*
rush (to): rhuthro
rust: rhwd *m*
rust (to): rhydu

sack, -s: sach, -au *m f*
sackful, -s: sachaid, sacheidiau *m f*
sad: trist; to become sad: tristáu
sadness: tristwch *m*
safe: diogel; saff; sownd
safety: diogelwch *m*
sail, -s: hwyl, -iau *f*
sail (to): hwylio; morio
sailor, -s: morwr, morwyr *m*;
    llongwr, llongwyr *m*
saint, -s: sant, saint, seintiau
    [male] *m*; santes, -au [female] *f*
salad, -s: salad, -au *m*
salary, salaries: cyflog, -au *m f*
sale, -s: arwerthiant,
    arwerthiannau *m*; sêl *f*
salesman, salesmen: gwerthwr,
    gwerthwyr *m*
salmon, -s: eog, -iaid *m*
salt: halen *m*
salty: hallt
salve, -s: eli, elïau *m*
sand: tywod *m*
sandal, -s: sandal, -au *f*
sandwich, -es: brechdan, -au *f*
satellite, -s: lloeren, -nau *f*
satisfied: bodlon
satisfy (to): bodloni
Saturday, -s: Sadwrn, dydd
    Sadwrn *m*
sauce: saws *m*
saucepan, -s: sosban, -nau,
    sosbenni *f*
saucer, -s: soser, -i *f*

sausage, -s: selsigen, selsig *m f*
save (to): achub; safio; cynilo
saw, -s: llif, -iau *f*
saw (to): llifio
say (to): dweud
saying, -s: ymadrodd, -ion *m*
scarce: prin
scarcity: prinder *m*
scarf, scarves: sgarff, -au, -iau *f*
scatter (to): chwalu
scenery, sceneries: golygfa, golygfeydd *f*
school, -s: ysgol, -ion *f*
science: gwyddoniaeth *f*
scientist, -s: gwyddonydd, gwyddonwyr *m*
scissors: siswrn, sisyrnau *m*
score, -s: sgôr, sgoriau *m*
score (to): sgorio
scrape (to): crafu
scratch (to): crafu
scream, -s: sgrech, -iadau *f*
scream (to): sgrechian
screen, -s: sgrîn, sgriniau *f*
screw, -s: sgriw, -iau *f*
screw (to): sgriwio
script, -s: sgript, -iau *f*
scripture, -s: ysgrythur, -au *f*
sea, -s: môr, moroedd *m*
seagull, -s: gwylan, -od *f*
seal, -s: morlo, -i *m*
search (to): chwilio
seaside: glan y môr *m*
season, -s: tymor, tymhorau *m*
seasonal: tymhorol
seat, -s: sedd, -au *f*; sêt, seti *f*
seaweed: gwymon *m*
second, -s: eiliad, -au *m f*
second: ail; **second rate:** eilradd

second (to): eilio
seconder, -s: eilydd, -ion *m*
secret, -s: cyfrinach, -au *f*
secret: cyfrinachol [*adj*]
secretary, secretaries: ysgrifennydd, ysgrifenyddion *m*; ysgrifenyddes, -au [female] *f*
section, -s: rhan, -nau *f*
secure: diogel, sownd
security: diogelwch *m*
see (to): gweld
seed, -s: had, -au *m*
seek (to): ceisio
self, selves: hun, hunan, hunain
selfish: hunanol
sell (to): gwerthu
seller, -s: gwerthwr, gwerthwyr *m*
senate, -s: senedd, -au *f*
send (to): anfon; gyrru
sense, -s: synnwyr, synhwyrau *m*
sense (to): synhwyro
sensible: synhwyrol; call
sentence, -s: brawddeg, -au *f*; dedfryd, -au *f*
September: Medi, mis Medi *m*
sequence, -s: trefn, -au *f*
series: cyfres, -i *f*
serious: difrifol; difrif; sobr; **seriously:** o ddifrif
sermon, -s: pregeth, -au *f*
servant, -s: gwas, gweision *m*
serve (to): gwasanaethu
service, -s: gwasanaeth, -au *m*
session, -s: sesiwn, sesiynau *m*
set, -s: set, -iau *f*
settle (to): sefydlu; setlo
settled: sefydlog
seven: saith
seventh: seithfed

several: amryw; sawl
sew (to): gwnïo
sex, -es: rhyw, -iau *m f*
sexist: rhywiaethol
sexual: rhywiol
sexuality: rhywioldeb *m*
shadow, -s: cysgod, -ion *m*
shady: cysgodol
shaft, -s: siafft, -iau *f*
shake (to): ysgwyd; siglo
shallow: bas
shame: cywilydd *m*
shape, -s: ffurf, -iau *f*; siâp, siapiau *m*
shapely: siapus
share, -s: rhan, -nau *f*; cyfran, -nau *f*
share (to): rhannu
sharp: miniog
sharpen (to): minio
shave (to): eillio
shawl, -s: siôl, siolau *f*
she: hi
shed, -s: sied, -au *f*
sheep: dafad, defaid *f*
shelf, shelves: silff, -oedd *f*
shell, -s: cragen, cregyn *f*
shelter, -s: lloches, -au *f*
shelter (to): cysgodi
sheltered: clyd; cysgodol
shepherd, -s: bugail, bugeiliaid *m*
shepherd (to): bugeilio
shine (to): disgleirio; tywynnu; sgleinio
ship, -s: llong, -au *f*
shirt, -s: crys, -au *m*
shiver, -s: ias, -au *f*
shiver (to): crynu
shock: sioc *m*; syndod *m*

shoe, -s: esgid, -iau *f*
shoelace, -s: carrai, careiau *f*
shoot (to): saethu
shop, -s: siop, -au *f*
shop (to): siopa; siopio
shopkeeper, -s: siopwr, siopwyr *m*
shore, -s: glan, -nau *f*
short: byr
shortage: prinder *m*
shot, -s: ergyd, -ion *m f*
shoulder, -s: ysgwydd, -au *f*
shout, -s: gwaedd, -au *f*
shout (to): gweiddi
shovel, -s: rhaw, -iau *f*
show, -s: sioe, -au *f*
show (to): dangos
shower, -s: cawod, -au, -ydd *f*
showery: cawodlyd
shriek, -s: sgrech, -iadau *f*
shut (to): cau
shy: swil
shyness: swildod *m*
side, -s: ochr, -au *f*; ymyl, -on *f*; tu *m*; **to side with:** ochri â
sigh, -s: ochenaid, ocheneidiau *f*
sight, -s: golwg, golygon *m f*
sign, -s: arwydd, -ion *m f*
sign (to): arwyddo; llofnodi
signature, -s: llofnod, -ion *f*
silence: tawelwch *m*; distawrwydd *m*
silent: tawel; distaw
silk, -s: sidan, -au *m*
sill, -s: sil, -iau *f*
silver: arian *m*
simple: syml
simplify (to): symleiddio
sin, -s: pechod, -au *m*
since: er; ers; oddi ar

sincere: diffuant
sing (to): canu
singer: canwr, canwyr [male] *m*;
   cantores, -au [female] *f*
single: sengl
singular: unigol
sink, -s: sinc, -iau *f*
sink (to): suddo
sip, -s: llymaid, llymeidiau *m*
sir: syr
sister, -s: chwaer, chwiorydd *f*
sister-in-law, sisters-in-law:
   chwaer-yng-nghyfraith,
   chwiorydd-yng-nghyfraith *f*
sit (to): eistedd
site, -s: safle, -oedd *m*
situation, -s: sefyllfa, -oedd *f*
six: chwech; chwe [*in front of noun*]
sixth: chweched
size, -s: maint, meintiau *m*
skate (to): sglefrio
skeleton, -s: sgerbwd, sgerbydau *m*
sketch, -es: sgets, -ys, -au *f*
skilful: medrus
skill, -s: gallu, -oedd *m*; medr, -au *f*;
   sgil, -iau *m*
skin, -s: croen, crwyn *m*
skip (to): sgipio
skirmish, -es: sgarmes, -oedd *f*
skirt, -s: sgert, -iau *f*
sky: awyr *f*
slab, -s: slab, -iau *m*; llech, -i *f*
slack: llac
slander, -s: enllib, -ion *m*
slander (to): enllibio
slate, -s: llechen, llechi *f*
slave, -s: caethwas, caethweision *m*
sleep: cwsg *m*; hun *m*
sleep (to): cysgu; huno

sleet: eirlaw *m*
slice, -s: tafell, -i *f*; sleisen, -nau,
   -ni *f*
slide: llithren *f*
slide (to): llithro
slink (to): sleifio
slip (to): llithro
slipper, -s: sliper, -au, -i *f*
slippery: llithrig
slogan, -s: slogan, -au *m f*
slow: araf
slow (to): arafu
sluggard: diogyn *m*
small: bach; bychan; mân
smallholding, -s: tyddyn, -nod *m*
smell, -s: arogl, -au *m*
smell (to): arogli
smile, -s: gwên, gwenau *f*
smile (to): gwenu
smithy, smithies: gefail, gefeiliau *f*
smoke: mwg *m*
smoke (to): ysmygu; smocio
smoker, -s: ysmygwr, ysmygwyr *m*;
   smociwr, smocwyr *m*
smooth: esmwyth
snail, -s: malwen, malwoden,
   malwod *f*
snake, -s: neidr, nadroedd,
   nadredd *f*
snarl (to): chwyrnu
snooker: snwcer *m*
snore (to): chwyrnu
snow: eira *m*
snow (to): bwrw eira
snug: clyd
so: felly; mor
soap, -s: sebon, -au *m*
sober: sobr
sober (to): sobri

sociable: cymdeithasol
social: cymdeithasol
socialize (to): cymdeithasu
society, societies: cymdeithas, -au *f*
sock, -s: hosan, -au *f*
socket, -s: soced, -i *f*
sofa: soffa *f*
soft: meddal
software: meddalwedd *m*
soil, -s: pridd, -oedd *m*
soldier, -s: milwr, milwyr *m*
solicitor, -s: cyfreithiwr,
    cyfreithwyr [male] *m*;
    cyfreithwraig, cyfreithwragedd
    [female] *f*; twrnai, twrneiod *m*
solo, -s: unawd, -au *m f*
soloist, -s: unawdydd, unawdwyr *m*
some: ambell; peth; rhai; rhyw;
    tipyn; **some amount:** rhywfaint
somehow: rhywsut
someone: rhywun
something: rhywbeth
sometime: rhywdro; rhywbryd
sometimes: weithiau
somewhat: go; braidd
somewhere: rhywle
son, -s: mab, meibion *m*;
    son of: ap
son-in-law, sons-in-law: mab-yng-
    nghyfraith, meibion-yng-
    nghyfraith *m*
song, -s: cân, caneuon *f*; cerdd, -i *f*
sonnet, -s: soned, -au *f*
soon: buan; toc; cyn bo hir
soothe (to): esmwytho
sore: tost
sorrow, -s: gofid, -iau *m*
sorry: edifar;
    to be sorry: edifarhau

sort, -s: math, -au *m*
sound, -s: sŵn, synau *m*; sain,
    seiniau *f*
soup: cawl *m*
sour: sur
source, -s: ffynhonnell,
    ffynonellau *f*
south: de
southern: deheuol
sow (to): hau
space, -s: bwlch, bylchau *m*
spade, -s: rhaw, -iau *f*
spanner, -s: sbaner, -i *f*
spare: sbâr
sparing: cynnil
sparrow, -s: aderyn y to, adar y to *m*
speak (to): siarad
speaker: siaradwr, siaradwyr
    [male] *m*; siaradwraig,
    siaradwragedd [female] *f*
special: arbennig
specialist, -s: arbenigwr,
    arbenigwyr [male] *m*;
    arbenigwraig, arbenigwragedd
    [female] *f*
specialize (to): arbenigo
specific: penodol
speckled: brith
spectacles: sbectol, -au *f*
spectator, -s: gwyliwr, gwylwyr *m*
speech, -es: araith, areithiau *f*
speed: cyflymder *m*
spend (to): treulio; gwario
spider, -s: corryn, corynnod *m*;
    pryf copyn, pryfed cop *m*
spill (to): colli
spirit, -s: ysbryd, -ion *m*;
    gwirod, -ydd *m*
spiritual: ysbrydol

spite: sbeit *m*; malais *m*
spite (to): sbeitio
spiteful: sbeitlyd, maleisus
splash (to): tasgu
splendid: ardderchog; gwych
splendour: disgleirdeb *m*
split, -s: hollt, -au *m f*
sponge: sbwng *m*
spoon, -s: llwy, -au *f*
spoonful, -s: llwyaid, llwyeidiau *f*
sport: chwaraeon [*pl noun*]
spot, -s: smotyn, smotiau *m*; sbotyn, sbotiau *m*; spotyn, spotiau *m*
spouse: priod *m*
spout (to): pistyllio
spread (to): lledaenu
spring, -s: gwanwyn, -au *m*
square, -s: sgwâr, sgwariau *m*
square (to): sgwario
squash: sboncen [sport] *f*
squeeze (to): gwasgu
squirrel, -s: gwiwer, -od *f*
stable, -s: stabl, -au *f*
staff: staff *m*
stage, -s: llwyfan, -nau *m f*
stain, -s: staen, -iau *m*
stair, -s: gris, -iau *f*; staer, -au *f*
stall, -s: stondin, -au *f*
stamp, -s: stamp, -iau *m*
stamp (to): stampio
stand (to): sefyll
standard, -s: safon, -au *m*
standpoint, -s: safbwynt, -iau *m*
stanza, -s: pennill, penillion *m*
staple, -s: stapl, -au *f*
star, -s: seren, sêr *f*
starch: starts *m*
start: cychwyn *m*; dechrau *m*

start (to): cychwyn, dechrau
starve (to): llwgu
state, -s: stad, -au *f*; cyflwr, cyflyrau *m*
station, -s: gorsaf, -oedd *f*
statute, -s: deddf, -au *f*
stay (to): aros
steal (to): dwyn; lladrata
steam: ager *m*; stêm *m*
steel: dur *m*
steep: serth
steer (to): llywio
steering wheel(s): llyw, -iau *m*
step, -s: cam, -au *m*; gris, -iau *f*
step (to): camu
stick, -s: ffon, ffyn *f*
stick (to): glynu; sticio
still: llonydd; o hyd
sting, -s: pigiad, -au *m*
sting (to): pigo
stomach, -s: stumog, -au *f*; bol, -iau *m*
stone, -s: carreg, cerrig *f*; maen, meini *m*; stôn *f*
stony: caregog
stool, -s: stôl, stolion, stolau *f*
stop, -s: arhosfa, arosfeydd *f*
stop (to): atal; peidio; stopio
storeroom, -s: storfa, storfeydd *f*; (y)stordy, (y)stordai *f*
storm, -s: storm, -ydd *f*
stormy: stormus
story, stories: stori, storïau, straeon *f*; hanes, -ion *m*
stove, -s: stof, -au *f*
straight: union; syth
straighten (to): sythu
strain: straen *m*
strange: dieithr; rhyfedd

stranger, -s: dieithryn, dieithriaid *m*

straw, -s: gwelltyn, gwellt *m*

strawberry, strawberries: mefusen, mefus *f*

street, -s: stryd, -oedd *f*

strength, -s: grym, -oedd *m*; cryfder, -au *m*; nerth *m*

strengthen (to): cryfhau

stretch (to): ymestyn; estyn

strict: caeth

strike, -s: streic, -iau *f*

strike (to): taro; bwrw; streicio

string, -s: cordyn, -nau *m*; llinyn, -nau *m*; tant, tannau *m*

strip, -s: llain, lleiniau [of land] *m*

strong: cryf; cadarn

structure, -s: fframwaith, fframweithiau *f*; strwythur, -au *m*

stubborn: ystyfnig

student, -s: myfyriwr, myfyrwyr [male] *m*; myfyrwraig, myfyrwragedd [female] *f*

studio: stiwdio *f*

studious: darllengar

study (to): astudio; myfyrio

stuff (to): stwffio

stuffing: stwffin *m*

stupid: hurt; dwl; twp

stupid person, -s: twpsyn, twpsod *m*

sty, sties: twlc, tylcau, tylciau *m*

sub-: is-

subject, -s: testun, -au *m*; pwnc, pynciau *m*

subordinate: israddol

subscribe (to): tanysgrifio

subscription, -s: tanysgrifiad, -au *m*

substance, -s: sylwedd, -au *m*

substantial: sylweddol

substitute, -s: eilydd, -ion *m*

succeed (to): llwyddo

success, -es: llwyddiant, llwyddiannau *m*

successful: llwyddiannus

successor, -s: olynydd, olynwyr *m*

succulent: ir

suck (to): sugno

sudden: sydyn

suddenly: yn sydyn

sugar, -s: siwgr, -au *m*

suggest (to): awgrymu

suggestion, -s: awgrym, -iadau *m*

suit, -s: siwt, -iau *f*

suit (to): siwtio

suitable: addas

sulk (to): pwdu

sum, -s: swm, symiau; sym, -iau *m*

summarise (to): crynhoi

summary, summaries: crynodeb, -au *m*

summer, -s: haf, -au *m*

summery: hafaidd

summit, -s: copa, copaon *m*

sun: haul *m*

sunbathe (to): torheulo

Sunday: Sul, dydd Sul *m*

sunny: heulog

sunset: machlud *m*

sunshine: heulwen *f*

supermarket, -s: archfarchnad, -oedd *f*

supervisor, -s: arolygwr, arolygwyr *m*; goruchwyliwr, goruchwylwyr *m*

supper, -s: swper, -au *m*

supplement, -s: ychwanegiad, -au *m*; atodiad, -au *m*

support: cefnogaeth *f*

support (to): cefnogi; cynnal
suppose (to): tybio
sure: siŵr; sicr
surfeit (to): syrffedu
surgery, surgeries: meddygfa,
  meddygfeydd *f*
surname, -s: cyfenw, -au *m*
surprise: syndod *m*
surprise (to): synnu
surrender (to): ildio
surround, -s: cwmpas, -au, -oedd *m*
survey, -s: arolwg, arolygon *m*
suspicious: amheus
swallow, -s: gwennol, gwenoliaid *f*
swan, -s: alarch, elyrch *m*
swap (to): cyfnewid
swear (to): rhegi
swear word, -s: rheg, -feydd *f*
sweat: chwys *m*
sweat (to): chwysu
swede, -s: rwden, rwdins *f*
sweet: melys
sweetheart, -s: cariad, -on *m f*
sweets: fferins [*pl noun*]; losin [*pl
  noun*]
swift: chwim
swim (to): nofio
swing, -s: siglen, -nydd
  [playground] *f*
symphony, symphonies: symffoni,
  symffonïau *f*
system, -s: trefn, -au *f*

table, -s: bwrdd, byrddau *m;* bord,
  -ydd *f*; tabl, -au *m*
tablet, -s: tabled, -i *f*
taboo: tabŵ *m*
tackle (to): taclo
tail, -s: cwt, cytiau *m f*; cynffon,
  -nau *f*
tailor, -s: teiliwr, teilwriaid *m*
take (to): cymryd; mynd â
tale, -s: chwedl, -au *f*
talent, -s: dawn, doniau *f*; talent,
  -au *f*
talented: dawnus; talentog
talk (to): siarad
tall: tal
tame: dof
tank, -s: tanc, -iau *m*
tap, -iau: tap, -iau *m*
tape, -s: tâp, tapiau *m*
tape (to): tapio
tape recorder, -s: recordydd, -ion
  tâp *m*
target, -s: targed, -au *m*
tart, -s: tarten, -ni, -au *f*
task, -s: tasg, -au *f*
taste, -s: blas, -au *m*; chwaeth, -au *f*
taste (to): blasu
tasty: blasus
tax, -es: treth, -i *f*
taxi, -s: tacsi, -s *m*
tea: te *m*
teach (to): dysgu
teacher, -s: athro, athrawon [male]
  m; athrawes, -au [female] *f*

team, -s: tîm, timau *m*

teapot, -s: tebot, -au *m*

tear, -s: deigryn, dagrau *m*

tear (to): rhwygo

tease (to): pryfocio

technical: technegol

technician, -s: technegwr, technegwyr [male] *m*; technegwraig, technegwragedd [female] *f*; technegydd, technegwyr *m*

technique, -s: techneg, -au *f*

technology, technologies: technoleg, -au *f*

teddy: tedi *m*

tedious: maith; diflas

telegram, -s: teligram, -au *m*

telegraph, -s: teligraff, -au *m*

telephone, -s: teleffon, -au *f*; teliffon, -au *f*

television, -s: teledu *m*; teledydd, -ion *m*

temper: tymer *f*; natur *f*

temperament: tymer *m*

temperature, -s: tymheredd, tymheroedd *m*

tempt (to): temtio

ten, -s: deg, -au

tender: tyner

tennis: tenis *m*

tension: tensiwn *m*; tyndra *m*

tent, -s: pabell, pebyll *f*

tenth: degfed

term, -s: tymor, tymhorau *m*; amod, -au *m f*

terrible: ofnadwy

terrorism: terfysgaeth *f*

test, -s: prawf, profion *m*

text, -s: testun, -au *m*

thank (to): diolch

thank you: diolch (i chi)

thanks: diolchiadau [*pl noun*]

thanksgiving: diolchgarwch *m*

that: hynny; **that one:** hwnna; hwnnw [masculine] *m*; honna; honno [feminine] *f*; **that it is:** mai; taw

the: y; yr

theatre, -s: theatr, -au *f*

theatrical: theatrig

theft, -s: lladrad, -au *m*

their: eu

them: nhw; hwy

theme, -s: thema, themâu *f*; testun, -au *m*

then: yna; wedyn

there: yna; yno; acw; **there is, are:** dyna; dacw

these: hyn; y rhain

thesis, theses: traethawd, traethodau *m*

they: nhw; hwy

thief, thieves: lleidr, lladron *m*

thin: main; tenau

thing, -s: peth, -au *m*

think (to): meddwl

third: trydydd [masculine]; trydedd [feminine]

thirst: syched *m*

thirsty: sychedig

this: hyn; hwn [masculine]; hon [feminine]; yma

this year: eleni

thorn, -s: draenen, drain *f*; pigyn, pigau *f*

those: hynny

thought, -s: meddwl, meddyliau *m*

thousand, -s: mil, -oedd *f*

thread, -s: edau, edafedd *f*
threaten (to): bygwth
three: tri [masculine]; tair [feminine];
    three times: teirgwaith
thresh (to): dyrnu
thrifty: cynnil
thrilling: iasol
throat, -s: gwddf, gyddfau *m*
through: trwy
throw (to): taflu; lluchio
thumb, -s: bawd, bodiau *m*
thunder: taran, -au *f*; terfysg *m*
Thursday: Iau, dydd Iau *m*
thus: felly
tick (to): tician
ticket, -s: tocyn, -nau *m*; ticed, -i *m*
tide: llanw *m*
tidy: taclus; destlus; twt
tidy (to): tacluso; twtio
tie, -s: tei, -s *f*
tie (to): clymu
tight: tyn; [*note:* yn dynn]
tighten (to): tynhau
timber, -s: pren, -nau *m*
time, -s: amser, -au *m*
times: gwaith;
    three times: teirgwaith
timetable, -s: amserlen, -ni *f*
timid: ofnus
tin, -s: tun, -iau *m*
tin plate: alcam *m*
tire (to): blino;
    to become tired: blino
tiresome: blin
title, -s: teitl, -au *m*
to: i; at
toadstool: caws llyffant *m*
toast: tost *m*

tobacco: tybaco *m*; baco *m*
today: heddiw
toe, -s: bys troed, bysedd traed *m*
together: gyda'i gilydd; ynghyd; cyd- [*prefix*]
toilet, -s: tŷ bach, tai bach *m*; toiled, -au, -i *m*
toll, -s: toll, -au *f*
tomato, -es: tomato, -s *m*
tomorrow: yfory
ton, -s: tunnell, tunelli *f*
tone, -s: sain, seiniau *f*
tong, -s: gefel, gefeiliau *f*
tongue, -s: tafod, -au *f*
tonight: heno
too: hefyd; rhy
tool, -s: offeryn, offer *m*; erfyn, arfau *m*
tooth, teeth: dant, dannedd *m*
toothache: dannoedd *f*
top, -s: pen, -nau *m*
torch: torts *f*
total: cwbl; cyfan
total, -s: cyfanswm, cyfansymiau *m*
touch (to): cyffwrdd
towards: tua; tuag
towel, -s: tywel, -i *m*; lliain, llieiniau *m*
tower, -s: tŵr, tyrau *m*
town, -s: tref, -i *f*
toy, -s: tegan, -au *m*
trace, -s: ôl, olion *m*
tractor, -s: tractor, -au *m*
trade: masnach *f*
trade (to): masnachu
tradition, -s: traddodiad, -au *m*
traditional: traddodiadol
traffic: traffig *m*

tragedy, tragedies: trasiedi, trasiedïau *f*

train, -s: trên, trenau *m*

train (to): hyfforddi

training: hyfforddiant *m*

tram, -s: tram, -iau *m*

tramp, -s: crwydryn, crwydriaid *m*

trample (to): sathru

translate (to): cyfieithu

translation, -s: cyfieithiad, -au *m*

translator, -s: cyfieithydd, cyfieithwyr *m*

transplant (to): trawsblannu

trash: sothach *m*

travel (to): teithio; trafaelu

traveller, -s: teithiwr, teithwyr *m*

tray, -s: hambwrdd, hambyrddau *m*

treasure, -s: trysor, -au *m*

treasurer, -s: trysorydd, -ion *m*

treat (to): trin

treatment, -s: triniaeth, -au *f*

tree, -s: coeden, coed *f*

tremble (to): crynu

triangle, -s: triongl, -au *m*

tribute, -s: teyrnged, -au *f*

trio, -s: triawd, -au *m*

trip, -s: trip, -iau *m*

trouble, -s: trafferth, -ion *f*; gofid, -iau *m*

trousers: trowsus, -au *m*

trout: brithyll, -iaid *m*

trumpet, -s: trwmped, -au *m*

trust (to): ymddiried

trustee, -s: ymddiriedolwr, ymddiriedolwyr *m*

truth, -s: gwir *m*; gwirionedd, -au *m*

truthful: geirwir

try, tries: cais, ceisiadau *m*

try (to): ceisio; ymgeisio; trio

tube, -s: tiwb, -iau *m*

Tuesday: Mawrth, dydd Mawrth *m*

tumour, -s: tiwmor, au *m*

tune, -s: alaw, -on *f*; tiwn, -iau *f*; tôn, tonau *f*

tunnel, -s: twnnel, twnelau *m*

turkey, -s: twrci, twrcïod *m*

turn, -s: tro, -eon *m*

turn (to): troi

turning, -s: troad, -au *m*

turnip, -s: meipen, maip *f*

tutor, -s: tiwtor, -iaid *m*

twelfth: deuddegfed

twelve: deuddeg

twentieth: ugeinfed

twenty: ugain

twice: dwywaith

twin, -s: gefell, gefeilliaid *m*

two: dau [masc]; dwy [fem]

type, -s: math, -au *m*; teip, -iau *m*

type (to): teipio

typewriter, -s: teipiadur, -on *m*

typist, -s: teipydd, -ion *m*

tyrant, -s: unben, -iaid *m*

tyre, -s: teiar, -s *m*

Uu

ugly: hyll; salw

umbrella, -s: ymbarél, ymbarelau *m*

unanimous: unfrydol

uncle, -s: ewyrth, ewythr, -od *m*

under: tan

understand (to): deall

unemployed: di-waith

unemployment: diweithdra *m*

unexpected: annisgwyl

unfaithful: anffyddlon

unfamiliar: dieithr; anghyfarwydd

unfortunate: anffodus

unfortunately: yn anffodus

unhappy: anhapus

unhealthy: afiach

uninteresting: anniddorol

union, -s: undeb, -au *m*

unit, -s: uned, -au *f*

unite (to): uno

united: unedig

unity, unities: undod, -au *m*

university, universities: prifysgol, -ion *f*

unkind: angharedig

unless: oni; oni bai

unlock: datgloi

unlucky: anlwcus

unmarried: di-briod

unnatural: annaturiol

unsettled: ansefydlog

unsure: ansicr

untidiness: annibendod *m*; blerwch *m*

untidy: anniben; blêr

until: nes; tan; oni

unwell: gwael

up: i fyny; lan

upper: uwch

upstairs: y llofft *f*

upwards: i fyny

urban: trefol

urinate (to): piso

us: ni

use, -s: defnydd, -iau *m*

use (to): defnyddio

useful: defnyddiol

usual: arferol

Vv

vacant: gwag

valley, -s: cwm, cymoedd *m*;
   dyffryn, -noedd *m*;
   glyn, -noedd *m*

valuable: gwerthfawr

value, -s: gwerth, -oedd *m*

value (to): prisio

valve, -s: falf, -au, -iau *f*

van, -s: fan, -iau *f*

vandal, -s: fandal, -iaid *m*

vandalism: fandaliaeth *f*

vapour: ager *m*

variety, varieties: amrywiaeth,
   -au *m f*

various: amrywiol

vegetable, -s: llysieuyn, llysiau *m*

vehicle, -s: cerbyd, -au *m*

veil, -s: llen, -ni *m*

venture (to): mentro

verandah: feranda *f*

verb, -s: berf, -au *f*

verse, -es: pennill, penillion *m*

very: tra; iawn [*after adj*]

vestry, vestries: festri, festrïoedd *f*

veterinary surgeon, -s: milfeddyg,
   -on *m*

vicar, -s: ficer, -iaid *m*

vicarage, -s: ficerdy, ficerdai *m*

victory, victories: buddugoliaeth,
   -au *f*

video, -s: fideo, -s *m*

view, -s: golygfa, golygfeydd *f*

viewer, -s: gwyliwr, gwylwyr *m*

village, -s: pentref, -i *m*

villager, -s: pentrefwr,
   pentrefwyr *m*

vinegar: finegr *m*

virtue, -s: rhinwedd, -au *m f*

virus, -es: firws, -au *m*

visit, -s: ymweliad, -au *m*

visit (to): ymweld â

visitor, -s: ymwelydd, ymwelwyr *m*

vocabulary, vocabularies: geirfa,
   -oedd *f*

voice, -s: llais, lleisiau *m*

volume, -s: cyfrol, -au *f*

volunteer, -s: gwirfoddolwr,
   gwirfoddolwyr *m*

vote, -s: pleidlais, pleidleisiau *f*

vote (to): pleidleisio

vulture, -s: fwltur, -iaid *m*

Ww

wage, -s: cyflog, -au *m f*

waist, -s: gwasg, gweisg *m f*

waistcoat, -s: gwasgod, -au *f*

wait (to): aros; disgwyl

waiter, -s: gweinydd, gweinwyr *m*

waitress, -es: gweinyddes, -au *f*

wake up (to): deffro; dihuno

walk (to): cerdded

walking stick, -s: ffon, ffyn *f*

wall, -s: wal, -iau *f*; mur, -iau *m*

wallet, -s: waled, -i *f*

wander (to): crwydro

wanderer, -s: crwydryn, crwydriaid *m*

want (to): eisiau; ymofyn

war, -s: rhyfel, -oedd *m*

warehouse, -s: ystordy, ystordai *m*

warm: cynnes; twym

warm (to): cynhesu; twymo

warn (to): rhybuddio

warning, -s: rhybudd, -ion *m*

wash (to): golchi; ymolchi

washing (the): y golch

waste: gwastraff *m*

waste (to): gwastraffu

watch, -es: oriawr *f*; wats, -ys *f*

watch (to): gwylio

watcher, -s: gwyliwr, gwylwyr *m*

water, -s: dŵr, dyfroedd *m*

waterfall, -s: rhaeadr, -au *f*

wave, -s: ton, tonnau *f*

wave (to): chwifio; codi llaw

way, -s: ffordd, ffyrdd *f*

we: ni

weak: gwan

wealth: cyfoeth *m*

wealthy: cyfoethog

wear (to): gwisgo

weary: blinedig

weather: tywydd *m*

wedding, -s: priodas, -au *f*

Wednesday: Mercher, dydd Mercher *m*

weed, -s: chwynnyn, chwyn *m*

weed (to): chwynnu

week, -s: wythnos, -au *f*

weekend, -s: penwythnos, -au *m*

weekly: wythnosol

weekly edition, -s: wythnosolyn, wythnosolion *m*

weep (to): wylo

weigh (to): pwyso

weight, -s: pwysau [*pl noun*]

welcome: croeso

welcome (to): croesawu

well, -s: ffynnon, ffynhonnau *f*

well-known: adnabyddus

west: gorllewin

western: gorllewinol

wet: gwlyb

wet (to): gwlychu

whale, -s: morfil, -od *m*

what: beth

whatever: beth bynnag

wheel, -s: olwyn, -ion *f*

when: pryd

where: ble

which: pa; sydd

while: tra; wrth

whip, -s: chwip, -iau *f*

whisky: chwisgi *m*

whisper, -s: sibrwd, sibrydion *m*

whisper (to): sibrwd

whistle: chwiban, -au *m*
whistle (to): chwibanu
white: gwyn
Whitsun: Sulgwyn *m*
who: pwy; sydd
whoever: pwy bynnag
whole: cyfan
wholly: oll
why: pam; paham
wicket, -s: wiced, -au, -i *f*
wicket-keeper, -s: wicedwr, wicedwyr *m*
wide: llydan; eang
widow, -s: gweddw, -on *f*; gwraig weddw, gwragedd gweddw *f*
widowed: gweddw
widower, -s: gŵr gweddw, gwŷr gweddw *m*
width, -s: lled, -au *m*
wife, wives: gwraig, gwragedd *f*
wild: gwyllt
will, -s: ewyllys, -iau *f*
willing: bodlon; parod
win (to): ennill
wind, -s: gwynt, -oedd *m*
wind (to): weindio
window, -s: ffenestr, -i *f*
windy: gwyntog
wine, -s: gwin, -oedd *m*
winner, -s: enillwr, enillwyr [male] *m*; enillwraig, enillwragedd [female] *f*
winter, -s: gaeaf, -au *m*
wire, -s: gwifren, gwifrau *f*
wise: doeth; call
wish, -es: dymuniad, -iau *m*
wish (to): dymuno
with: gyda; gydag; wrth
within: ymhen; o fewn
without: heb; di-

witness, -es: tyst, tystion *m*
wizard, -s: dewin, -iaid *m*
wolf, wolves: blaidd, bleiddiaid *m*
woman, women: menyw, -od *f*; benyw, -od *f*; merch, -ed *f*; gwraig, gwragedd *f*; dynes *f*
wonder (to): synnu
wonderful: bendigedig
wood: pren *m*; coed [*pl noun*]
wood, -s: coedwig, -oedd *f*
wooden: pren
wool, -s: gwlân, gwlanoedd *m*
woollen: gwlân
word, -s: gair, geiriau *m*
work, -s: gwaith, gweithiau *m*
work (to): gweithio
worker, -s: gweithiwr, gweithwyr [male] *m*; gweithwraig, gweithwragedd [female] *f*
works: gwaith, gweithfeydd [industry] *m*
world, -s: byd, -oedd *m*
worry, worries: gofid, -iau *m*
worry (to): poeni; gofidio; becso
worse: gwaeth
worship: addoli
worshipper, -s: addolwr, addolwyr *m*
worst: gwaethaf
worth: gwerth, -oedd *m*
worthless: diwerth
worthy: teilwng
wound, -s: anaf, -iadau *m*; dolur, -iau *m*; cwt, cytau *m*
wound (to): anafu
wren, -s: dryw, -od *m f*
wretch, -es: truan, trueiniaid *m*
wretchedness: trueni *m*
write (to): ysgrifennu
wrong: cam; anghywir

Xx

X-ray, -s: pelydr, -au-X *m*
xylophone, -s: seiloffon, -au *m*

Yy

yard, -s: llath, -en, llathenni *f*;
  iard, ierdydd *f*
year, -s: blwyddyn, blynedd,
  blynyddoedd *f*;
  last year: y llynedd
yellow: melyn
yes: ie; do; oes; ydw; ydy *etc*
yesterday: ddoe
yield (to): ildio
yonder: draw
you: chi; ti
young: ifanc
your: dy; eich
youth: ieuenctid *m*
youth, -s: llanc, -iau [male] *m*;
  llances, -i, -au [female] *f*

Zz

zealous: eiddgar; selog
zigzag: igam-ogam
zone, -s: cylched, -au *f*
zoo: sŵ *f*
zoologist, -s: sŵolegydd,
  sŵolegwyr *m*
zoology: sŵoleg *f*

BERFAU AFREOLAIDD
IRREGULAR VERBS

BOD – TO BE

The Present Tense

Singular		*Plural*	
1 **Rydw i**	I am	**Rydyn ni**	We are
2 **Rwyt ti**	You are	**Rydych chi**	You are
3 **Mae e/o**	He is	**Maen nhw**	They are
Mae hi	She is		

The Present Tense (Interrogative)

Singular		*Plural*	
1 **Ydw i?**	Am I?	**Ydyn ni?**	Are we?
2 **Wyt ti?**	Are you?	**Ydych chi?**	Are you?
3 **Ydy e/o?**	Is he?	**Ydyn nhw?**	Are they?
Ydy hi?	Is she?		

The Present Tense (Negative)

Singular		*Plural*	
1 **Dydw i ddim**	I am not	**Dydyn ni ddim**	We are not
2 **Dwyt ti ddim**	You are not	**Dydych chi ddim**	You are not
3 **Dydy e/o ddim**	He is not	**Dydyn nhw ddim**	They are not
Dydy hi ddim	She is not		

Answer Forms

Singular	*Yes*	*No*	*Plural*	*Yes*	*No*
1	**Ydw**	Nac ydw		**Ydyn**	Nac ydyn
2	**Wyt**	Nac wyt		**Ydych**	Nac ydych
3	**Ydy**	Nac ydy		**Ydyn**	Nac ydyn

BOD – TO BE

The Imperfect Tense

Singular		*Plural*	
1 **Roeddwn i**	I was/used to	**Roedden ni**	We were/used to
2 **Roeddet ti**	You were/used to	**Roeddech chi**	You were/used to
3 **Roedd e/o**	He was/used to	**Roedden nhw**	They were/used to
Roedd hi	She was/used to		

The Future Tense

Singular		*Plural*	
1 **Bydda i**	I shall be	**Byddwn ni**	We shall be
2 **Byddi di**	You will be	**Byddwch chi**	You will be
3 **Bydd e/o**	He will be	**Byddan nhw**	They will be
Bydd hi	She will be		

The Past Tense

Singular		*Plural*	
1 **Bues i**	I was	**Buon ni**	We were
2 **Buest ti**	You were	**Buoch chi**	You were
3 **Buodd e/o**	He was	**Buon nhw**	They were
Buodd hi	She was		

The Conditional Tense

Singular		*Plural*	
1 **Baswn i**	I would (be)	**Basen ni**	We would (be)
2 **Baset ti**	You would (be)	**Basech chi**	You would (be)
3 **Basai fe/fo**	He would (be)	**Basen nhw**	They would (be)
Basai hi	She would (be)		

NOTE: **"Bod"** *followed by* **"yn"** *forms the present tense of other verbs:*

> **Mae Robert yn chwarae** – Robert is playing/Robert plays
> **Mae Robert yn mynd** – Robert is going/Robert goes
> **Mae hi'n dod** – She is coming/She comes
> **Rydw i'n dysgu Cymraeg** – I am learning Welsh
> **Ydych chi'n nabod George?** – Do you know George?

Note that **yn** *is abbreviated to* **'n** *when it follows a vowel*

MYND – TO GO
The Future Tense

Singular		Plural	
1 **Â/Af i**	I shall go	**Awn ni**	We shall go
2 **Ei di**	You will go	**Ewch chi**	You will go
3 **Aiff/Eith e/o, hi**	He, she will go	**Ân nhw**	They will go

The Past Tense

Singular		Plural	
1 **Es i**	I went	**Aethon ni**	We went
2 **Est ti**	You went	**Aethoch chi**	You went
3 **Aeth e/o, hi**	He, she went	**Aethon nhw**	They went

DOD – TO COME
The Future Tense

Singular		Plural	
1 **Do/Dof i**	I shall come	**Down ni**	We shall come
2 **Doi di**	You will come	**Dewch chi**	You will come
3 **Daw e/o, hi**	He, she will come	**Dôn nhw**	They will come

The Past Tense

Singular		Plural	
1 **Des i**	I came	**Daethon ni**	We came
2 **Dest ti**	You came	**Daethoch chi**	You came
3 **Daeth e/o, hi**	He, she came	**Daethon nhw**	They came

GWNEUD – TO DO/MAKE
The Future Tense

Singular		Plural	
1 **Gwna/Gwnaf i**	I shall do/make	**Gwnan ni**	We shall do/make
2 **Gwnei di**	You will do/make	**Gwnewch chi**	You will do/make
3 **Gwnaiff e/o, hi**	He, she will do/make	**Gwnân nhw**	They will do/make
Gwneith e/o, hi	He, she will do/make		

The Past Tense

Singular		Plural	
1 **Gwnes i**	I did/made	**Gwnaethon ni**	We did/made
2 **Gwnest ti**	You did/made	**Gwnaethoch chi**	You did/made
3 **Gwnaeth e/o**	He did/made	**Gwnaethon nhw**	They did/made
Gwnaeth hi	She did/made		

CAEL – TO HAVE
The Future Tense

Singular		Plural	
1 **Ca/Caf i**	I shall have	**Cawn ni**	We shall have
2 **Cei di**	You will have	**Cewch chi**	You will have
3 **Caiff/Ceith e/o, hi** He, she will have		**Cân nhw**	They will have

The Past Tense

Singular		Plural	
1 **Ces i**	I had	**Cawson ni**	We had
2 **Cest ti**	You had	**Cawsoch chi**	You had
3 **Cafodd e/o, hi**	He, she had	**Cawson nhw**	They had

ADNABOD (NABOD)– TO KNOW/RECOGNIZE (A PERSON)
The Future Tense

Singular		Plural	
1 **Adnabydda(f) i**	I shall know	**Adnabyddwn ni**	We shall know
2 **Adnabyddi di**	You will know	**Adnabyddwch chi**	You will know
3 **Adnabyddiff e/o, hi** He, she will know		**Adnabyddan nhw**	They will know
Adnabyddith e/o, hi He, she will know			

The Past Tense

Singular		Plural	
1 **Adnabyddais i**	I knew	**Adnabyddon ni**	We knew
2 **Adnabyddaist ti**	You knew	**Adnabyddoch chi**	You knew
3 **Adnabyddodd e/o, hi**	He, she knew	**Adnabyddon nhw**	They knew

GWYBOD – TO KNOW (A FACT)
The Present Tense – *Unlike other verbs* "**Gwn i**" *conveys the Present rather than the Future Tense.*

Singular		Plural	
1 **Gwn i**	I know	**Gwyddon ni**	We know
2 **Gwyddost ti**	You know	**Gwyddoch chi**	You know
3 **Gŵyr e/o, hi**	He, she knows	**Gwyddan nhw**	They know

The short forms of the Future and Past tenses are rarely used in speech.

234

TALFYRIADAU
ABBREVIATED FORMS

amg – amgaeëdig: .... enc – enclosed
AS – Aelod Seneddol: .... MP – Member of Parliament
CCC – cwmni cyfyngedig cyhoeddus: plc –
                                                                          public limited company
cyf – cyfyngedig: .... ltd – limited
cyng – cynghorydd: .... cllr – councillor
DPI – Dyn Pwysig Iawn: .... VIP – Very Important Person
DS – Dalier Sylw: .... NB – Please note (nota bene)
e.e. – er enghraifft: .... e.g. – for example
                                                                          (exempli gratia)
est – estyniad: .... ext – extension
h.y. – hynny yw: .... i.e. – that is (id est)
ÔN – ôl-nodyn: .... PS – post scriptum
TAW – Treth ar Werth: .... VAT – Value Added Tax
UFA – Unrhyw Fusnes Arall: .... Any other business
Y Bnr – Y Bonheddwr: .... literally Gentleman,
                                                                          used for Mr
Y Fon – Y Foneddiges: .... literally Lady,
                                                                          used for Miss or Mrs
YH – Ynad Heddwch: .... JP – Justice of the Peace
Ysw – Yswain: .... Esq – Esquire

ENWAU LLEOEDD YNG NGHYMRU
WELSH PLACENAMES

Abergavenny	**Y Fenni**
Ammanford	**Rhydaman**
Anglesey	**(Ynys) Môn**
Bardsey Island	**Ynys Enlli**
Barmouth	**Abermaw; Y Bermo**
Barry	**Y Barri**
Beaumaris	**Biwmares**
Brecon	**Aberhonddu**
Bridgend	**Pen-y-bont ar Ogwr**
Briton Ferry	**Llansawel**
Builth Wells	**Llanfair-ym-Muallt**
Caerleon	**Caerllion**
Caernarvon	**Caernarfon**
Cardiff	**Caerdydd**
Cardigan	**Aberteifi**
Carmarthen	**Caerfyrddin**
Colwyn Bay	**Bae Colwyn**
Conway	**Conwy**
Cowbridge	**Y Bont-faen**
Crickhowell	**Crucywel; Crughywel**
Denbigh	**Dinbych**
Devil's Bridge	**Pontarfynach**
Ebbw Vale	**Glynebwy**
Ferryside	**Glan-y-fferi**
Fishguard	**Abergwaun**
Flint	**Y Fflint**
Glamorgan	**Morgannwg**
Goodwick	**Wdig**
Gower	**Gŵyr**
Haverfordwest	**Hwlffordd**
Hawarden	**Penarlâg**
Hay (on Wye)	**Y Gelli**
Holyhead	**Caergybi**
Holywell	**Treffynnon**

Ilston	**Llanilltud Gŵyr**
Knighton	**Trefyclawdd; Trefyclo**
Lampeter	**Llanbedr Pont Steffan**
Laugharne	**Talacharn**
Llandaff	**Llandaf**
Llandovery	**Llanymddyfri**
Llantwit Major	**Llanilltud Fawr**
Llantwit Vardre	**Llanilltud Faerdre**
Lleyn Peninsula	**Pen Llŷn**
Loughor	**Casllwchwr**
Maesyfed	**Radnor**
Manorbier	**Maenorbŷr**
Menai Bridge	**Porthaethwy**
Mid Glamorgan	**Morgannwg Ganol**
Milford Haven	**Aberdaugleddau**
Mold	**Yr Wyddgrug**
Morriston	**Treforus**
Mountain Ash	**Aberpennar**
Monmouth	**Mynwy**
Montgomery	**Trefaldwyn**
Neath	**Castell-nedd**
Nevern	**Nanhyfer**
Newborough	**Niwbwrch**
Newcastle Emlyn	**Castellnewydd Emlyn**
Newport (Dyfed)	**Trefdraeth**
Newport (Gwent)	**Casnewydd**
Newquay (Dyfed)	**Ceinewydd**
Newtown (Powys)	**Y Drenewydd**
Old Colwyn	**Hen Golwyn**
Painscastle	**Castell Paen**
Pembroke	**Penfro**
Pile	**Y Pîl**
Pontypool	**Pont-y-pŵl**
Port Dinorwic	**Y Felinheli**

Presteigne	**Llanandras**
Rhayadr	**Rhaeadr Gwy**
Rhyl	**Y Rhyl**
Ruthin	**Rhuthun**
St Asaph	**Llanelwy**
St Athan	**Sain Tathan**
St David's	**Tyddewi**
St Dogmaels	**Llandudoch**
St Fagans	**Sain Ffagan**
St Mellons	**Llaneirwg**
Sketty	**Sgeti**
Snowdon	**Yr Wyddfa**
Snowdonia	**Eryri**
Solva	**Solfach**
South Glamorgan	**De Morgannwg**
Strata Florida	**Ystrad Fflur**
Swansea	**Abertawe**
Talley	**Talyllychau**
Tenby	**Dinbych y Pysgod**
Tintern	**Dindyrn**
Trecastle	**Trecastell**
Usk	**Brynbuga**
Vale of Clwyd	**Dyffryn Clwyd**
Vale of Conway	**Dyffryn Conwy**
Welshpool	**Y Trallwng**
West Glamorgan	**Gorllewin Morgannwg**
Whitland	**Hendy Gwyn ar Daf**
Wrexham	**Wrecsam**

PRYDAIN AC IWERDDON
BRITAIN AND IRELAND

Cymru – Wales

Cymro:.............................. Welshman
Cymraes: .... Welshwoman
Cymry: .... Welsh people
Cymraeg: .... Welsh language
Cymreig: .... Welsh [*adj*]
Cymreictod: .... Welshness

Lloegr – England

Sais: .... Englishman
Saesnes: .... Englishwoman
Saeson: .... English people
Saesneg: .... English language
Seisnig: .... English [*adj*]
Seisnigrwydd: .... Englishness

Yr Alban – Scotland

Albanwr: .... Scottish man; Scot
Albanes: .... Scottish woman
Albanwyr: .... Scottish people; Scots
Gaeleg: .... Gaelic
Albanaidd: .... Scottish [*adj*]

Iwerddon – Ireland

Gwyddel: .... Irishman
Gwyddeles: .... Irishwoman
Gwyddelod: .... Irish people
Gwyddeleg: .... Irish Language
Gwyddelig: .... Irish [*adj*]

GWLEDYDD EWROP
EUROPEAN COUNTRIES

Austria	**Awstria**
Belgium	**Gwlad Belg**
Bulgaria	**Bwlgaria**
Denmark	**Denmarc**
France	**Ffrainc**
Germany	**Yr Almaen**
Greece	**Gwlad Groeg**
Hungary	**Hwngari**
Italy	**Yr Eidal**
Netherlands (The)	**Yr Iseldiroedd**
Northern Ireland	**Gogledd Iwerddon**
Norway	**Norwy**
Poland	**Gwlad Pŵyl**
Portugal	**Portiwgal**
Romania	**Rwmania**
Spain	**Sbaen**
Sweden	**Sweden**
Switzerland	**Y Swisdir**
United Kingdom (The)	**Y Deyrnas Unedig**

Rhifau / Numbers

Y Rhifau Modern / The Modern Numbers

One	Un	Twenty	Dau ddeg
Two	Dau	Twenty one	Dau ddeg un
Three	Tri	Twenty two	Dau ddeg dau
Four	Pedwar	Twenty three	Dau ddeg tri
Five	Pump	Twenty four	Dau ddeg pedwar
Six	Chwech	Twenty five	Dau ddeg pump
Seven	Saith	Twenty six	Dau ddeg chwech
Eight	Wyth	Twenty seven	Dau ddeg saith
Nine	Naw	Twenty eight	Dau ddeg wyth
Ten	Deg	Twenty nine	Dau ddeg naw

Eleven	Un deg un	thirty	Tri deg
Twelve	Un deg dau	thirty one	Tri deg un
Thirteen	Un deg tri		
Fourteen	Un deg pedwar		
Fifteen	Un deg pump		
Sixteen	Un deg chwech		
Seventeen	Un deg saith		
Eighteen	Un deg wyth		
Nineteen	Un deg naw		

Numbers between thirty one and ninety nine follow the same pattern as the teens e.g.

Fifteen	Un deg pump
Forty one	Pedwar deg un
Ninety four	Naw deg pedwar

Note however that :
Fifty *is* **pum deg** *not* **pump deg** *and* sixty *is* **chwe deg** *not* **chwech deg.**

Y Rhifau Hŷn / The Older Numbers

The older forms are still used when time, ages and dates are discussed. The following, however, are the most common. One to ten are the same in both systems. (See following page for feminine forms used when discussing age).

Eleven	**Un ar ddeg**
Twelve	**Deuddeg**
Thirteen	**Tri ar ddeg**
Fourteen	**Pedwar ar ddeg**
Fifteen	**Pymtheg**
Sixteen	**Un ar bymtheg**
Seventeen	**Dau ar bymtheg**
Eighteen	**Deunaw**
Nineteen	**Pedwar ar bymtheg**
Twenty	**Ugain**
Twenty one	**Un ar hugain**
Twenty two	**Dau ar hugain**
Twenty three	**Tri ar hugain**
Twenty four	**Pedwar ar hugain**
Twenty five	**Pump ar hugain**
Twenty six	**Chwech ar hugain**
Twenty seven	**Saith ar hugain**
Twenty eight	**Wyth ar hugain**
Twenty nine	**Naw ar hugain**
Thirty	**Deg ar hugain**
Thirty one	**Un ar ddeg ar hugain**
Forty	**Deugain**
Fifty	**Hanner cant**
Sixty	**Trigain**
Seventy	**Deg a thrigain**
Eighty	**Pedwar ugain**
Ninety	**Deg a phedwar ugain**

Note: **dau ddeg:** twenty (modern) **deuddeg:** twelve (traditional)

RHIFAU BENYWAIDD / FEMININE NUMBERS

Note that **dau, tri** *and* **pedwar** *have feminine forms which are used when describing feminine objects*

> **Dwy** – feminine of **dau**
> **Tair** – feminine of **tri**
> **Pedair** – feminine of **pedwar**

e.g. **Dau gi a dwy gath; Tair ar ddeg o ferched; Pedair gwlad ar ddeg**

Note also, when giving someone's age, even when **blwydd** *f (of age) is dropped, the feminine forms are used:* **pedair blwydd oed; tair ar ddeg.**

RHIFAU DROS 99 / NUMBERS OVER 99

A hundred..**Cant**
Two hundred ....**Dau gant**
Three hundred...........................**Tri chant**
Four hundred ....**Pedwar cant**
Five hundred..............................**Pum cant**
Six hundred ....**Chwe chant**
Seven hundred...........................**Saith cant**
Eight hundred............................**Wyth cant**
Nine hundred..............................**Naw cant**
A thousand...**Mil**
Two thousand..................................**Dwy fil**
Three thousand ....**Tair mil**
Four thousand ....**Pedair mil**
Five thousand..............................**Pum mil**
Six thousand ....**Chwe mil**
Seven thousand..........................**Saith mil**
Eight thousand ....**Wyth mil**
Nine thousand..............................**Naw mil**
Ten thousand..............**Deg mil; Deng mil**
A million ....**Miliwn**
Two million...............................**Dwy filiwn**
Three million...........................**Tair miliwn**
Four million ....**Pedair miliwn**
Five million ....**Pum miliwn**

RHIFAU TREFNOL / ORDINAL NUMBERS

The ordinal numbers are based on the traditional method of counting:

first	**cyntaf**
second	**ail**
third	**trydydd***
fourth	**pedwerydd***
fifth	**pumed**
sixth	**chweched**
seventh	**seithfed**
eighth	**wythfed**
ninth	**nawfed**
tenth	**degfed**
eleventh	**unfed ar ddeg**
twelfth	**deuddegfed**
thirteenth	**trydydd ar ddeg**
fourteenth	**pedwerydd ar ddeg**
fifteenth	**pymthegfed**
sixteenth	**unfed ar bymtheg**
seventeenth	**ail ar bymtheg**
eighteenth	**deunawfed**
nineteenth	**pedwerydd ar bymtheg**
twentieth	**ugeinfed**
twenty first	**unfed ar hugain**
twenty second	**ail ar hugain**
twenty third	**trydydd ar hugain**
twenty fourth	**pedwerydd ar hugain**
twenty fifth	**pumed ar hugain**
twenty sixth	**chweched ar hugain**
twenty seventh	**seithfed ar hugain**
twenty eighth	**wythfed ar hugain**
twenty ninth	**nawfed ar hugain**
thirtieth	**degfed ar hugain**
thirty first	**unfed ar ddeg ar hugain**

* *When referring to feminine nouns,* **trydedd** *and* **pedwaredd** *are used e.g.:* **y drydedd ferch; y bedwaredd flwyddyn ar ddeg**

Detholiad o Enwau
Personol Cymraeg
A Selection of Welsh
Personal Names

Enwau Merched / Women's Names

Angharad: an old Welsh name containing **carad** dear + **an** to strengthen the meaning, a very dear one

Alaw: melody or water lily

Annest: a Welsh form of **Agnes** and originally from Greek meaning pure. Other variations are **Annes** and **Nest**

Anwen: a combination of **Ann** + **Gwen**, white and fair

Awen: inspiration, muse

Beryl: the name of a precious stone, originally Greek

Bethan: the Welsh form of Elizabeth, other variations are **Beti** and **Betsan**

Buddug: the Welsh form of Boudicca (Boadicea), the Brythonic queen who fought the Romans in Britain. Her name means victory

Carys: from the Greek *Charis* meaning grace

Catrin: the Welsh equivalent of **Catherine**

Ceinwen: **cain** + **gwen**, white and fair

Dilys: which means sincere or steadfast

Dora: a short form of **Dorothy** meaning gift of God in Greek

Dwynwen: an early saint, the patron saint of lovers

Eiddwen: a combination of **aidd** ardour + **gwen** white

Eirian: the beautiful, bright one

Eirlys: snowdrop

Eluned: probably from mediaeval French, meaning moon. It also occurs as **Luned**

Ffion: wild rose

Fflur: from the Latin *flora*

Glain: a jewel

Gwawr: Dawn

Gwenith: meaning wheat, was also a term for the best of its kind i.e. the fairest of women. **Gwyneth** is a late variant

Gwenllian: **gwen** white + **lliant** sea foam. The short form is **Llio**.

Haf: summer

Hafwen: **haf** summer + **gwen** fair

Heulwen: **haul** sun + **gwen** fair

Iona: probably the Welsh equivalent of **Joan** or **Joanna**, or possibly from **Ionawr** January

Irwen: **ir** fresh + **gwen** fair

Lleucu: lleu bright + **cu** dear, beautiful

Llinos: linnet

Lois: a biblical name

Lowri: probably a feminine form of the popular mediaeval saint **Lawrence**

Mai: May

Mair: the Welsh form of **Mary**

Manon: queen, maiden

Meinir: tall and slender

Myfanwy: banwy woman with endearing prefix **my-**, my dear girl

Nan: a pet form of **Ann**

Nerys: a shortened form of the mediaeval Welsh name **Generys**

Non: the name of St David's mother, possibly from the Latin *Nona* ninth child

Rhian: a maiden

Rhiannon: an early Welsh name meaning the queen goddess; she plays a very prominent part in the mediaeval Mabinogion tales

Siân: the Welsh equivalent of **Jane**, from the Biblical **Joanna**

Sioned: the Welsh equivalent of **Janet**

Siwan: the Welsh equivalent of **Joan**, feminine form of **John**

Wenna: from **gwen** fair, the very fair one

Enwau Dynion / Men's Names

Alwyn: A Welsh form of Old English **Aylwin**, meaning noble friend

Aneirin: the name of a Welsh poet c. 600 AD, meaning noble

Arthur: the name of a famous Brythonic or early Welsh battle leader c. 500 AD who halted early Anglo-Saxon conquests and became the King Arthur of legend

Bedwyr: one of Arthur's followers in early Welsh tradition; possibly king of the beech trees

Berwyn: bar head + **gwyn** white, white headed

Bryn: hill, prominence, **Brynmor** is **bryn** + **mawr** large

Caradog: name of a Brythonic leader against the Romans, **carad** dear

Cynan: a distinguished name in the royal line of Gwynedd, includes the root **ci** dog

Cynog: name of an early Welsh saint commemorated in Llangynog, Powys, includes the root **ci** dog

Dafydd: the Welsh equivalent of the Biblical **David**

Dewi: name of the patron saint of Wales, and an early Welsh form of the Biblical **David**

Dyfed: name of an early tribe, the **Demetae**, and of a kingdom in south-west Wales

Dylan: the sea

Edryd: lineage, ancestry

Emrys: an early Welsh form of **Ambrose**, immortal

Euros: aur gold + **rhos** rose

Euryn: aur gold + ending **-yn**, meaning darling

Gethin: a form of **cethin**, meaning dark, fierce

Glyn: a valley

Gwyn: white, fair, blessed

Gwynfor: gwyn white, blessed + **mawr** large, great

Hefin: summer-time, sunny

Heilyn: an old Welsh name containing **hail** service at table + the ending **-yn**.

Hywel: of fair appearance

Idris: an old Welsh name containing **iudd** lord

Idwal: an old Welsh name containing **iudd** lord + **wâl** strength

Iorwerth: an old Welsh name containing **iôr** lord + **berth** beautiful

Llion: modernized form of **Lleon**, as in Caerlleon, from the Latin *legiones* legions

Llŷr: the god of the sea in Celtic tradition

Llywelyn: an old Welsh name containing **llyw** leader or **lleu** light

Madog: an old Welsh name containing **mad** fortunate, and the name of the Welsh prince who is reputed to have discovered America before Columbus

Meilir or Meilyr: an old Welsh name containing **mael** + **rhi** king

Myrddin: the original Welsh name of the magician **Merlin**

Osian: the Welsh form of an Irish name meaning small deer

Owain: an old Welsh name possibly borrowed from the Latin *Eugenius* meaning noble

Penri: ab Henri son of Henry

Peredur: the name of one of the heroes of the mediaeval Mabinogion tales

Pryderi: the name of the hero in the Four Branches of the Mabinogi tales, possibly meaning caring for

Rheinallt: Welsh form of **Reginald, Reynold** and **Ronald**, originally power, might in German

Rhodri: an old Welsh name ending in **rhi** king

Rhydderch: an old Welsh name meaning noble

Rhys: one of the commonest Welsh names down the centuries, meaning warrior

Tecwyn or Tegwyn: an early saint's name containing **teg** fair + **gwyn** white, blessed

Tegid: an early borrowing from the Latin *Tacitus* silent

Trystan: possibly a Pictish name in origin, a famous lover in mediaeval romance

Tudur: an early Welsh name containing **tud** tribe + **rhi** king

Argraffwyd gan Astec Cyf.